3-2

초등 사회 자습서

개념 톡톡

금성 초등
교과서와
함께 봐요!

체계적인 교과서 정리와 활동 풀이!

금성출판사

구성과 특징

BOOK 1 개념 톡톡

체계적인 교과서 정리와 활동 풀이

교과서 내용을 충실하게 정리하여 빈틈없이 학습할 수 있습니다.

1 단원 열기

배움 영상

2 교과서 개념 정리와 활동 풀이

배움 영상

5 단원 마무리 활동 풀이

배움 영상

6 쪽지 시험

BOOK 2 문제 톡톡

학교 시험 완벽 대비

다양한 유형의 문제를 풀면서 시험에 자주 출제되는 내용을 알아볼 수 있습니다.

1 핵심 정리와 퍼즐 퀴즈

2 단원 평가 문제

3 서술형 평가 문제

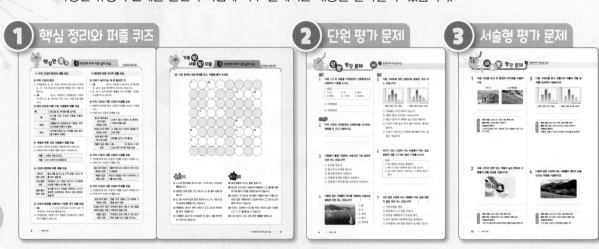

1 교과서의 핵심 내용이 담긴 배움 영상을 QR 코드로 담았습니다.

2 교과서와 똑같은 구성으로 체계적인 자기 주도 학습이 가능하도록 구성했습니다.

3 과정 중심 평가와 수행 평가를 대비하도록 다양한 유형의 문제를 준비했습니다.

3 주제 마무리 활동 풀이

4 주제를 정리하는 기본 문제

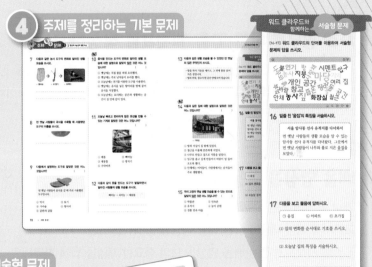

7 단원 평가를 대비하는 실력 문제와 서술형 문제

BOOK 3
한 손에 톡톡

시험 직전 공부 꿀팁

핸드북 형태로 들고 다니며 시험 직전에
공부한 내용을 복습할 수 있습니다.

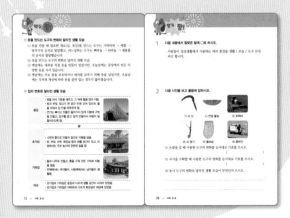

BOOK 4
정답 톡톡

정확한 정답과 친절한 해설

정답과 해설로 실력을 점검하고 부족한 개념
은 **한눈에 쏙쏙** 으로 보충할 수 있습니다.

사회와 나를 친한 사이로 만드는 공부 비법

비법 1 사회 공부를 위한 맞춤 계획표를 작성해요!

공부를 시작하기 전에 나만의 맞춤 계획표를 작성하여 실천할 약속을 정해요.
내가 만든 맞춤 계획표를 따라 공부하다 보면 어느새 사회와 친한 사이가 되어 있을 거예요.

비법 2 배움 영상을 활용해요!

'개념 톡톡'에 있는 QR 코드를 스마트폰이나 태블릿 PC로 찍으면
교과서의 핵심 내용이 담긴 배움 영상을 볼 수 있어요.
공부를 시작하기 전에 배움 영상을 보며 중요한 개념을 쉽게 파악해요.

비법 3 학교 진도에 맞춰 꾸준히 공부해요!

교과서와 똑같은 순서와 구성으로 개념을 정리하고 활동을 풀이했어요.
학교 진도에 맞춰 공부하다 보면 체계적으로 자기 주도 학습을 실천할 수 있어요.

비법 4 '문제 톡톡'과 '한 손에 톡톡'으로 시험을 대비해요!

학교 시험이 다가오면 '문제 톡톡'에 있는 다양한 문제를 풀어 보며 실력을 확인해요.
작고 가벼운 '한 손에 톡톡'은 시험 기간에 들고 다니면서 활용하기 좋아요.

비법 5 맞은 문제는 빠르게, 틀린 문제는 꼼꼼히 다시 봐요!

공부를 마친 후에 맞은 문제는 빠르게, 틀린 문제는 꼼꼼히 되돌아봐요.
특히 틀린 문제는 꼭 표시해 두었다가 다시 풀어 봐야 해요.
사회와 친해지기 위해서는 복습하는 습관을 들이는 것이 매우 중요해요.

꾸준한 사회 공부를 위한 맞춤 계획표

스스로 공부할 분량과 날짜를 적고,
계획표에 맞춰 공부한 후에 표시를 합니다.

◯ 1일차	◯ 2일차	◯ 3일차	◯ 4일차	◯ 5일차
월 일	월 일	월 일	월 일	월 일
~ 쪽	~ 쪽	~ 쪽	~ 쪽	~ 쪽
◯ 6일차	◯ 7일차	◯ 8일차	◯ 9일차	◯ 10일차
월 일	월 일	월 일	월 일	월 일
~ 쪽	~ 쪽	~ 쪽	~ 쪽	~ 쪽
◯ 11일차	◯ 12일차	◯ 13일차	◯ 14일차	◯ 15일차
월 일	월 일	월 일	월 일	월 일
~ 쪽	~ 쪽	~ 쪽	~ 쪽	~ 쪽
◯ 16일차	◯ 17일차	◯ 18일차	◯ 19일차	◯ 20일차
월 일	월 일	월 일	월 일	월 일
~ 쪽	~ 쪽	~ 쪽	~ 쪽	~ 쪽
◯ 21일차	◯ 22일차	◯ 23일차	◯ 24일차	◯ 25일차
월 일	월 일	월 일	월 일	월 일
~ 쪽	~ 쪽	~ 쪽	~ 쪽	~ 쪽
◯ 26일차	◯ 27일차	◯ 28일차	◯ 29일차	◯ 30일차
월 일	월 일	월 일	월 일	월 일
~ 쪽	~ 쪽	~ 쪽	~ 쪽	~ 쪽
◯ 31일차	◯ 32일차	◯ 33일차	◯ 34일차	◯ 35일차
월 일	월 일	월 일	월 일	월 일
~ 쪽	~ 쪽	~ 쪽	~ 쪽	~ 쪽
◯ 36일차	◯ 37일차	◯ 38일차	◯ 39일차	◯ 40일차
월 일	월 일	월 일	월 일	월 일
~ 쪽	~ 쪽	~ 쪽	~ 쪽	~ 쪽
◯ 41일차	◯ 42일차	◯ 43일차	◯ 44일차	◯ 45일차
월 일	월 일	월 일	월 일	월 일
~ 쪽	~ 쪽	~ 쪽	~ 쪽	~ 쪽
◯ 46일차	◯ 47일차	◯ 48일차	◯ 49일차	◯ 50일차
월 일	월 일	월 일	월 일	월 일
~ 쪽	~ 쪽	~ 쪽	~ 쪽	~ 쪽

차례

1. 환경에 따라 다른 삶의 모습

사 회를
이 해하고
다 함께
탐구하자!

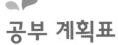

공부 계획표

• 자신의 일정에 맞게 계획을 세워 보고, 실제 학습일을 적어 봅시다.
• 학습을 마무리한 후 얼마나 학습 목표를 달성했는지 스스로 점검해 봅시다.

여름 방학을 맞아 친구들과 다른 고장을 여행했어요. 바다와 가까운 고장의 모습은 어떤지 알아볼까요?

속 시원한
활동 풀이

📍교과서 9~10쪽

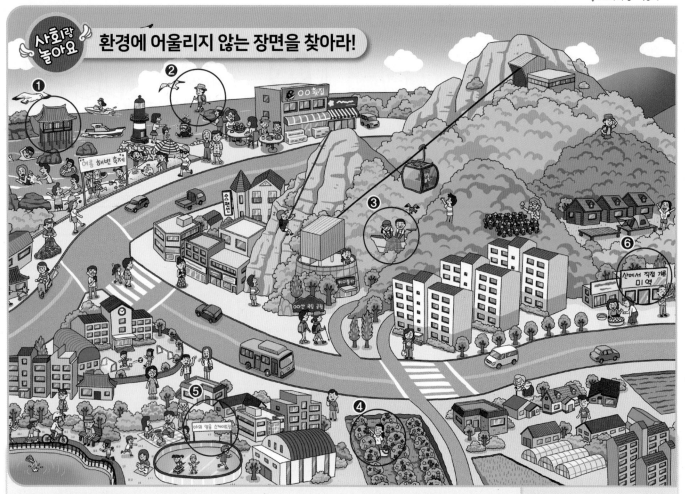

사회랑 놀아요 **환경에 어울리지 않는 장면을 찾아라!**

❓ 그림에서 환경에 어울리지 않는 장면을 찾아 표시하고, 어떻게 고쳐 그리면 좋을지 이야기해 봅시다.

예 바닷물 위로 걷는 사람을 땅으로 옮기고, 과수원에 있는 사람을 과일을 따는 모습으로 고칩니다.

도움 고장의 환경과 계절을 생각해 보고 어울리지 않는 장면과 장소에 어울리지 않는 행동을 하는 사람을 찾아 보아요.

⭐ **이 단원에서 나는**

📍교과서 11쪽

○ 조사하고 싶어요.

○ 생활 모습을 ○

환경에 따른 ○

○ 탐구하고 싶어요.

○ 의식주 모습을 ○

○ 비교하고 싶어요.

도움 제시된 낱말을 연결하여 나만의 학습 계획을 세워 보아요.

예 • 환경에 따른 생활 모습을 탐구하고 싶어요.
• 환경에 따른 의식주 모습을 비교하고 싶어요.

미리 맛보는
교과서 흐름

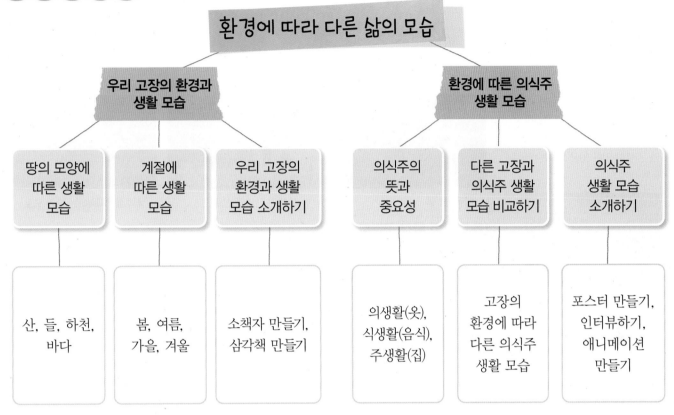

환경에 따라 다른 삶의 모습

우리 고장의 환경과 생활 모습

환경에 따른 의식주 생활 모습

땅의 모양에 따른 생활 모습	계절에 따른 생활 모습	우리 고장의 환경과 생활 모습 소개하기	의식주의 뜻과 중요성	다른 고장과 의식주 생활 모습 비교하기	의식주 생활 모습 소개하기
산, 들, 하천, 바다	봄, 여름, 가을, 겨울	소책자 만들기, 삼각책 만들기	의생활(옷), 식생활(음식), 주생활(집)	고장의 환경에 따라 다른 의식주 생활 모습	포스터 만들기, 인터뷰하기, 애니메이션 만들기

🍀 고장의 환경과 사람들의 생활 모습을 알 수 있어요.
🍀 고장의 환경에 따른 다양한 의식주 생활 모습을 알 수 있어요.

미리 맛보는
핵심 용어

❶ **자**(自) 스스로 자 　 **연**(然) 그럴 연 　 **환**(環) 고리 환 　 **경**(境) 지경 경

❶ 산, 들, 바다와 같은 땅의 모양이나 눈, 비, 기온과 같이 날씨에 영향을 주는 것입니다.

❷ **인**(人) 사람 인 　 **문**(文) 글월 문 　 **환**(環) 고리 환 　 **경**(境) 지경 경

❷ 사람들이 자연환경을 이용하여 만든 밭, 도로, 건물 등을 말합니다.

❸ **의**(衣) 옷 의 　 **식**(食) 밥 식 　 **주**(住) 살 주

❸ 옷, 음식, 집을 한꺼번에 가리켜 이르는 말로 인간 생활의 세 가지 기본 요소입니다.

우리 고장의 환경을 살펴볼까요?

① 고장의 환경

(1) 고장의 환경 살펴보기

▲ 나무, 물, 돌

▲ 눈이 쌓인 산과 등산로

▲ 배추를 ❶재배하는 밭과 도로

(2) 고장의 환경 구분하기

① 자연 그대로의 것: 산, 눈, 나무, 물, 돌 등
② 사람들이 만든 것: 등산로, 밭, 도로 등

② 자연환경과 인문환경 속 시원한 활동 풀이

(1) 자연환경과 인문환경의 의미 보충 ❶

자연환경	자연 그대로의 환경으로 산, 들, 바다, ❷하천과 같은 땅의 모양이나 눈, 비, 기온과 같이 날씨에 영향을 주는 것
인문환경	밭, 도로, 건물, ❸항구와 같이 사람들이 자연환경을 이용하여 만든 것

(2) 자연환경과 인문환경의 종류

자연환경	▲ 산	▲ 바다	▲ 눈	▲ 비
인문환경	▲ 논	▲ 도로	▲ 건물	▲ 공원

(3) 자연환경과 인문환경 조사 방법

① 고장에서 직접 가 본 곳이나 알고 있는 곳을 떠올려 본다.
② 고장을 높은 곳에서 찍은 사진이나 디지털 영상 지도에서 확인해 본다. 보충 ❷
③ 고장 누리집에서 고장의 다양한 장소를 찾아보거나 고장 안내 지도에서 명칭을 살펴본다.
④ 텔레비전에 나온 고장의 영상을 찾아본다.

속 시원한 활동 풀이

1 풍선을 보고 사진에서 자연환경과 인문환경을 찾아봅시다.

예 사진 위쪽에는 자연환경에 해당하는 산, 사진 왼쪽에는 인문환경에 해당하는 건물이 있습니다.

2 우리 고장에서 볼 수 있는 자연환경과 인문환경을 조사하여 아래 빈칸에 정리해 봅시다.

우리 고장의 자연환경	우리 고장의 인문환경
예 한강이 있습니다.	예 다세대 주택과 아파트가 있습니다.

정답과 해설 2쪽

1 자연 그대로의 환경을 이르는 말로 산, 들, 바다와 같은 땅의 모양이나 눈, 비, 기온과 같이 날씨에 영향을 주는 것이 무엇인지 쓰시오. (   )

2 인문환경에 해당하는 것을 보기 에서 모두 골라 기호를 쓰시오.

보기
ㄱ 도로   ㄴ 하천   ㄷ 바람   ㄹ 과수원   ㅁ 아파트

(   )

3 다음 내용에서 알맞은 말에 ○표 하시오.

우리 고장의 자연환경과 인문환경을 조사할 때 (높은 / 낮은) 곳에서 찍은 사진이나 디지털 영상 지도를 활용하면 고장의 환경을 한눈에 확인할 수 있습니다.

① 1 우리 고장의 환경과 생활 모습

땅의 모양에 따른 고장 사람들의 생활 모습을 알아볼까요?

① 땅의 모양

(1) 고장에서 볼 수 있는 땅의 모양: 산, 들, 하천, 바다 등 **보충 ①**

(2) 고장 사람들이 땅을 이용하는 모습: 고장 사람들은 자연환경을 그대로 이용하거나 자연환경을 이용하여 생활에 편리한 시설을 만들기도 한다.

② 땅의 모양에 따른 생활 모습 속 시원한 활동 풀이

산	 등산을 함.	 ❶전망대나 케이블카를 설치하여 이용함.
들	 농사를 지음.	 도로와 건물을 만들어 이용함.
하천	 ❷생활용수와 ❸공업용수로 이용함.	 주변에 공원을 만들어 이용함.
바다 **보충 ②**	 바다에서 물고기나 조개를 잡음.	 바닷가에 항구를 만들어 이용함.

 다 함께 활동

사진을 살펴보고 우리 고장 사람들은 땅을 어떻게 이용하며 살아가는지 친구와 함께 이야기해 봅시다.

예 산에 스키장을 만들어 스키를 탑니다.	예 바닷가 해수욕장에서 물놀이를 합니다.	예 하천 주변에 산책로를 만들어 산책을 합니다.

잠깐! 확인해요

사람들은 고장의 자연환경을 이용하며 살아갑니다. (○ , ✕) 　　　　(　○　)

확인 톡! 톡!

📍정답과 해설 2쪽

1 내용이 맞으면 ○표, 틀리면 ✕표를 선택하시오.
(1) 고장 사람들은 들에 전망대나 케이블카를 설치하여 이용합니다. (○ , ✕)
(2) 고장 사람들은 자연환경을 그대로 이용하기도 하고, 자연환경을 이용하여 생활에 편리한 시설을 만들기도 합니다. (○ , ✕)

2 서로 관련 있는 내용끼리 바르게 선으로 연결하시오.

(1) 산 •　　　　　　　• ㉠ 등산을 합니다.

(2) 들 •　　　　　　　• ㉡ 항구를 만들어 이용합니다.

(3) 바다 •　　　　　　　• ㉢ 주변에 공원을 만들어 이용합니다.

(4) 하천 •　　　　　　　• ㉣ 도로와 건물을 만들어 이용합니다.

탐구해요

계절에 따른 고장 사람들의 생활 모습을 알아볼까요?

보충 1

● **그래프 읽는 법**

① 그래프가 무엇을 나타내는지 제목을 확인한다.

② 그래프의 가로와 세로가 각각 무엇을 나타내는지 확인한다.

③ 그래프에서 눈금 한 칸의 크기가 얼마인지 확인한다.

④ 각각의 막대가 나타내는 양이 얼마인지 확인한다.

보충 2

● **기상 자료 개방 포털**

고장의 계절별 기온과 강수량 자료를 찾아보고 싶을 때 기상 자료 개방 포털 누리집을 이용할 수 있다.

1 계절에 따른 생활 모습 (쏙 시원한 활동 풀이)

봄

꽃구경하러 감.

여름

시원한 곳을 찾아감.

가을

단풍을 보러 감.

겨울

눈이 내리면 눈싸움을 함.

2 계절별 기온과 강수량

(1) 고장의 ❶기온과 ❷강수량

① 계절별로 기온과 강수량이 다르다.

② 같은 계절이라도 고장에 따라 기온과 강수량에 차이가 있다.

③ 계절에 따른 기온과 강수량 변화는 사람들의 생활 모습에 영향을 미친다.

(2) 강릉시의 계절별 기온과 강수량 ❸그래프 보충 1, 2

용어 사전

❶ **기온**: 대기의 온도를 말한다.

❷ **강수량**: 일정한 곳에 일정 기간 내린 비, 눈 등 물의 양을 말한다.

❸ **그래프**: 조사한 자료를 직선, 곡선, 막대, 그림 등으로 한눈에 알아볼 수 있도록 나타낸 것이다.

❹ **평균**: 여러 수나 같은 종류의 양의 중간값을 갖는 수를 뜻한다.

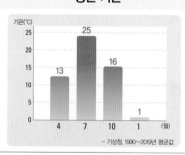
❹평균 기온

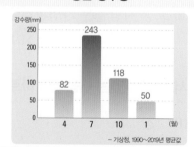
평균 강수량

- 기온이 가장 높은 달: 7월(25℃)
- 기온이 가장 낮은 달: 1월(1℃)

- 강수량이 가장 많은 달: 7월(243mm)
- 강수량이 가장 적은 달: 1월(50mm)

내용 기온 그래프의 막대 길이가 길수록 기온이 높고 날씨가 덥다는 뜻이고, 강수량 그래프의 막대 길이가 길수록 강수량이 많고 비나 눈이 많이 내린다는 뜻이다.

속 시원한 **활동 풀이**

우리 고장의 기온과 강수량을 조사하여 계절별 날씨 특징과 사람들의 생활 모습을 설명해 봅시다.

> 예 우리 고장은 여름에는 기온이 높아 덥고, 비가 많이 내립니다.
> 그래서 고장 사람들은 바다나 계곡 등 시원한 곳을 찾아가고, 선풍기와 에어컨을 많이 사용합니다. 또한 수박이나 빙수와 같이 시원한 음식을 많이 먹습니다. 우산을 가지고 다닙니다.
>
> 예 우리 고장은 겨울에는 기온이 낮아 춥고, 눈이 많이 내립니다.
> 그래서 고장 사람들은 두꺼운 옷을 입고, 난방을 합니다. 눈이 많이 오면 집 앞에 쌓인 눈을 직접 치웁니다.

잠깐! 확인해요

고장 사람들은 여름철 더위에 대비합니다. (◯ , ✕)　　　　　　　(◯)

정답과 해설 2쪽

1 그래프를 보고 내용이 맞으면 ◯표, 틀리면 ✕표를 선택하시오.

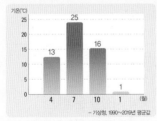
▲ 강릉시 평균 기온 그래프

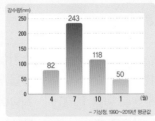
▲ 강릉시 평균 강수량 그래프

(1) 평균 기온 그래프에서 기온이 가장 낮은 달은 1월입니다. (◯ , ✕)

(2) 평균 강수량 그래프에서 강수량이 가장 많은 달은 7월입니다. (◯ , ✕)

2 서로 관련 있는 내용끼리 바르게 선으로 연결하시오.

(1) 봄 •　　　　　　　　　• ㉠ 꽃구경하러 갑니다.

(2) 여름 •　　　　　　　　• ㉡ 단풍을 보러 갑니다.

(3) 가을 •　　　　　　　　• ㉢ 눈이 내리면 눈싸움을 합니다.

(4) 겨울 •　　　　　　　　• ㉣ 바다 등 시원한 곳을 찾아갑니다.

고장의 환경에 따른 생활 모습을 알아볼까요?

1 고장의 환경과 생활 모습 속 시원한 활동 풀이

(1) 고장에서 볼 수 있는 환경 보충 **1**

① 바다가 있다.

② 산이 많다.

③ 넓은 들이 있다.

(2) 환경에 따라 고장 사람들이 하는 일: 고장 사람들은 그 고장의 자연환경과 인문환경을 이용한 일을 하며 살아간다.

▲ 물고기 잡기　　　　　▲ 목장에서 양 기르기　　　　　▲ 논에서 농사짓기

2 환경에 따라 고장 사람들이 하는 일 속 시원한 활동 풀이

(1) 바다가 있는 고장에서 하는 일

• 배나 도구를 이용하여 물고기를 잡음.	• 물고기를 잡는 기구를 팔거나 수리함.
• 바다에서 김, 미역, 전복 등을 기름.	• 바다에서 잡거나 기른 수산물을 팖.
• 바다에 들어가 전복, 멍게 등을 땀.	• 논이나 밭에서 농사를 지음.

(2) 산이 많은 고장에서 하는 일

• 목장에서 소나 양을 키움.	• 스키장을 만들어 운영함.
• 땅속에 묻혀 있는 지하자원을 캠.	• 꿀을 얻기 위해 벌을 기름.
• ❶산비탈에 밭이나 계단식 논을 만듦. 보충 **2**	• 식당이나 숙박 시설을 운영함.
• 버섯을 재배하고, 산나물, 약초를 캠.	• ❷국립 공원, 체험장을 운영하고 관리함.

(3) 넓은 들이 있는 고장에서 하는 일

들이 있는 고장	도시가 발달한 고장 보충 **3**
• 논, 밭, 비닐하우스에서 농사를 지음.	• 회사나 공장에서 일을 함.
• 과수원에서 과일을 재배함.	• 물건이나 음식을 팔기도 함.
• 소, 돼지, 닭 등 가축을 기름.	• 돈을 맡아 주거나 돈이 필요한 사람에게 빌려줌.
• 농업 기술을 연구함.	

 내용 고장의 자연환경과 인문환경에 따라 사람들이 하는 일이 달라진다.

1 고장의 환경에 어울리는 붙임 딱지를 골라 빈칸에 붙여 봅시다.

바다가 있는 고장	산이 많은 고장	넓은 들이 있는 고장	
물고기를 잡는 기구를 팔거나 수리해요. 	계단 모양의 논을 만들어 벼농사를 지어요. 	농기계를 팔거나 수리해요. 	회사나 공장에서 일해요. 

2 고장 사람들이 하는 일을 환경과 관련지어 설명해 봅시다.

예 • 바다가 있는 고장에서는 주변에 바다가 있어 바다를 이용하는 일이 발달했습니다.
• 산이 많은 고장에서는 주변에 산이 있어 산을 이용하는 일이 발달했습니다.
• 넓은 들이 있는 고장에서는 넓은 들을 이용하여 농사와 관련된 일을 하기 좋고, 도시가 발달한 고장에서는 은행, 병원, 백화점 등 다양한 시설에서 할 수 있는 일이 발달했습니다.

우리 고장의 환경과 고장 사람들이 하는 일을 친구들과 이야기해 봅시다.

주로 볼 수 있는 환경	고장 사람들이 하는 일
예 우리 고장에는 공장이 모여 있는 산업 단지가 있습니다.	예 공장에서 일하는 사람들이 많습니다.

잠깐! 확인해요

넓은 들이 있는 고장에서는 농사를 짓기도 하고, 도시가 발달하기도 합니다. (○ , ✕)　　　　(○)

📍정답과 해설 **2**쪽

1 바다가 있는 고장에 사는 사람들이 하는 일을 보기 에서 골라 기호를 쓰시오.

보기
㉠ 지하자원을 캡니다.　　㉡ 회사나 공장에서 일합니다.　　㉢ 김, 미역, 전복 등을 기릅니다.

(　　　　　　)

고장의 환경을 이용하는 다양한 여가 생활 모습을 찾아볼까요?

보충 ❶

● **자연환경을 이용한 여가 생활**
낚시, 바닷가 물놀이, 등산, 단풍 구경, 래프팅 등이 있다. 래프팅 이란 하천에서 고무보트를 타고 급한 물살을 헤쳐 나가면서 즐기는 여가 생활로, 주로 여름에 할 수 있다.

▲ 래프팅

보충 ❷

● **인문환경을 이용한 여가 생활**
운동장에서 하는 축구, 야구, 볼링장에서 하는 볼링, 스케이트장에서 타는 스케이트 등이 있다.

1 여가 생활

의미	스스로 즐거움을 얻고자 남는 시간에 하는 자유로운 활동
종류	• 고장의 자연환경을 이용한 여가 생활 • 고장의 인문환경을 이용한 여가 생활

2 다양한 여가 생활 모습 속 시원한 활동 풀이

(1) 자연환경을 이용한 여가 생활 보충 ❶

▲ ❶갯벌에서 조개, 게 등을 잡는 체험을 함.

▲ 바람을 이용하여 연날리기를 함.

▲ 하천이 얼면 얼음낚시를 함.

▲ 숲속에서 캠핑을 함.

(2) 인문환경을 이용한 여가 생활 보충 ❷

▲ 공원 산책을 함.

▲ 박물관 관람을 함.

▲ 수영장에서 물놀이를 함.

▲ 영화관에서 영화를 봄.

용어 사전

❶ **갯벌**: 밀물 때 물에 잠기고 썰물 때 물 밖으로 드러나는 바닷가의 땅으로 우리나라의 서해안에서 많이 볼 수 있다.

1 왼쪽 사진에 나타난 사람들의 여가 생활 모습을 살펴보고, 그것이 자연환경과 인문환경 중 무엇을 이용한 것인지 구분해 봅시다.

자연환경	인문환경
예 갯벌 체험, 연날리기, 얼음낚시, 숲속 캠핑	예 공원 산책, 박물관 관람, 수영장 물놀이, 영화 관람

2 우리 고장 사람들이 즐기는 여가 생활에 대해 이야기해 봅시다.

예 • 놀이공원에 가서 놀이 기구를 탑니다.
    • 야구장에 가서 야구 경기를 관람합니다.
    • 공원에 있는 운동 기구를 이용하거나 자전거를 탑니다.

잠깐! 확인해요

사람들은 고장의 자연환경이나 인문환경을 이용해 여가 생활을 즐깁니다. (○ , ×)　　　　(○)

정답과 해설 2쪽

1 스스로 즐거움을 얻고자 남는 시간에 하는 자유로운 활동이 무엇인지 쓰시오.

(　　　　)

2 자연환경을 이용한 여가 생활을 보기 에서 모두 골라 기호를 쓰시오.

보기
㉠ 연날리기	㉡ 얼음낚시하기	㉢ 숲속 캠핑하기
㉣ 공원 산책하기	㉤ 박물관 관람하기	㉥ 수영장에서 물놀이하기

(　　　　)

3 내용이 맞으면 ○표, 틀리면 ×표를 선택하시오.
(1) 사람들은 고장의 인문환경만 이용하여 여가 생활을 합니다. (○ , ×)
(2) 여름에 바닷가에서 물놀이를 하는 것은 인문환경을 이용한 여가 생활입니다. (○ , ×)

함께 해요 우리 고장의 환경과 생활 모습을 소개해 볼까요?

보충 ❶

● 생각 지도
다양한 형태의 생각 지도 틀을 이용하여 고장의 환경과 생활 모습을 소개할 수 있다.

▲ 거품 형태의 생각 지도

▲ 나무 형태의 생각 지도

태백시에는 자연환경을 이용한 축제가 열리고, 석탄 박물관 같은 인문환경이 있어 볼거리가 많습니다.

▲ 원 형태의 생각 지도

보충 ❷

● 동화를 이용한 역할극 대본 쓰기
동화 주인공에게 고장의 환경과 생활 모습을 소개하는 역할극 대본을 쓰는 방법이다.

용어 사전

❶ 소책자: 자그마하게 만든 책을 말한다.

---

❶ 고장의 환경과 생활 모습 소개 방법과 내용

(1) **소개 방법**: 3단 소개 자료(❶소책자) 만들기 등 보충 ❶, ❷

내용➕ 다양한 소개 방법: 생각 지도 만들기, 동화를 이용한 역할극 대본 쓰기, 온라인 소개 자료 만들기, 삼각책 만들기 등

(2) **소개할 내용**: 고장을 대표하는 자연환경이나 인문환경, 고장에서 볼 수 있는 땅의 모양, 계절별 생활 모습, 고장의 환경을 이용한 여가 생활 모습 등

❷ 고장의 환경과 생활 모습 소개 활동

(1) **소개 자료를 만들 때 생각해야 할 점**

① 소개 자료의 모양을 어떻게 할지 생각한다.

② 우리 고장의 특징이 잘 드러나는 제목과 그림을 생각한다.

③ 우리 고장을 대표하는 자연환경과 인문환경이 무엇인지 생각한다.

④ 우리 고장의 환경과 관련된 사람들의 생활 모습을 생각한다.

⑤ 우리 고장 사람들이 즐기는 여가 생활을 생각한다.

(2) **고장의 환경과 생활 모습을 담은 소개 자료 만드는 순서** 속 시원한 활동 풀이

❶ 어떤 모양의 소개 자료를 만들지 정하고, 종이를 알맞게 접는다.
❷ 쪽별로 어떤 내용을 담을지 생각해 본다.
❸ 우리 고장의 환경과 생활 모습을 소개 자료에 보기 좋게 표현한다.

활동 도우미 삼각책 만들기

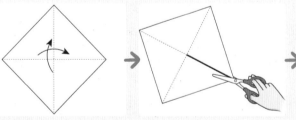

❶ 정사각형의 도화지를 점선을 따라 접습니다.
❷ 굵은 선으로 표시된 부분을 가로로 자릅니다.
❸ 위의 두 면에 고장의 환경이 나타나는 그림을 그립니다.

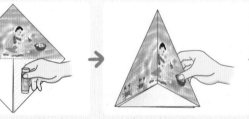

❹ 빗금 친 세모 모양에 풀칠을 합니다.
❺ 아래의 두 면을 서로 겹치도록 접어 붙입니다.
❻ 고장 사람들의 생활 모습을 꾸미고 오려 붙입니다.

소개 자료의 모양	예 가로형 소개 자료
소개 자료의 제목	예 바다와 갯벌이 있는 맑고 깨끗한 태안
소개 자료에 담을 내용	예 • 2쪽: 우리 고장에서 볼 수 있는 땅의 모양 • 3~4쪽: 우리 고장 사람들이 하는 일 • 5~6쪽: 우리 고장의 환경을 이용한 여가 생활 모습

소개 자료

예 • 앞면

• 뒷면

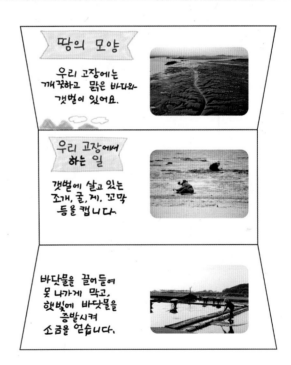

 확인 톡! 톡!

📍 정답과 해설 2쪽

1 고장의 환경과 생활 모습을 담은 소개 자료를 만드는 방법을 순서대로 기호를 쓰시오.

㉠ 쪽별로 어떤 내용을 담을지 생각해 봅니다.
㉡ 어떤 모양의 소개 자료를 만들지 정하고, 종이를 알맞게 접습니다.
㉢ 우리 고장의 환경과 생활 모습을 소개 자료에 보기 좋게 표현합니다.

(   )

'우리 고장의 환경과 생활 모습'에서 배운 내용을 떠올리며 알맞은 길을 찾아봅시다.

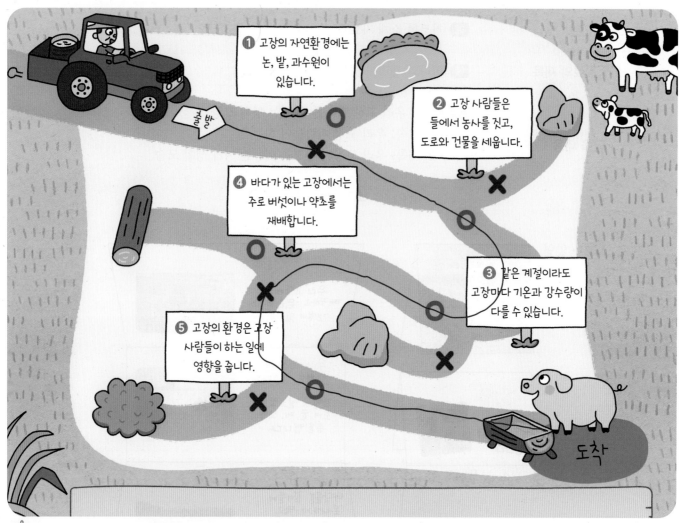

① 고장의 자연환경에는 논, 밭, 과수원이 있습니다.

② 고장 사람들은 들에서 농사를 짓고, 도로와 건물을 세웁니다.

④ 바다가 있는 고장에서는 주로 버섯이나 약초를 재배합니다.

③ 같은 계절이라도 고장마다 기온과 강수량이 다를 수 있습니다.

⑤ 고장의 환경은 고장 사람들이 하는 일에 영향을 줍니다.

출발

도착

도움+ 고장의 자연환경과 인문환경에 따라 달라지는 모습을 떠올리며 풀어 보아요.

🍓 핵심 꿀꺽 질문 🥕

자연환경과 인문환경의 뜻을
알고 있나요?

우리 고장의 자연환경과 인문환경을
조사할 수 있나요?

고장의 환경이 고장 사람들의
생활에 주는 영향을 설명할 수 있나요?

1 빈칸에 들어갈 말을 쓰시오.

> 산, 들, 바다와 같은 땅의 모양이나 비, 기온과 같이 날씨에 영향을 주는 것을 ☐☐☐☐ (이)라고 합니다.

2 인문환경에 해당하지 <u>않는</u> 것은 어느 것입니까? ( )

① ▲ 도로

② ▲ 건물

③ ▲ 항구

④ ▲ 공원

⑤ ▲ 눈

3 사람들이 하천을 이용하는 모습으로 가장 알맞은 것은 어느 것입니까? ( )

① 등산을 한다.
② 농사를 짓는다.
③ 물고기나 조개를 잡는다.
④ 주변에 공원을 만들어 이용한다.
⑤ 근처에 항구를 만들어 이용한다.

4 다음 사진에서 사람들이 땅을 어떻게 이용하여 생활하고 있는지 각각 쓰시오.

(가)   (나)

5 빈칸에 들어갈 알맞은 말을 각각 쓰시오.

> 계절에 따라 고장 사람들의 생활 모습은 달라집니다. 그런데 같은 계절이라도 고장에 따라 (㉠)와/과 (㉡)은/는 차이가 있습니다. (㉠)은/는 대기의 온도이고, (㉡)은/는 일정한 곳에 일정 기간 내린 비, 눈 등 물의 양입니다.

㉠: _____

㉡: _____

6 가을에 주로 볼 수 있는 생활 모습으로 가장 알맞은 것은 어느 것입니까? ( )

① 눈싸움을 한다.
② 꽃구경하러 간다.
③ 단풍을 보러 간다.
④ 바다나 계곡 등 시원한 곳을 찾아간다.
⑤ 에어컨을 많이 틀고, 수박과 빙수를 먹는다.

중요

7 다음 그래프에 대한 설명으로 알맞지 <u>않은</u> 것은 어느 것입니까? ( )

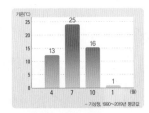
▲ 강릉시 평균 기온 그래프

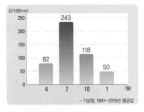
▲ 강릉시 평균 강수량 그래프

① 평균 기온이 가장 높은 달은 7월이다.
② 평균 기온 그래프의 가로는 기온을 나타낸다.
③ 평균 강수량이 두 번째로 많은 계절은 가을이다.
④ 여름은 기온이 가장 높고 강수량도 가장 많은 계절이다.
⑤ 평균 강수량 그래프에서 막대의 길이가 길수록 비나 눈이 많이 내린다는 뜻이다.

8 바다가 있는 고장에 사는 사람들이 하는 일로 알맞지 <u>않은</u> 것은 어느 것입니까? ( )

① 바다에 들어가 전복, 멍게 등을 딴다.
② 바다에서 잡거나 기른 수산물을 판다.
③ 배나 도구를 이용하여 물고기를 잡는다.
④ 물고기를 잡는 기구를 팔거나 수리한다.
⑤ 농업 기술을 연구하고 알려 주는 일을 한다.

9 산이 많은 고장에 사는 사람들이 하는 일로 알맞지 <u>않은</u> 것을 두 가지 고르시오. (,)

① 지하자원을 캔다.
② 농기계를 팔거나 수리한다.
③ 목장에서 소나 양을 키운다.
④ 김, 미역, 전복 등을 기른다.
⑤ 버섯을 재배하거나 산나물, 약초를 캔다.

10 다음과 같이 넓은 들이 있는 고장에 사는 사람들이 하는 일을 쓰시오.

_____

_____

11 빈칸에 들어갈 알맞은 말을 쓰시오.

들이 펼쳐진 곳에는 많은 사람이 모여 사는 ☐☐이/가 발달하기도 합니다. 이곳에는 높은 건물이 많고 교통 시설이 발달했습니다. 이곳에 사는 사람들은 회사나 공장에서 일하거나 물건과 음식을 파는 등 다양한 일을 합니다.

_____

중요

12 다음 내용에서 알맞은 말에 ○표 하시오.

나는 지난 주말 가족과 숲속 캠핑을 다녀왔다. 숲에 텐트를 치고 맑은 공기를 마시며 바비큐 파티를 하니 기분이 정말 좋았다. 학교에서 숲속 캠핑은 (자연환경 / 인문환경)을 이용한 여가 생활이라고 배웠는데, 다음에 또 캠핑을 가고 싶다.

⭐중요

13 여가 생활에 대한 설명으로 알맞은 것을 두 가지 고르시오. (,)

① 남는 시간에 하는 활동이다.
② 돈을 벌기 위해 하는 활동이다.
③ 스스로 즐거움을 얻고자 하는 활동이다.
④ 다른 사람이 억지로 시켜서 하는 활동이다.
⑤ 사람들은 자연환경만을 이용하여 여가 생활을 한다.

14 다음과 같이 고장의 인문환경을 이용한 여가 생활에는 무엇이 있는지 쓰시오.

▲ 박물관 관람

_____
_____

15 고장의 환경과 생활 모습을 담은 소개 자료를 만들 때 가장 먼저 해야 할 일을 보기 에서 골라 기호를 쓰시오.

보기
㉠ 소개 자료의 모양을 정한다.
㉡ 쪽별로 어떤 내용을 담을지 생각해 본다.
㉢ 완성한 소개 자료를 전시하거나 발표한다.
㉣ 우리 고장의 생활 모습을 소개 자료 용지에 표현한다.

워드 클라우드와 함께하는 **서술형 문제**

[16-17] 워드 클라우드의 단어를 이용하여 서술형 문제의 답을 쓰시오.

16 겨울 날씨의 특징과 사람들의 생활 모습을 서술하시오.

_____
_____

17 다음과 같은 여가 생활은 고장의 환경을 어떻게 이용하는 모습인지 계절적 특징과 연관지어 서술하시오.

_____
_____

고장의 환경을 이용한 축제

고장에는 저마다 다양한 자연환경과 인문환경이 있습니다. 고장의 환경은 고장 사람들이 하는 일, 생활 모습, 여가 생활 등에 많은 영향을 줍니다. 그리고 여러 고장에서는 고장의 환경을 이용하여 축제를 열기도 합니다. 이때 해당 고장의 사람들뿐만 아니라 다른 고장의 사람들도 찾아와 축제를 즐긴답니다.

보령 머드 축제

충청남도 보령시 대천 해수욕장에서는 진흙을 이용하여 머드 축제를 엽니다. 머드 마사지, 머드 미끄럼틀, 머드 축구 등 다양한 체험을 할 수 있습니다. 보령 머드 축제는 다른 고장 사람들뿐만 아니라 외국인도 찾아와 즐기는 보령시의 대표적인 행사입니다.

△ 보령 머드 축제를 즐기는 관광객

김제 지평선 축제

전라북도 김제시에는 우리나라 최대 평야인 호남평야가 자리 잡고 있고, 해발 고도가 매우 낮아 하늘과 땅이 맞닿은 지평선을 볼 수 있습니다. 가을이면 황금빛으로 물든 들판을 볼 수 있는 김제시에서는 지역을 알리고 특산품인 지평선 쌀을 홍보하기 위해 매년 가을에 지평선 축제를 엽니다.

▲ 김제 지평선 축제를 즐기는 사람들

▲ 도롱이 체험

▲ 아궁이 쌀밥 짓기 체험

Welcome
김제 지평선 축제

우리가 살아가는 데 꼭 필요한 것은 무엇일까요?

보충 ❶

● 로빈슨 크루소 이야기

로빈슨 크루소는 무인도에 혼자 남겨졌던 책 속의 주인공이다. 그는 나뭇잎을 몸에 두르고(의), 열매를 따먹거나 동물을 사냥하여 음식을 구했다(식). 또한 나뭇가지로 집을 만들어(주) 28년 동안 무인도에서 생활했다.

보충 ❷

● 우리나라의 전통이 담긴 의식주 모습

한복은 활동하기 편하도록 저고리와 바지로 상·하의가 분리되어 있다. 김치는 가을에 미리 배추로 담가 놓는 음식으로 추운 겨울에도 채소를 먹을 수 있도록 한 보관 음식이다. 온돌은 추운 겨울을 견디기 위해 집에 만든 우리 민족 고유의 난방 장치이다.

❶ 살아가는 데 필요한 것

(1) '자연에서 살아보기' 체험 캠프 안내문 살펴보기 보충 ❶

- 야외에 마련된 체험장에서 생활한다.
- 안전을 위해 체험장 곳곳의 전등은 밝게 켜 둘 것이다.
- 전기와 전자 제품을 사용하지 않는다.
- 음식을 해 먹을 수 없다.
- 밤에는 기온이 많이 떨어지므로 추위에 대비해야 한다.

(2) 체험 캠프에서 필요한 물건 고르기 속 시원한 활동 풀이

▲ 침낭과 텐트   ▲ 외투와 긴바지   ▲ 비상약   ▲ 칫솔과 치약

▲ 돗자리   ▲ 손전등   ▲ 휴지   ▲ 삶은 고구마와 생수

▲ 소금   ▲ 지도   ▲ 필기도구   ▲ 호루라기

① 밤에는 기온이 많이 떨어지므로 추위로부터 몸을 보호할 옷이 필요하다.

② 음식을 해 먹을 수 없으므로 먹을 음식이 필요하다.

③ 밤에 야외에서 따뜻하게 잠을 잘 곳이 필요하다.

❷ 의식주의 의미

(1) **의식주**: 사람들이 안전하고 편안하게 살아가는 데 필요한 옷, 음식, 집을 한꺼번에 가리키는 말이다.

(2) 의식주의 구분과 다양한 예 보충 ❷

용어 사전

❶ 양옥: 서양식으로 지은 집을 뜻한다.

❷ 이글루: 이누이트족의 집으로, 얼음과 눈덩이로 둥글게 만든 집을 뜻한다.

의	몸을 보호할 수 있는 옷 예 바지, 모자, 목도리, 장갑, 귀마개, 양말, 신발 등
식	영양분을 얻기 위한 음식 예 밥, 국, 빵, 과일, 김치, 물, 우유, 아이스크림 등
주	쉬거나 잠을 잘 수 있는 집 예 아파트, 주택, 텐트, 한옥, ❶양옥, ❷이글루 등

1 체험 캠프 안내문을 살펴보고, 1박 2일 동안 생활하는 데 꼭 필요한 물건을 세 가지만 골라 봅시다.

예 침낭과 텐트, 삶은 고구마와 생수, 외투와 긴바지	예 침낭과 텐트, 삶은 고구마와 생수, 비상약	예 침낭과 텐트, 고구마와 생수, 필기도구

2 세 가지 물건을 고른 까닭을 친구들에게 이야기해 봅시다.

예 • 저는 밤에 야외에서 잠을 자기 위한 텐트, 배고플 때 영양분과 수분을 보충할 삶은 고구마와 생수, 추위를 견딜 수 있는 외투와 긴바지를 골랐습니다.

• 저는 추위를 잘 견뎌서 외투와 긴바지는 고르지 않았습니다. 야외 활동을 하다 보면 벌레에 물리거나 넘어져 다칠 수도 있으므로 비상약을 골랐습니다.

• 저는 1박 2일 동안 자연에서 생활하며 느끼고 배운 점을 기록하고 싶어서 필기도구를 골랐습니다.

확인 톡! 톡!

📍정답과 해설 3쪽

1 사람들이 살아가는 데 필요한 옷, 음식, 집을 한꺼번에 가리키는 것이 무엇인지 쓰시오.

( )

2 서로 관련 있는 내용끼리 바르게 선으로 연결하시오.

(1) 의 •   • ㉠ 라면

(2) 식 •   • ㉡ 양말

(3) 주 •   • ㉢ 아파트

우리 고장과 다른 고장의 의생활을 비교해 볼까요?

보충 ①

● **우리나라의 전통 의생활**
우리나라는 여름과 겨울의 날씨가 매우 다르다. 옛사람들은 여름에는 더위를 이겨 내기 위해 바람이 잘 통하는 모시라는 옷감을 사용하여 옷을 만들었다. 그리고 겨울에는 목화솜으로 만든 옷을 입어 추위를 막았다.

▲ 모시로 만든 옷

▲ 목화솜

보충 ②

● **대구광역시 땅의 모양**
대구광역시는 주위가 산으로 둘러싸여 있고 그 안은 평평한 땅의 모양이 나타난다. 그렇기 때문에 안의 뜨거운 열이 바깥으로 쉽게 빠져나가지 못하여 여름에 날씨가 매우 덥다.

용어 사전
❶ **의생활**: 옷을 입는 것이나 그와 관련된 생활을 뜻한다.
❷ **망토**: 소매가 없이 어깨 위로 걸쳐 둘러 입도록 만든 외투를 말한다.

❶ 날씨와 고장에 따라 다른 의생활

(1) 계절마다 다른 ❶의생활 모습 보충 ①

여름	더위를 이겨 내기 위해 바람이 잘 통하는 시원하고 짧은 옷을 입음.
겨울	추위를 막기 위해 두껍고 긴 옷을 입고 목도리, 장갑 등을 함.

(2) 고장마다 다른 의생활 모습
① 2월의 서울특별시와 제주도의 날씨와 옷차림

서울특별시	날씨가 추워서 두꺼운 점퍼를 입음.
제주도	우리나라의 남쪽 끝에 있기 때문에 겨울에 날씨가 포근한 날이 많아 얇은 외투를 입음.

② 9월의 강원도 대관령과 대구광역시의 날씨와 옷차림

강원도 대관령	높은 산 위에 있기 때문에 날씨가 서늘하여 긴소매 옷이나 겉옷을 입음.
대구광역시	한낮에는 날씨가 더워서 반소매 옷을 입음. 보충 ②

❷ 세계 여러 고장의 의생활 모습

(1) 세계 여러 고장의 자연환경과 의생활 모습 속 시원한 활동 풀이

구분	자연환경	의생활
	일 년 내내 덥고 비가 많이 내림.	더위를 식힐 수 있도록 소매가 짧고 바람이 잘 통하는 가벼운 옷을 입음.
	뜨겁고 비가 적게 내림.	사막의 뜨거운 햇볕과 모래바람으로부터 몸을 보호하기 위해 긴 옷을 입고 머리와 얼굴을 천으로 감쌈.
	낮과 밤의 기온 차가 큼.	낮의 뜨거운 햇볕을 막고 밤의 추위를 견딜 수 있도록 ❷망토를 걸치고 모자를 씀.
	겨울이 길고 추움.	추위를 막고 몸을 따뜻하게 하기 위해 동물의 털이나 가죽으로 만든 두꺼운 옷을 입음.

(2) 고장마다 의생활이 다른 까닭: 고장마다 환경과 날씨가 다르기 때문이다.

다 함께 활동

1 세계 여러 고장의 사진에 사람 모양의 붙임 딱지를 붙이고, 고장의 환경에 어울리는 옷차림을 표현해 봅시다.

일 년 내내 덥고 비가 많이 내리는 고장	뜨겁고 비가 적게 내리는 고장	낮과 밤의 기온 차가 큰 고장	겨울이 길고 추운 고장

2 오른쪽 사람 그림에 내가 가 보고 싶은 고장의 환경에 어울리는 옷차림을 완성해 보고, 그 까닭을 친구들에게 설명해 봅시다.

예 춥고 눈이 많이 내리는 고장에 가서 눈썰매를 타고 싶어서 털모자와 두꺼운 점퍼, 목도리를 선택했습니다.

잠깐! 확인해요

계절의 변화가 뚜렷한 고장에서는 일 년 내내 두꺼운 옷을 입습니다. (○ , ×)   (×)

확인 톡! 톡!

정답과 해설 3쪽

1 다음 내용에서 알맞은 말에 ○표 하시오.

지난 9월 강원도 대관령으로 여행갔을 때의 일입니다. 대구광역시에 사는 저는 반소매 옷을 입고 갔는데, 그 고장 사람들은 긴소매 옷을 입거나 겉옷을 걸치고 있었습니다. 그 고장 어르신께서는 대관령이 높은 산 위에 있어서 다른 고장보다 날씨가 (더운 / 서늘한) 편이라고 말씀하셨습니다.

2 서로 관련 있는 내용끼리 바르게 선으로 연결하시오.

(1) 겨울이 길고 추운 고장 •

(2) 뜨겁고 비가 적게 내리는 고장 •

• ㉠ 동물의 털이나 가죽으로 만든 옷

• ㉡ 햇볕과 모래바람을 막아 주는 긴 옷

탐구 해요 ① **2 환경에 따른 의식주 생활 모습**

우리 고장과 다른 고장의 식생활을 비교해 볼까요?

보충 ①

● **서산 어리굴젓**

소금에 절인 굴을 고춧가루와 메밀가루에 버무려 만든 젓갈로, 서산을 대표하는 음식이다. 굴 생산이 많은 서산은 생굴을 저장하여 먹기 위해 굴로 젓갈을 만들기 시작했다.

보충 ②

● **안동 간고등어**

옛날에는 생선을 먼 곳까지 가져오려면 시간이 오래 걸렸다. 안동 간고등어는 바닷가에서 잡은 고등어를 육지에 있는 안동까지 가져올 때 상하지 않도록 하기 위해 소금을 뿌렸던 음식이다. 이것이 오늘날까지 이어져 안동을 대표하는 음식이 되었다.

용어 사전

❶ **장맛**: 간장이나 된장 등의 맛을 뜻한다.
❷ **식생활**: 먹는 일이나 먹는 음식에 관한 생활을 뜻한다.
❸ **열대 과일**: 덥고 비가 많이 내리는 열대 지방에서 나는 망고, 파인애플, 코코넛, 바나나와 같은 과일을 뜻한다.

① 고장마다 발달한 음식 <속 시원한 활동 풀이> <보충 ①, ②>

	**금산의 인삼 요리** 인삼이 잘 자라려면 적당한 햇볕과 흙의 영양분, 흙의 물 빠짐이 중요함. 금산은 자연환경이 인삼을 재배하기에 알맞아 인삼이 많이 재배되고 인삼 요리(인삼 튀김, 인삼이 들어간 삼계탕 등)가 발달함.
	정선의 감자전 정선은 산이 많고 서늘하여 여름에도 감자를 재배하기에 좋아 감자전, 감자송편 같은 감자를 이용한 음식이 많음.
	**전주의 비빔밥** 전주는 주변의 넓은 들과 산에서 쌀과 채소를 구하기 쉽고, ❶장맛도 좋아서 비빔밥이 유명함.
	**통영의 굴밥** 통영은 맑고 깨끗한 바다를 접하고 있어 굴을 키우기에 좋아 굴밥, 굴구이 같은 굴을 이용한 음식이 많음.

내용+ 그 밖에 다른 고장에서 발달한 음식으로 서산의 어리굴젓, 안동의 간고등어 등이 있다.

② 세계 여러 고장의 식생활 모습

(1) 세계 여러 고장의 자연환경과 ❷식생활 모습

덥고 비가 많이 내리는 고장	겨울이 길고 추운 고장

❸열대 과일을 이용한 음식이 많고, 더운 날씨에 음식이 상하지 않도록 기름에 튀기거나 볶아서 만든 요리가 발달함.	채소와 과일을 구하기 어려워서 고기를 주로 먹었고, 음식을 저장하기 위해 얼리거나 말리는 방법을 많이 활용함.

(2) 고장마다 식생활이 다른 까닭: 땅의 모양이나 날씨와 같은 자연환경이 고장 사람들의 식생활에 영향을 주기 때문이다.

 스스로 활동

1 고장의 자연환경 특징이 잘 드러나는 상차림을 완성해 보고, 그 까닭을 설명해 봅시다.

예 산이 많은 고장의 상차림에는 산에서 구하기 쉬운 재료로 만든 산나물무침, 감자전, 버섯볶음을 붙였습니다. 산이 많은 고장은 목장에서 소를 키우고, 산나물을 캐거나 버섯을 재배하며, 밭농사를 짓기에 적합한 자연환경을 지녔기 때문입니다.	예 바다가 있는 고장의 상차림에는 바다에서 구하기 쉬운 재료로 만든 해물탕, 생선구이, 신선한 해산물을 붙였습니다. 바다가 있는 고장은 바다에서 잡거나 기른 물고기나 조개, 굴, 미역, 게, 문어 등을 이용한 음식이 발달했기 때문입니다.

2 우리 고장의 식생활 모습을 설명해 봅시다.

예 넓은 들이 있는 우리 고장에서는 밭에서 재배한 채소를 이용한 음식을 먹을 수 있습니다.

 잠깐! 확인해요

고장 사람들의 식생활은 자연환경의 영향을 받습니다. (○ , ×)　　　　　　　　　(○)

확인 톡! 톡!

📍정답과 해설 3쪽

1 내용이 맞으면 ○표, 틀리면 ×표를 선택하시오.

(1) 바다를 접하고 있는 금산은 굴을 이용한 음식이 발달했습니다. (○ , ×)

(2) 정선은 주변의 넓은 들과 산에서 쌀과 채소를 구하기 쉬워서 비빔밥이 유명합니다. (○ , ×)

2 서로 관련 있는 내용끼리 바르게 선으로 연결하시오.

(1) 겨울이 길고 추운 고장 ・

(2) 덥고 비가 많이 내리는 고장 ・

・㉠ 열대 과일을 이용한 음식, 기름에 튀기거나 볶은 요리

・㉡ 주로 고기를 이용한 음식. 음식을 얼리거나 말려서 저장

우리 고장과 다른 고장의 주생활을 비교해 볼까요?

보충 ①

● 울릉도의 우데기

집에 눈이 들어오는 것을 막기 위해 지붕의 끝에서부터 땅에 닿는 부분까지 두르는 벽이다. 울릉도는 겨울에 눈이 많이 내리기 때문에 눈이 와도 벽 안쪽으로 집 안을 자유롭게 돌아다닐 수 있도록 우데기를 만들었다. 현재는 울릉도에서 우데기를 찾아보기 어렵다.

보충 ②

● 겨울이 길고 추운 고장의 사우나 시설

겨울이 길고 추운 고장에는 뜨겁게 달군 돌에 물을 뿌려 나오는 증기로 따뜻하게 찜질을 할 수 있는 시설인 사우나가 있다.

용어 사전

❶ 단독 주택: 한 채씩 따로 지은 집을 뜻한다.
❷ 연립 주택: 한 건물 안에서 여러 가구가 각각 따로 주거 생활을 할 수 있도록 지은 공동 주택을 뜻한다.
❸ 주생활: 사는 집이나 사는 곳에 관한 생활을 뜻한다.

① 고장마다 다른 주생활

(1) 옛날에 사람들이 살았던 집 보충 ❶

제주도 전통 가옥	너와집

거세게 부는 바람의 피해를 막기 위해 지붕을 새끼줄로 고정하고, 집 주변에 돌담을 쌓았음.	나무를 쉽게 구할 수 있는 고장에서는 나뭇조각으로 지붕을 얹은 집을 지었음.

(2) 오늘날 고장 사람들이 사는 집: 오늘날에는 ❶단독 주택, ❷연립 주택, 아파트 등 다양한 집이 있다.

▲ 단독 주택

▲ 아파트

내용+ 옛날에는 집 모양이 자연환경의 영향을 많이 받았지만 오늘날에는 자연환경을 이용하거나 극복한 집 모양이 다양하게 나타난다.

② 세계 여러 고장의 주생활 모습

(1) 세계 여러 고장의 자연환경과 ❸주생활 모습 쏙 시원한 활동 풀이

일 년 내내 덥고 비가 많이 내리는 고장	땅의 뜨거운 열기와 벌레를 막기 위해서 집 아래에 기둥을 높이 세우고, 창을 크게 만듦.
뜨겁고 비가 거의 내리지 않는 고장	비가 거의 내리지 않아 나무가 잘 자라지 않아서 주변에서 흔히 구할 수 있는 흙을 이용하여 집을 지음.
겨울이 길고 추운 고장	주변에서 쉽게 구할 수 있는 통나무로 집을 짓고, 창을 작게 냄. 찜질할 수 있는 시설을 만듦. 보충 ❷

(2) 고장마다 주생활이 다른 까닭: 고장의 자연환경이 고장의 주생활에 영향을 주기 때문이다.

스스로 **활동**

세계 여러 고장의 집 모양을 살펴보고, 이러한 주생활 모습에 영향을 준 자연환경의 특징을 알맞게 연결해 봅시다.

일 년 내내 덥고 비가 많이 내려요. 그래서 창을 크게 만들고, 집 아래에 기둥을 높이 세워서 땅의 뜨거운 열기와 벌레를 막아요.

겨울이 길고 추워요. 그래서 주변에서 쉽게 구할 수 있는 통나무로 집을 짓고, 창을 작게 내요. 따뜻하게 찜질할 수 있는 시설도 만들어요.

비가 거의 내리지 않아서 나무가 잘 자라지 않아요. 그래서 주변에서 흔히 구할 수 있는 흙을 이용해 집을 지어요.

잠깐! 확인해요

겨울이 길고 추운 고장에서는 집의 창문을 크게 만듭니다. (○ , ✕)   (✕)

 확인 톡! 톡!

정답과 해설 **3**쪽

1 빈칸에 들어갈 알맞은 말을 쓰시오.

제주도 전통 가옥은 □□의 피해를 막기 위해 지붕을 새끼줄로 고정하고, 집 주변에 돌담을 쌓았습니다.

(   )

2 서로 관련 있는 내용끼리 바르게 선으로 연결하시오.

(1) 겨울이 길고 추운 고장   •   • ㉠ 나무가 잘 자라지 않아 흙으로 집을 지음.

(2) 뜨겁고 비가 거의 내리지 않는 고장 •   • ㉡ 통나무로 집을 짓고, 창을 작게 냄.

환경에 따른 의식주 생활 모습을 소개해 볼까요?

보충 ①

◉ **포스터 만들기**
고장의 의식주 생활 모습의 특징이 잘 드러나는 제목을 짓고, 고장의 환경이 의식주 생활 모습에 미치는 영향을 글로 설명한다. 고장의 환경과 생활 모습이 나타난 사진이나 그림도 함께 구성할 수 있다.

보충 ②

◉ **애니메이션 만들기**
고장의 환경이 나타난 배경 사진과 환경에 어울리는 의식주 생활 모습을 그린 종이 인형을 이용하여 스톱 모션 애니메이션을 만들 수 있다. 종이 인형을 조금씩 움직여 가며 대사를 통해 고장의 환경과 생활 모습을 소개할 수 있다.

용어 사전

❶ **포스터**: 일정한 내용을 상징적인 내용과 간단한 글로 나타내어 길이나 사람들 눈에 많이 띄는 곳에 붙이는 것이다.

① 환경에 따른 의식주 생활 모습 소개 방법과 내용

(1) 소개 방법

❶포스터 만들기	글과 그림, 사진 등을 넣은 포스터로 표현함. 보충❶
인터뷰하기	소개할 고장 사람이 되었다고 생각하고 인터뷰를 함.
애니메이션 만들기	배경 사진과 종이 인형을 이용하여 애니메이션을 만듦. 보충❷

내용⁺ 다양한 소개 방법: 소책자 만들기, 역할극 하기, 노래 가사로 표현하기 등

(2) 소개할 내용: 고장의 환경과 의생활·식생활·주생활 모습 등을 소개한다.

(3) 소개하기 활동을 통해 알 수 있는 점: 우리 고장과 다른 고장의 의식주 생활 모습에는 비슷한 점도 있고 다른 점도 있다는 것을 알 수 있다.

② 환경에 따른 의식주 생활 모습 소개 활동

(1) 소개할 때 생각해야 할 점: 소개하고 싶은 고장과 주제, 소개 방법, 고장 사람들의 의식주 생활 모습에 영향을 주는 환경이 무엇인지 생각한다.

(2) 환경에 따른 의식주 생활 모습 소개 순서

❶ 소개하고 싶은 고장을 정한다.
❷ 고장의 환경에 따른 의식주 생활 모습을 여러 가지 방법으로 소개한다.
❸ 모둠별로 소개한 내용에 대해 궁금한 점을 묻고 답한다.

활동 도우미 소책자 만들기

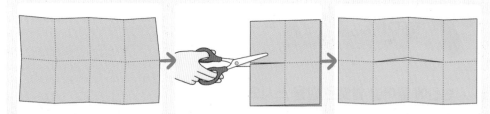

❶ 종이를 위와 같이 접습니다.
❷ 종이를 세로로 접은 후, 중심선을 따라 한 면만 오립니다.
❸ 종이를 펼치면 가운데에 오린 선이 나타납니다.

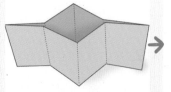

❹ 종이를 가로로 접은 후, 양 끝을 잡고 안으로 밀어 넣습니다.
❺ 종이 전체가 십자 모양이 될 때까지 밀어 줍니다.
❻ 나머지 종이를 한 방향으로 몰아서 책 모양이 되도록 접습니다.

주제 정하기	**예** 서귀포시의 환경과 의생활 모습

소개 방법 정하기	**예** 포스터 만들기

소개할 내용 정리하기	**예** 고장의 환경	• 여름이 길고 무더우며, 겨울이 짧고 따뜻한 편입니다. • 비가 많이 내리고, 바람이 많이 부는 편입니다.
	예 의생활 모습	• 갈옷은 감즙으로 염색한 옷을 말합니다. • 사람들이 일할 때나 집에서 생활할 때 입었습니다. • 갈옷은 감즙의 영향으로 빳빳해져서 세탁 후에 다림질 등 잔손질을 할 필요가 없습니다. • 갈옷은 시원할 뿐만 아니라 비를 맞거나 땀이 나도 몸에 달라붙지 않으며 다른 옷감보다 질깁니다.

포스터 만들기	**예**

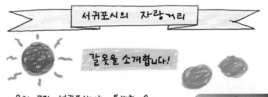

확인 톡! 톡!

📍 정답과 해설 3쪽

1 환경에 따른 의식주 생활 모습 소개 방법을 순서대로 기호를 쓰시오.

㉠ 소개하고 싶은 고장을 정합니다.
㉡ 모둠별로 소개한 내용에 대해 궁금한 점을 묻고 답합니다.
㉢ 고장의 환경에 따른 의식주 생활 모습을 여러 가지 방법으로 소개합니다.

(   )

'환경에 따른 의식주 생활 모습'에서 배운 내용을 떠올리며 말풍선의 빈칸을 채워 봅시다.

옳은 설명을 하는 물고기만 잡았더니 총 **2** 마리의 물고기를 잡았어요.

❶ 옷, 음식, 집은 우리가 안전하고 편안하게 살아가기 위해 꼭 필요합니다.

❷ 산으로 둘러싸인 고장에서는 신선한 해산물을 자주 먹습니다.

❸ 거센 바람이 부는 고장에서는 나뭇조각으로 지붕을 얹은 너와집을 지었습니다.

❹ 일 년 내내 덥고 습한 고장에서는 바람이 잘 통하는 가벼운 옷을 입습니다.

❺ 환경이 서로 다른 고장의 의식주 생활 모습은 매우 비슷합니다.

도움 고장의 환경에 따른 다양한 의식주 생활 모습들을 기억해 적어 보아요.

🍓 핵심 꿀꺽 질문 🍓

의식주의 뜻을 알고 있나요?

우리 고장과 다른 고장의 의식주 생활 모습을 비교할 수 있나요?

고장의 환경에 따른 생활 모습을 설명할 수 있나요?

1 체험 캠프 안내문을 보고 1박 2일 동안 생활하는 데 꼭 필요한 물건을 보기 에서 세 가지 골라 기호를 쓰시오.

체험 캠프 안내문
• 야외에 마련된 체험장에서 생활한다.
• 전기와 전자 제품을 사용하지 않는다.
• 음식을 해 먹을 수 없다.
• 밤에는 기온이 많이 떨어지므로 추위에 대비해야 한다.

보기
㉠ 지도   ㉡ 돗자리
㉢ 필기도구   ㉣ 침낭과 텐트
㉤ 외투와 긴바지 ㉥ 삶은 고구마와 생수

_____

2 빈칸에 들어갈 알맞은 말을 쓰시오.

사람들이 안전하고 편안하게 살아가는 데 필요한 옷, 음식, 집을 한꺼번에 가리켜 ☐☐☐(이)라고 합니다.

_____

중요
3 빈칸에 들어갈 알맞은 말을 각각 쓰시오.

한복은 의식주 중 (㉠)에 해당하며, 김치는 (㉡)에 해당합니다. 마지막으로 한옥은 (㉢)에 해당한다고 할 수 있습니다.

㉠: _____

㉡: _____

㉢: _____

4 다음 중 주생활에 해당하는 것으로 알맞은 것은 어느 것입니까? (   )

① 포도   ② 라면
③ 양말   ④ 코트
⑤ 아파트

5 다음 질문에 알맞은 답을 쓰시오.

저는 서울특별시에 살고 있어요. 지난 2월 제주도로 여행 갔을 때의 일이에요. 출발할 때는 날씨가 매우 추웠어요. 그래서 두꺼운 점퍼를 입었지요. 그런데 제주도에 도착하니 그 고장 사람들은 얇은 외투를 입고 있었어요. 왜 같은 2월인데도 서울특별시와 제주도의 옷차림이 다른 것일까요?

_____

_____

6 다음 내용의 밑줄 친 부분 중 잘못된 것은 어느 것입니까? (   )

지난 9월 강원도 대관령으로 여행을 갔어요. 제가 사는 대구광역시는 여름에 ① 덥기로 유명해요. 9월인데도 한낮에는 더워서 ② 반소매 옷을 입었어요. 그런데 강원도 대관령에 도착하니, 그 고장 사람들은 ③ 긴소매 옷을 입거나 겉옷을 걸치고 있었어요. 대관령은 높은 ④ 들 위에 있기 때문에 다른 고장보다 날씨가 ⑤ 서늘한 편이래요.

7 다음과 같은 의생활 모습과 관련 있는 고장의 자연환경을 보기 에서 골라 기호를 쓰시오.

긴 옷을 입고 머리와 얼굴을 천으로 감싸요.

보기

㉠ 겨울이 길고 춥다.
㉡ 뜨겁고 비가 적게 내린다.
㉢ 일 년 내내 덥고 비가 많이 온다.

8 다음과 같은 의생활 모습이 나타나는 까닭을 쓰시오.

망토를 걸치고 모자를 써요.

9 빈칸에 들어갈 알맞은 말을 쓰시오.

전주는 주변의 넓은 들과 산에서 쌀과 채소를 구하기 쉽습니다. 장맛도 좋아서 ☐☐☐이/가 유명합니다.

10 산이 많은 고장의 상차림에 어울리지 <u>않는</u> 음식은 무엇입니까? (   )

① 감자전
② 한우구이
③ 도토리묵무침
④ 버섯 된장찌개
⑤ 삶은 문어와 미역

11 다음과 같은 자연환경이 나타나는 고장에서는 어떤 음식이 발달했는지 쓰시오.

▲ 덥고 비가 많이 내리는 고장

12 고장마다 발달한 음식이 다른 까닭으로 알맞은 것은 어느 것입니까? (   )

① 고장마다 인구수가 다르기 때문이다.
② 고장마다 인문환경이 같기 때문이다.
③ 고장마다 자연환경이 다르기 때문이다.
④ 고장마다 사람들의 취향이 같기 때문이다.
⑤ 고장마다 사람들의 성별이 다르기 때문이다.

중요

13 다음에서 설명하는 집의 이름을 쓰시오.

나무를 쉽게 구할 수 있는 고장에서는 나뭇조 각으로 지붕을 얹은 집을 지었습니다.

14 다음과 같은 주생활 모습이 나타나는 이유로 알맞은 것은 어느 것입니까?　　（　　）

▲ 흙으로 만든 집

① 겨울이 길고 춥기 때문이다.
② 비가 매일 내리기 때문이다.
③ 일 년 내내 눈이 오기 때문이다.
④ 낮과 밤의 기온 차가 작기 때문이다.
⑤ 비가 거의 내리지 않아 나무가 잘 자라지 않기 때문이다.

15 다음과 같이 환경에 따른 의식주 생활 모습을 소개하는 방법으로 알맞은 것은 어느 것입니까?
　　（　　）

윤수: 종이 인형을 만들어 배경 사진 위에 올리고, 움직이거나 말하는 모습을 촬영해 보자.

① 편지쓰기　　　② 인터뷰하기
③ 소책자 만들기　④ 포스터 만들기
⑤ 애니메이션 만들기

워드 클라우드와 함께하는 **서술형 문제**

[16-17] 워드 클라우드의 단어를 이용하여 서술형 문제의 답을 쓰시오.

> 깨끗 해산물 맑다 바다
> 거친두 분다 굴 발달
> 대나무 양식

16 통영에서 다음과 같은 음식이 발달한 까닭을 서술하시오.

▲ 굴밥

▲ 굴구이

_____

_____

17 (가), (나)와 같은 집을 볼 수 있는 고장의 자연환경 특징을 각각 서술하시오.

(가)

(나)

_____

_____

고장을 대표하는 특산물

고장마다 자연환경과 인문환경이 다르기 때문에 어떤 고장에서만 특별하게 생산되거나 다른 고장과 비교했을 때 특별히 품질이 뛰어난 상품이 있습니다. 이러한 상품을 '특산물'이라고 합니다. 고장의 특징에 따라 생산된 특산물을 다른 고장에 판매하여 고장 사람들의 소득을 높일 수 있습니다. 그리고 특산물을 이용한 지역 축제를 열어 다른 고장의 사람이나 외국인 관광객을 유치할 수 있습니다.

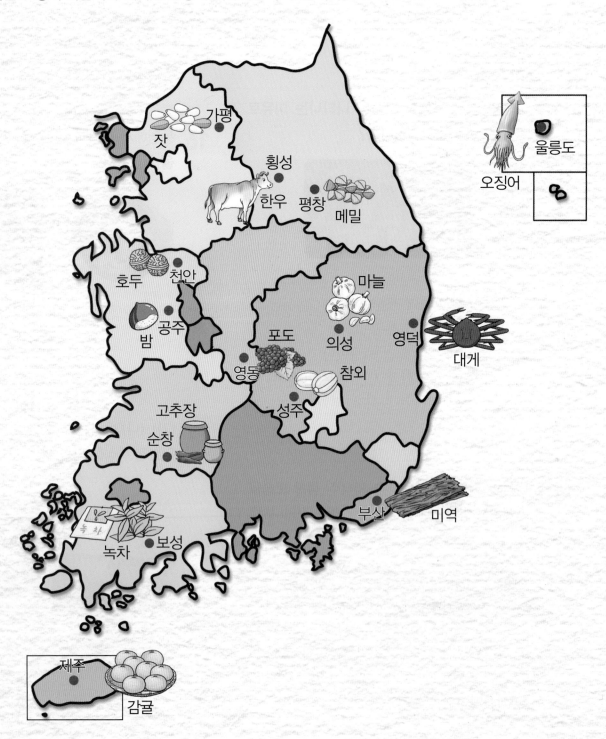

경기도 가평군

경기도 가평군은 주변에 산이 많고 강과 계곡을 끼고 있어 잣나무가 잘 자랍니다. 가평군은 전국에서 잣이 가장 많이 나는 고장입니다.

강원도 평창군

메밀은 환경에 적응하는 힘이 강하고 수확까지 걸리는 시간이 짧습니다. 산이 많은 강원도에서는 논농사가 어려워 메밀을 많이 생산합니다.

전라남도 보성군

전라남도 보성군은 산과 바다, 호수가 어우러져 있어 낮과 밤의 기온 차가 크고 안개가 많이 껴 많은 수분이 필요한 녹차 생산에 유리합니다.

충청북도 영동군

충청북도 영동군은 산이 많아 낮과 밤의 기온 차가 크고, 비가 많이 내리지 않아 포도 재배에 유리합니다. 영동군은 매년 포도를 이용한 축제를 열기도 합니다.

제주특별자치도

제주도는 우리나라의 남쪽 끝에 있어 겨울에도 따뜻한 편입니다. 이곳에서는 감귤을 많이 생산해 왔습니다.

정리 콕콕 이 단원에서 배운 내용을 글과 그림으로 정리해 봅시다.

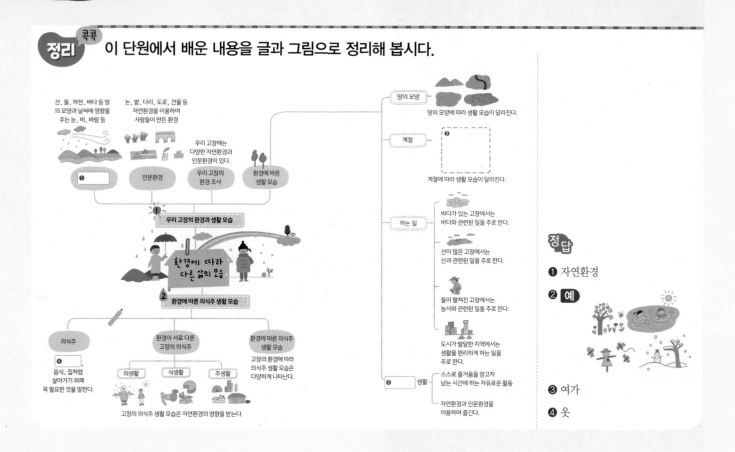

산, 들, 하천, 바다 등 땅의 모양과 날씨에 영향을 주는 눈, 비, 바람 등

논, 밭, 다리, 도로, 건물 등 자연환경을 이용하여 사람들이 만든 환경

우리 고장에는 다양한 자연환경과 인문환경이 있다.

❶ | 인문환경 | 우리 고장의 환경 조사 | 환경에 따른 생활 모습

우리 고장의 환경과 생활 모습

환경에 따라 다른 삶의 모습

❷ 환경에 따른 의식주 생활 모습

의식주
❹ , 음식, 집처럼 살아가기 위해 꼭 필요한 것을 말한다.

환경이 서로 다른 고장의 의식주
의생활 | 식생활 | 주생활

환경에 따른 의식주 생활 모습
고장의 환경에 따라 의식주 생활 모습은 다양하게 나타난다.

고장의 의식주 생활 모습은 자연환경의 영향을 받는다.

땅의 모양
땅의 모양에 따라 생활 모습이 달라진다.

계절
❷
계절에 따라 생활 모습이 달라진다.

하는 일
바다가 있는 고장에서는 바다와 관련된 일을 주로 한다.
산이 많은 고장에서는 산과 관련된 일을 주로 한다.
들이 펼쳐진 고장에서는 농사와 관련된 일을 주로 한다.
도시가 발달한 지역에서는 생활을 편리하게 하는 일을 주로 한다.

❸ 생활
스스로 즐거움을 얻고자 남는 시간에 하는 자유로운 활동
자연환경과 인문환경을 이용하여 즐긴다.

정답
❶ 자연환경
❷ 예
❸ 여가
❹ 옷

창의 팡팡 텔레비전 프로그램의 작가가 되어 우리 고장의 환경과 생활 모습을 소개해 봅시다.

만드는 방법

❶ 프로그램 제목을 만들어 정합니다.
❷ 시청자에게 소개하고 싶은 우리 고장의 특별한 장소를 고릅니다.
❸ 선택한 장소와 관련된 우리 고장 사람들의 생활 모습을 정리합니다.
❹ 우리 고장을 한 줄로 정리하는 문장을 써 봅니다.

나의 작가 수첩

● 프로그램 제목: 🖊 예 행복한 우리 고장 평창 나들이

● 우리 고장의 특별한 장소:

🖊 예 대관령 양떼 목장 🖊 예 스키장

● 장소와 관련된 우리 고장 사람들의 생활 모습:
🖊 예 우리 고장은 여름에는 시원한 날씨와 멋진 자연 풍경을 즐길 수 있고, 겨울에는 다양한 겨울 운동을 할 수 있는 행복한 고장입니다.

● 우리 고장 한 줄 정리:
🖊 예 여름에는 시원한 양떼 목장에서 뛰어다니는 양을 구경하고, 휴식을 즐깁니다. 겨울에는 스키장에서 스키나 썰매를 타며 여가 생활을 즐깁니다.

세상 속으로 고장의 환경에 따른 발명품 그리기

1 단계

고장 정하기

예 겨울이 길고 눈이 많이 내리는 고장

2 단계

고장의 환경에

필요한 점

예 겨울이 길고 눈이 많이 내리는 고장은 길에 눈이 많이 쌓이고, 추운 날씨에 눈이 얼어서 사람들이 걸어 다닐 때나 자동차를 운전할 때 위험할 수 있습니다. 그래서 눈이나 얼음을 빨리 녹일 수 있는 기계가 필요합니다.

3 단계

나의 발명품 소개하기

예 **소개 문구:** 겨울이 길고 눈이 많이 내리는 고장에서 사용할 수 있는 눈과 얼음을 녹이는 로봇을 발명했습니다. 이 로봇은 스스로 열을 내며 움직여서 로봇이 지나간 곳에 눈과 얼음이 빨리 녹습니다. 또 눈과 얼음이 녹아서 생긴 물을 빨아들여서 길을 깨끗하게 해 줍니다. 얼음 위에서 이동하기 어려운 분들이 계신 곳이나 자동차가 많이 다니는 곳에서 이 로봇을 사용하면 좋을 것 같습니다.

1 산, 들, 바다와 같은 땅의 모양이나 눈, 비, 기온과 같이 날씨에 영향을 주는 것을 (   )(이)라고 합니다.

2 사람들이 자연환경을 이용하여 만든 밭, 도로, 건물, 항구, 과수원 등은 (   )(이)라고 합니다.

3 사람들은 (하천 / 바다)의 물을 생활용수와 공업용수로 이용합니다.

4 같은 계절이면 고장이 달라도 사람들의 생활 모습은 비슷합니다. (○ , ✕)

5 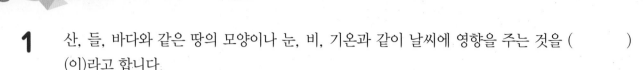 산이 많은 고장에서는 농사지을 넓고 평평한 곳이 많지 않기 때문에 왼쪽과 같이 (   ) 모양의 논을 만들어 농사를 짓습니다.

6 연날리기는 고장의 인문환경을 이용한 여가 생활입니다. (○ , ✕)

7 사람들이 살아가는 데 필요한 옷, 음식, 집을 한꺼번에 가리켜 (   )(이)라고 합니다.

8 강원도 대관령은 높은 산 위에 있어서 다른 고장보다 날씨가 (더운 / 서늘한) 편입니다.

9 (   )이/가 잘 자라려면 적당한 햇볕과 흙의 영양분, 흙의 물 빠짐이 중요한데, 금산의 자연환경은 이에 적합합니다.

10 뜨겁고 비가 거의 내리지 않는 고장에서는 주변에서 쉽게 구할 수 있는 통나무로 집을 짓고, 찜질을 할 수 있는 사우나 시설을 만듭니다. (○ , ✕)

중요

1 다음 ㉠, ㉡의 예를 알맞게 짝지은 것은 어느 것입니까? ( )

> 땅의 모양이나 날씨에 영향을 주는 것을 ㉠ 자연환경이라고 하는데, 사람들이 ㉠ 자연환경을 이용하여 만든 환경을 ㉡ 인문환경이라고 합니다.

	㉠	㉡
①	산	바다
②	항구	하천
③	아파트	공장
④	하천	바람
⑤	비	과수원

2 사람들이 다음과 같이 이용하는 땅의 모양으로 가장 알맞은 것은 어느 것입니까? ( )

> • 농사를 짓습니다.
> • 도로와 건물을 만들어 이용합니다.

① 산 ② 들
③ 하천 ④ 바다
⑤ 사막

3 사람들이 자연환경을 그대로 이용하는 모습을 보기에서 두 가지 골라 기호를 쓰시오.

보기

> ㉠ 등산을 한다.
> ㉡ 주변에 공원을 만들어 이용한다.
> ㉢ 바닷가에 항구를 만들어 이용한다.
> ㉣ 바다에서 물고기나 조개를 잡는다.

_____

[4-5] 다음 그래프를 보고 물음에 답하시오.

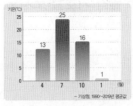
▲ 강릉시 평균 기온 그래프

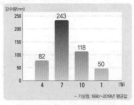
▲ 강릉시 평균 강수량 그래프

4 그래프에 대한 설명으로 알맞은 것은 어느 것입니까? ( )

① 4월의 평균 기온은 16℃이다.
② 1월의 평균 강수량은 50mm이다.
③ 여름은 비가 많이 내리지 않는 계절이다.
④ 가을은 비나 눈이 가장 많이 오는 계절이다.
⑤ 평균 기온이 두 번째로 높은 계절은 봄이다.

5 그래프를 통해 알 수 있는 여름과 겨울 날씨의 특징을 비교하여 쓰시오.

_____

_____

6 계절에 따른 고장 사람들의 생활 모습으로 알맞지 않은 것은 어느 것입니까? ( )

① 봄 – 꽃구경을 간다.
② 여름 – 시원한 곳을 찾아간다.
③ 여름 – 에어컨을 많이 사용한다.
④ 가을 – 스키장에 스키를 타러 간다.
⑤ 겨울 – 눈이 내리면 눈싸움을 한다.

7 다음 내용에서 알맞은 말에 ○표 하시오.

> (산 / 바다)이/가 있는 고장에 사는 사람들은 주로 물고기를 잡거나 물고기를 잡는 기구를 팔거나 수리하는 등의 일을 많이 합니다.

8 넓은 들이 있는 고장에 사는 사람들이 주로 하는 일을 보기에서 모두 골라 기호를 쓰시오.

보기
ㄱ 지하자원을 캔다.
ㄴ 농업 기술을 연구한다.
ㄷ 김, 미역, 전복 등을 기른다.
ㄹ 과수원에서 과일을 재배한다.
ㅁ 소, 돼지, 닭 등 가축을 기른다.

9 도시에 대한 설명으로 알맞지 <u>않은</u> 것은 어느 것입니까? ( )

① 들이 펼쳐진 곳에 발달한다.
② 주로 회사나 공장에서 일한다.
③ 논, 밭, 비닐하우스에서 농사를 짓는다.
④ 높은 건물이 많고 교통 시설이 발달했다.
⑤ 돈을 맡아 주거나 돈이 필요한 사람에게 빌려 주기도 한다.

중요
10 여가 생활에 대한 설명으로 옳은 것을 보기에서 <u>두 가지</u> 골라 기호를 쓰시오.

보기
ㄱ 갯벌 체험은 자연환경을 이용한 여가 생활이다.
ㄴ 얼음낚시는 인문환경을 이용한 여가 생활이다.
ㄷ 사람들은 자연환경만 이용하여 여가 생활을 한다.
ㄹ 스스로 즐거움을 얻고자 남는 시간에 하는 자유로운 활동이다.

11 의식주와 그 예시를 바르게 나열한 것은 어느 것입니까? ( )

	의	식	주
①	신발	바나나	텐트
②	우유	초가집	티셔츠
③	단독 주택	모자	아파트
④	물	아이스크림	한옥
⑤	바지	목도리	떡볶이

12 다음 내용에서 알맞은 말에 ○표 하시오.

사람들은 날씨가 더울 때는 ⑴ (반소매 / 긴소매) 옷을 즐겨 입고, 날씨가 추울 때는 ⑵ (얇고 / 두껍고) 긴 옷을 입습니다.

13 다음 질문에 알맞은 답을 쓰시오.

9월의 강원도 대관령은 우리 고장인 대구광역시보다 왜 서늘하지?

14 일 년 내내 덥고 비가 많이 내리는 고장의 의생활로 알맞은 것을 보기에서 골라 기호를 쓰시오.

보기
ㄱ 망토를 걸치고 모자를 쓴다.
ㄴ 긴 옷을 입고 머리와 얼굴을 천으로 감싼다.
ㄷ 소매가 짧고 바람이 잘 통하는 옷을 입는다.

15 밑줄 친 '이것'이 무엇인지 쓰시오.

> 정선은 산이 많고 서늘하여 여름에도 이것을 재배하기 좋습니다.

_____

중요★

16 세계 여러 고장의 식생활 모습으로 알맞지 않은 것을 보기 에서 골라 기호를 쓰시오.

보기
> ㉠ 겨울이 길고 추운 고장에는 채소와 과일을 이용한 음식이 많다.
> ㉡ 덥고 비가 많이 내리는 고장에는 열대 과일을 이용한 음식이 많다.
> ㉢ 겨울이 길고 추운 고장에서는 음식을 저장하기 위해 말리는 방법을 많이 활용한다.
> ㉣ 덥고 비가 많이 내리는 고장에서는 기름에 튀기거나 볶아서 만든 요리가 발달했다.

_____

17 다음과 같은 주생활 모습이 나타나는 고장은 어디입니까? ( )

① 대구　　　　② 전주
③ 통영　　　　④ 대관령
⑤ 제주도

중요★

18 우리나라 주생활 모습에 대한 설명으로 알맞지 않은 것은 어느 것입니까? ( )

① 고장의 자연환경은 주생활에 영향을 준다.
② 단독 주택은 한 채씩 따로 지은 집을 말한다.
③ 나무를 쉽게 구할 수 있는 고장에서는 너와 집을 지었다.
④ 오늘날의 주생활은 과거보다 자연환경의 영향을 더 많이 받고 있다.
⑤ 오늘날은 단독 주택, 연립 주택, 아파트 등 다양한 모양의 집을 볼 수 있다.

19 다음 사진과 같이 집 아래에 기둥을 높이 세운 이유를 쓰시오.

_____

_____

20 다음과 같이 환경에 따른 의식주 생활 모습을 소개한 방법은 무엇입니까? ( )

① 인터뷰하기
② 신문 만들기
③ 역할놀이 하기
④ 포스터 만들기
⑤ 애니메이션 만들기

[1-3] 다음 사진을 보고 물음에 답하시오.

㉠ 산

㉡ 들

㉢ 하천

㉣ 바다

1 고장 사람들이 ㉠과 ㉣에 나타난 땅의 모양을 자연환경 그대로 이용하는 생활 모습을 각각 서술하시오.

_____
_____

2 ㉡ 고장에 사는 사람들이 주로 하는 일을 서술하시오.

_____
_____

3 ㉢과 같은 환경을 이용하여 고장 사람들이 즐기는 여가 생활을 서술하시오.

_____
_____

[4-6] 다음 사진을 보고 물음에 답하시오.

㉠ 일 년 내내 덥고 비가 많이 내리는 고장

㉡ 뜨겁고 비가 거의 내리지 않는 고장

㉢ 겨울이 길고 추운 고장

㉣ 낮과 밤의 기온 차가 큰 고장

4 ㉠ 고장에서 발달한 음식과 그 음식이 발달한 이유에 대해서 서술하시오.

_____
_____

5 ㉡ 고장에서 집을 지을 때 사용하는 재료를 고장의 자연환경과 관련지어 서술하시오.

_____
_____

6 ㉢ 고장과 ㉣ 고장의 의생활 모습을 비교하여 서술하시오.

_____
_____

2. 시대마다 다른 삶의 모습

사 회를
이 해하고
다 함께
탐구하자!

공부 계획표

• 자신의 일정에 맞게 계획을 세워 보고, 실제 학습일을 적어 봅시다.
• 학습을 마무리한 후 얼마나 학습 목표를 달성했는지 스스로 점검해 봅시다.

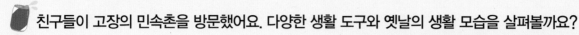

단원 열기 2 시대마다 다른 삶의 모습

친구들이 고장의 민속촌을 방문했어요. 다양한 생활 도구와 옛날의 생활 모습을 살펴볼까요?

시대에 맞지 않는 장면을 찾아라!

❓ 찾아낸 모습들이 가상 현실 속 시대와 어울리지 않는 까닭은 무엇인지 이야기해 봅시다.

📝 • 트랙터, 노트북, 카메라, 드론이 있습니다.
• 원시인, 정장을 입은 사람, 오늘날의 집 등이 있습니다.
• 시대마다 사람들이 사용한 도구나 입는 옷 등이 달랐기 때문입니다.

💡 가상 현실 속 시대와 어울리지 않는 사람과 도구를 찾아 보아요.

이 단원에서 나는

💡 제시된 낱말을 연결해 나만의 학습 계획을 세워 보아요.

생활 도구의 ○		○ 알고 싶어요.
○ 변화를 ○		○ 비교하고 싶어요.
주거 형태의 ○		
○ 특징을 ○		○ 조사하고 싶어요.
세시 풍속의 ○		

📝 • 생활 도구의 변화를 비교하고 싶어요.
• 세시 풍속의 특징을 조사하고 싶어요.

미리 맛보는
교과서 흐름

시대마다 다른 삶의 모습

옛날과 오늘날의
생활 모습

옛날과 오늘날의
세시 풍속

옛날과
오늘날의
도구 파악하기

도구의 변화로
달라진
생활 알기

우리 고장의
옛날 생활 모습
조사하기

옛날 세시
풍속의 특징
파악하기

옛날과 오늘날의
세시 풍속
비교하기

우리 고장의
세시 풍속
조사하기

먼 옛날의
도구,
농사 도구,
음식 만드는
도구,
옷 만드는
도구

여러 도구의
변화로 달라진
생활 모습,
집의 변화로
달라진 생활
모습

박물관,
민속촌,
유적지,
전통 민속
마을

설날,
정월 대보름,
한식,
단오,
백중,
추석,
동지

농사와
관련된
세시 풍속,
오늘날 남아
있는
세시 풍속

우리 고장을
자랑하는
글쓰기

🍀 옛날과 오늘날의 여러 도구를 비교해 보고 사람들의 생활 모습의 변화를 알 수 있어요.
🍀 옛날의 세시 풍속을 알아보고 오늘날의 변화된 모습과 비교할 수 있어요.

미리 맛보는
핵심 용어

❶ **생**(生)
날 생
활(活)
살 활
모
습

❶ 사람이나 동물이 일정한 환경에서 활동하며 살아가는 자취나 흔적을 말합니다.

❷ **도**(道)
길 도
구(具)
갖출 구

❷ 사람들이 생활하는 데 필요한 물건을 말합니다. 농사 도구, 조리 도구, 옷을 만드는 도구 등이 있습니다.

❸ **세**(歲)
해 세
시(時)
때 시
풍(風)
바람 풍
속(俗)
풍속 속

❸ 해마다 일정한 시기에 반복되어 전해 내려오는 고유의 놀이와 의례 등을 말합니다.

옛날과 오늘날의 도구는 어떻게 다를까요?

❶ 전래 동화를 소재로 한 연극 준비하기

(1) 연극을 준비할 때 알아야 할 점: 연극을 하려면 동화의 배경이 되는 ❶시대의 생활 모습을 잘 알아야 한다. 보충 ❶

(2) 시대의 생활 모습을 알아야 하는 까닭: 시대마다 사람들이 일상생활에서 사용한 생활 도구와 살았던 집의 모습이 다르기 때문이다.

❷ 시대와 어울리지 않는 생활 도구와 배경 찾기 (속 시원한 활동 풀이)

(1) '금도끼 은도끼'

시대와 어울리지 않는 점
- 옛날에는 전기톱이 없었음.
- 오늘날의 ❷고층 빌딩이 보임.

시대에 어울리게 바꾸기
- 전기톱을 금도끼, 은도끼로 바꿔야 함.
- 배경을 산속의 연못으로 바꿔야 함.

(2) '요술 맷돌' 보충 ❷

시대와 어울리지 않는 점
- 옛날에는 믹서가 없었음.
- 전래 동화 속 시대보다 더 옛날의 옷임.

시대에 어울리게 바꾸기
- 믹서를 맷돌로 바꿔야 함.
- 옷을 한복으로 바꿔야 함.

(3) '흥부와 놀부'

시대와 어울리지 않는 점
- 옛날에는 전기밥솥이 없었음.
- 흥부와 놀부는 동굴에서 살지 않았음.

시대에 어울리게 바꾸기
- 전기밥솥을 가마솥으로 바꿔야 함.
- 배경을 초가집으로 바꿔야 함.

 다 함께 활동

연극 배경과 소품이 적절한지 생각하며 빈칸을 채워 보고, 그렇게 생각한 까닭을 친구들과 이야기해 봅시다.

빈칸에 들어갈 말	전기톱	믹서	전기밥솥
그렇게 생각한 까닭	예 옛날에는 전기톱이 없었기 때문입니다.	예 옛날에는 믹서가 없었기 때문입니다.	예 옛날에는 전기밥솥이 없었기 때문입니다.

 확인 톡! 톡!

정답과 해설 7쪽

1 빈칸에 들어갈 알맞은 말을 쓰시오.

일상생활에서 사용하는 도구를 ☐☐ ☐☐(이)라고 합니다.

(   )

2 다음 내용에서 알맞은 말에 ○표 하시오.

(1) '흥부와 놀부' 이야기로 연극을 준비할 때는 생활 도구로 (가마솥 / 전기밥솥)을 준비해야 합니다.

(2) 흥부가 사는 집으로 (동굴 / 초가집) 배경을 준비해야 합니다.

3 내용이 맞으면 ○표, 틀리면 ✕표를 선택하시오.

(1) 전래 동화를 소재로 연극을 하려면 시대의 생활 모습을 잘 알아야 합니다. (○ , ✕)

(2) 시대마다 생활 도구와 집의 모습은 같습니다. (○ , ✕)

먼 옛날 사람들은 무엇으로 도구를 만들었을까요?

① 만들고 싶은 도구 모양의 틀을 만들고, 그 틀에 금속을 녹인 쇳물을 붓는다.

② 쇳물이 식으면 금속 도구를 빼낸 후 다듬는다.

보충 ❷

◉ 고인돌

큰 돌을 몇 개 둘러 세우고 그 위에 넓적한 돌을 덮어 놓은 청동기 시대의 대표적인 무덤이다.

용어 사전

❶ 청동: 구리와 주석을 녹여서 만든 금속이다.
❷ 해안: 바다와 육지가 맞닿은 부분이다.

❶ 먼 옛날 사람들이 사용한 생활 도구

(1) 도구의 재료: 돌, 나무, 뼈, 금속 등의 재료를 사용했다.

(2) 도구의 변화: 처음에는 자연에서 얻은 돌을 깨거나 갈아서 도구를 만들었고, 이후 ❶청동과 철 등 금속을 사용하여 도구를 만들었다.

❷ 먼 옛날 사람들의 생활 모습 <속 시원한 활동 풀이>

(1) 대표적인 생활 도구: 주먹 도끼
(2) 생활 모습
① 열매를 따거나, 동물을 사냥했음.
② 먹을거리를 찾아 이동했음.
③ 동굴이나 바위 그늘에서 살았음.

(1) 대표적인 생활 도구: 돌괭이
(2) 생활 모습
① 먹을거리가 풍부한 강이나 ❷해안 근처에 모여 살면서 그물로 물고기와 조개를 잡았음.
② 강 근처에서 농사를 지으며 가축을 길렀음.

(1) 대표적인 생활 도구: 비파형 동검
(2) 생활 모습
① 청동으로 주로 무기나 장신구를 만들었음.
② 청동은 귀했기 때문에 일상생활에서는 여전히 돌이나 나무로 만든 도구를 사용했음. 보충 ❶.❷

(1) 대표적인 생활 도구: 쇠 괭이
(2) 생활 모습
① 철은 청동보다 단단하고 구하기 쉬워서 생활 도구를 만드는 데 많이 이용되었음.
② 철로 만든 농사 도구를 사용하면서, 수확량이 크게 늘었고 마을도 더 커졌음.

그림에서 먼 옛날 사람들이 도구를 만드는 데 사용한 재료를 찾아보고, 어떤 도구를 사용하여 어떻게 생활했는지 이야기해 봅시다.

 ▲ 주먹 도끼	• 재료는 무엇일까? 예 돌 • 어떻게 만들었을까? 예 단단한 돌을 깨서 날카롭게 만들었습니다. • 무엇을 하는 데 사용했을까? 예 사냥한 동물의 가죽을 벗기거나 고기를 자를 때 사용했을 것입니다.	 ▲ 돌괭이	• 재료는 무엇일까? 예 돌 • 어떻게 만들었을까? 예 돌을 갈아서 더 날카롭고 사용하기 좋게 만들었습니다. • 무엇을 하는 데 사용했을까? 예 땅을 갈고 농사를 짓는 데 사용했을 것입니다.
 ▲ 비파형 동검	• 재료는 무엇일까? 예 청동 • 어떻게 만들었을까? 예 구리와 주석을 녹여 틀에 부어 원하는 모양으로 만들었습니다. • 무엇을 하는 데 사용했을까? 예 전쟁을 할 때 무기로 사용했을 것입니다.	 ▲ 쇠 괭이	• 재료는 무엇일까? 예 철(쇠) • 어떻게 만들었을까? 예 철을 녹여 틀에 부어 원하는 모양으로 만들었습니다. • 무엇을 하는 데 사용했을까? 예 땅을 파고 농사를 짓는 데 사용했을 것입니다.

먼 옛날 사람들은 도구 만드는 재료를 자연에서 구했습니다. (◯ , ✕)　　　　　(　◯　)

확인 톡! 톡!

📍정답과 해설 **7**쪽

1 빈칸에 들어갈 알맞은 말을 쓰시오.

먼 옛날 사람들은 먹을거리가 풍부한 강이나 해안 근처에 모여 살면서 물고기와 조개를 잡았고, 강 근처에서 ☐☐을/를 지으며 가축을 길렀습니다.

(　　　　　)

2 내용이 맞으면 ◯표, 틀리면 ✕표를 선택하시오.
(1) 먼 옛날 사람들은 돌, 나무, 뼈 등으로 생활 도구를 만들다가 점차 금속을 사용했습니다. (◯ , ✕)
(2) 청동은 단단해서 주로 생활 도구를 만드는 데 이용되었습니다. (◯ , ✕)

탐구해요

농사 도구의 변화로 달라진 생활 모습은 무엇일까요?

보충 ①

● 김홍도의 「논갈이」

한 쌍의 소가 쟁기를 끌고 두 명의 농사꾼이 쇠스랑으로 흙을 고르는 모습을 그린 그림이다.

보충 ②

● 오늘날의 다양한 농사 도구

▲ 일정 온도를 유지하는 비닐온실

▲ 농약을 뿌릴 때 사용하는 드론

1 농사 도구의 변화 ⬤ 속 시원한 활동 풀이

(1) 논밭을 갈 때 사용한 도구의 변화

돌보습	쇠 쟁기	❶트랙터
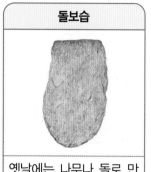		
옛날에는 나무나 돌로 만든 도구를 이용함.	이후 쇠로 만든 쟁기를 이용함. 보충 ❶	오늘날은 트랙터와 같은 기계를 이용함.

(2) 곡식을 수확할 때 사용한 도구의 변화

반달 돌칼	쇠 낫	❷콤바인

옛날에는 반달 돌칼로 곡식을 수확함.	쇠로 만든 도구가 사용되면서 낫을 이용함.	오늘날은 콤바인과 같은 기계를 이용함.

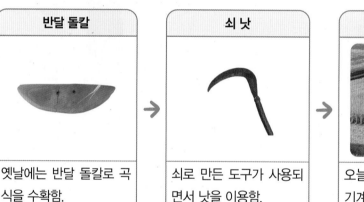

2 농사 도구의 변화로 달라진 사람들의 생활 모습

(1) 옛날의 생활 모습
① 다양한 농사 도구가 필요했다.
② 여러 사람이 서로 협동하여 함께 농사를 지었다.
③ 농사를 지어 얻은 작물은 대부분 가족이 먹었다.

(2) 오늘날의 생활 모습
① 기계를 이용해 농사를 짓기 때문에 힘이 훨씬 적게 든다.
② 여러 가지 기능이 있는 농기계를 사용하여 편리하다. 보충 ❷
③ 다양한 곡식과 채소, 과일을 길러 주로 시장에 내다 판다.

> 내용⁺ 오늘날은 농기계를 사용하기 때문에 옛날보다 적은 사람으로도 훨씬 많은 농사일을 할 수 있으며, 한 사람이 농사지을 수 있는 땅이 넓어지고 수확하는 곡식의 양도 늘어났다.

용어 사전

❶ 트랙터: 강한 힘을 이용하여 각종 일을 하는 작업용 자동차이다.
❷ 콤바인: 논밭 위를 달리며 곡식을 수확하는 기계이다.

속 시원한 **활동 풀이**

📍 교과서 62~63쪽

스스로 활동

시대별 농사 도구에 어울리는 설명 붙임 딱지를 붙이고, 사람들의 생활 모습이 어떻게 달라졌는지 이야기해 봅시다.

논밭을 갈 때 사용한 도구

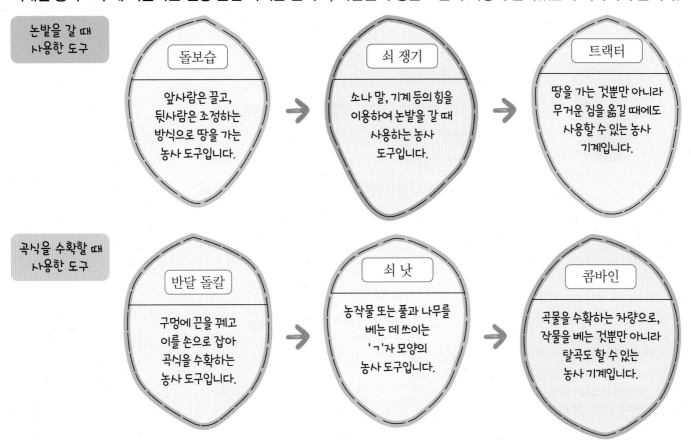

돌보습	쇠 쟁기	트랙터
앞사람은 끌고, 뒷사람은 조정하는 방식으로 땅을 가는 농사 도구입니다.	소나 말, 기계 등의 힘을 이용하여 논밭을 갈 때 사용하는 농사 도구입니다.	땅을 가는 것뿐만 아니라 무거운 짐을 옮길 때에도 사용할 수 있는 농사 기계입니다.

곡식을 수확할 때 사용한 도구

반달 돌칼	쇠 낫	콤바인
구멍에 끈을 꿰고 이를 손으로 잡아 곡식을 수확하는 농사 도구입니다.	농작물 또는 풀과 나무를 베는 데 쓰이는 'ㄱ'자 모양의 농사 도구입니다.	곡물을 수확하는 차량으로, 작물을 베는 것뿐만 아니라 탈곡도 할 수 있는 농사 기계입니다.

예 옛날에는 농사를 지으려면 많은 사람이 필요했습니다. 그러나 오늘날에는 기계를 사용해 농사를 짓기 때문에 적은 사람으로도 훨씬 많은 농사일을 할 수 있습니다.

잠깐! 확인해요

오늘날에는 기계로 농사를 짓기 때문에 더 많은 사람이 필요합니다. (◯ , ✕)　　　　　(✕)

확인 톡! 톡!

📍 정답과 해설 7쪽

1 내용이 맞으면 ◯표, 틀리면 ✕표를 선택하시오.

(1) 쟁기는 곡식을 수확하는 기계로, 곡식을 빠르게 베어 낼 수 있습니다. (◯ , ✕)

(2) 반달 돌칼은 구멍에 끈을 꿰고 이를 손으로 잡아 곡식을 수확하는 도구입니다. (◯ , ✕)

음식과 옷을 만드는 도구 변화로 달라진 생활 모습은 무엇일까요?

보충 ❶

● 토기를 사용하면서 좋아진 점
인간은 짐승의 고기나 채소를 삶아 먹을 수 있게 되었고, 추운 날씨에 뜨거운 국물을 마실 수도 있게 되었다.

▲ 빗살무늬 토기

보충 ❷

● 가락바퀴로 실을 뽑는 방법
가락바퀴 가운데에 있는 둥근 구멍에 막대를 넣고 고정시킨다. 막대에 섬유를 잡아매고 막대를 돌려서 실을 꼬면, 섬유가 꼬이면서 실타래가 만들어진다. 이 실을 이용해 옷감을 만든다.

보충 ❸

● 기계로 옷을 만들면 좋은 점
옷을 쉽고 빠르게 만들 수 있으며, 한꺼번에 많은 옷을 만들 수 있다.

용어 사전

❶ **맷돌**: 곡식을 가는 데 쓰이는 도구로 손잡이를 '어처구니'라고 한다.
❷ **가락바퀴**: 둥근 구멍에 막대를 넣고 돌려서 실을 만드는 데 사용한 도구이다.
❸ **방직기**: 실을 뽑아서 천을 짜내는 기계이다.

❶ 음식을 만드는 도구의 변화와 생활 모습

(1) 음식을 만드는 도구의 변화 (속 시원한 활동 풀이)

음식을 익힐 때	모닥불, 토기 → 아궁이, 가마솥 → 가스레인지, 전기밥솥 보충 ❶
음식을 갈 때	갈판과 갈돌 → ❶맷돌 → 믹서
음식을 저장할 때	토기 → 항아리 → 냉장고

(2) 음식을 만드는 도구의 변화로 달라진 생활 모습
① 옛날에는 주로 여자들이 요리를 했지만 오늘날에는 가족이 함께 요리를 하는 경우가 많다.
② 옛날에는 직접 불을 피워 요리했는데 요즘에는 가스나 전기로 요리한다.

❷ 옷을 만드는 도구의 변화와 생활 모습

(1) 옷을 만들 때 필요한 재료(실, 옷감)를 만드는 도구의 변화

❷가락바퀴 보충 ❷	베틀	❸방직기

실을 뽑는 도구임.	실을 엮어서 옷감을 만드는 도구임.	빠르고 편리하게 많은 옷감을 만드는 기계임.

(2) 옷감을 바느질하는 도구의 변화

뼈바늘	쇠바늘	재봉틀

동물의 뼈로 만든 바늘로 가죽을 꿰매 옷을 만듦.	쇠로 만든 바늘로 옷감을 바느질하여 옷을 만듦.	재봉틀을 사용하여 옷감을 빠르게 바느질함.

(3) 옷을 만드는 도구의 변화로 달라진 생활 모습 (속 시원한 활동 풀이)
① 옛날에는 대부분 직접 옷을 만들었지만, 오늘날에는 공장에서 만든다. 보충 ❸
② 옛날에는 주로 몸을 보호하거나 예의를 갖추기 위해 옷을 입었지만, 오늘날에는 각자의 개성에 따라 옷을 골라 입는 경우가 많다.

 속 시원한 **활동 풀이**

📍교과서 **64~67**쪽

 **스스로** 활동

그림에서 쓰임새가 비슷한 조리 도구를 찾아서 적어 봅시다.

음식을 익힐 때	음식을 갈 때	음식을 저장할 때
모닥불, 토기, 가마솥, 아궁이, 가스레인지, 전기밥솥	갈판과 갈돌, 맷돌, 믹서	토기, 항아리, 냉장고

다 함께 활동

옷을 만드는 도구가 달라지면서 사람들의 생활 모습에 어떤 변화가 생겼는지 친구들과 이야기해 봅시다.

예 • 옛날에는 대부분 옷을 직접 만들어 입었지만, 오늘날에는 주로 사서 입습니다.
 • 오늘날에는 옷을 기계로 만들기 때문에 옷을 만드는 시간이 줄어들었고, 옷의 종류도 다양해졌습니다.
 • 오늘날에는 자신의 멋과 개성에 따라 옷을 골라 입을 수 있습니다.

잠깐! 확인해요

옛날 사람들은 옷을 직접 만들어 입는 경우가 많았습니다. (○ , ✕)   (○)

 **확인 톡! 톡!**

📍정답과 해설 7쪽

1 음식을 갈 때 사용하는 조리 도구를 보기에서 세 가지 골라 기호를 쓰시오.

보기
ㄱ 맷돌   ㄴ 토기   ㄷ 믹서
ㄹ 아궁이   ㅁ 냉장고   ㅂ 갈판과 갈돌

(   )

2 둥근 구멍에 막대를 넣고 돌려서 실을 뽑는 데 사용했던 도구가 무엇인지 쓰시오.

(   )

탐구해요

집이 달라지면서 생활 모습은 어떻게 변화했을까요?

◉ **온돌**

방바닥 아래에 넓은 돌을 여러 개 놓고, 이 돌을 따뜻하게 데워서 방을 덥히는 우리나라 고유의 난방 장치이다.

◉ **까치구멍 집**

방과 마루, 부엌, 심지어는 측간과 외양간까지 모두 한 채 안에 있는 집이다. 집 안에 있는 부엌에서 불을 땔 때 연기가 빠져나가도록 지붕에 뚫어 놓은 구멍을 까치구멍이라고 하는데, 이 때문에 까치구멍 집이라는 이름이 붙었다.

용어 사전

❶ **시멘트**: 물에 섞어 말리면 돌처럼 단단해지는 회색의 가루이다.
❷ **철근**: 콘크리트 속에 넣어 건물을 튼튼하게 하기 위해 사용하는 막대 모양 철재이다.

① 집의 모습 변화

먼 옛날	옛날	오늘날
먼 옛날 사람들은 동굴에 살거나 움집을 지었음.	옛날 사람들은 초가집과 기와집을 지었음. 보충 ❶	오늘날 사람들은 아파트나 다세대 주택 등에서 생활함.

② 집에 따른 생활 모습의 변화 속 시원한 활동 풀이

움집
• 땅을 파서 기둥을 세우고, 그 위에 풀을 얹어 지었음.
• 방과 부엌, 창고가 한 공간 안에 모여 있음.
• 불을 피워서 집 안을 따뜻하게 했음.
• 입구를 좁고 길게 만들어서 바람이 덜 들어오도록 만들었음.

초가집 보충 ❷
• 나무와 흙 등으로 만들어 짚으로 지붕을 덮음.
• 방, 부엌, 마루, 화장실 등의 생활 공간이 있음.
• 마당에서는 주로 농사와 관련된 일을 했음.

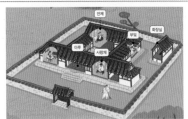

기와집
• 돌과 나무로 만들고, 흙을 구워 만든 기와로 지붕을 덮음.
• 안채에서는 여자들이, 사랑채에서는 남자들이 생활했음.

아파트
• 오늘날에는 좁은 땅에 많은 사람들이 살기 위해 한 건물에 여러 집이 사는 경우가 많음.
• ❶시멘트와 ❷철근을 이용해 높고 튼튼하게 지음.
• 개인 공간인 방과 가족 공동 공간인 거실, 주방 등으로 이루어짐.

 내용 초가집과 기와집은 아파트와 다르게 화장실이 마당에 있었다.

다 함께 활동

시대를 대표하는 집 모형을 만들어 보고, 집의 변화로 사람들의 생활 모습이 어떻게 달라졌는지 친구들과 이야기해 봅시다.

집	 ▲ 움집	➡	 ▲ 초가집	 ▲ 기와집	➡	 ▲ 아파트
생활 모습	예 • 맨바닥에서 자야 합니다. • 풀이 썩으면 다시 지어야 합니다.		예 • 마당이 있어서 뛰어놀 수 있습니다. • 화장실이 멀리 있어 밤에 이용하기 무섭습니다.			예 • 화장실과 부엌이 집 안에 있어 편리합니다. • 층간 소음이 심합니다.

잠깐! 확인해요

집의 모습은 시대마다 다릅니다. (○ , ✕)   (○)

확인 톡! 톡!

📍 정답과 해설 7쪽

1 빈칸에 들어갈 알맞은 말을 쓰시오.

☐☐은/는 먼 옛날 사람들이 살았던 집으로 땅을 파서 기둥을 세우고, 그 위에 풀을 얹어 만들었습니다. 사람들은 방과 부엌, 창고가 한 공간 안에 모여 있는 구조에서 생활했습니다.

(   )

2 집의 모습이 변화한 순서대로 기호를 쓰시오.

㉠	㉡	㉢
 ▲ 아파트	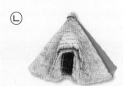 ▲ 움집	 ▲ 기와집

(   )

함께 해요

우리 고장의 옛날 생활 모습을 찾아볼까요?

보충 ❶

◉ 민속촌
옛 건물을 옮겨 와서 새로 짓거나, 실제 옛날 주거 공간이던 곳을 복원해 놓은 곳을 민속촌이라고 한다. 단순히 옛날 생활 모습을 재현하는 데 그치지 않고 놀이, 음식, 일 등 다양한 풍속을 체험할 수도 있다.

보충 ❷

◉ 전통 민속 마을
전근대 시기에 조성되어 지금까지 사람들이 살고 있는 역사 마을을 일컫는 '전통 마을'은 자연과 조화를 이루며 살아온 선조들의 오래된 지혜의 공간이다. 대표적인 전통 민속 마을로는 북촌 한옥 마을, 낙안 읍성, 강골 마을 등이 있다.

용어 사전

❶ 유적지: 남아 있는 자취로, 건축물이나 싸움터 또는 역사적인 사건이 벌어졌던 곳이나 옛날 무덤이 있던 곳을 말한다.
❷ 집터: 집이 있었거나, 집을 지을 자리이다.
❸ 누리집: '홈페이지'를 다듬은 토박이말로, '세상, 세계'를 뜻하는 '누리'와 '집'을 보탠 말이다.

❶ 옛날 생활 모습을 볼 수 있는 곳 찾기

박물관	민속촌 보충❶

옛날 사람들이 사용하던 도구가 전시되어 있음.	옛날에 있었던 마을을 다시 만들어 옛날 사람들의 생활 모습을 직접 체험할 수 있음.
❶유적지	전통 민속 마을 보충❷

옛날 사람들이 살던 ❷집터나 마을 흔적을 볼 수 있음.	옛날 사람들이 살던 집에 지금도 사람들이 살고 있음.

❷ 우리 고장의 옛날 생활 모습 조사하기 속 시원한 활동 풀이

❶ 옛날 생활 모습이 남아 있는 체험 장소를 ❸누리집 등에서 찾는다.
❷ 방문할 장소에서 볼 수 있는 생활 도구와 집의 모습 등을 기록한다.
❸ 가장 관심이 가는 생활 도구 또는 집의 모습을 사진으로 붙이거나 그림으로 그린다.
❹ 오늘날의 생활 모습과 간단히 비교한다.

내용➕ 고장에 있는 '민속관'을 검색하면 고장 사람들의 옛날 생활 모습을 볼 수 있는 장소를 쉽게 찾을 수 있다.

활동 도우미   구/군청 누리집을 활용한 옛날 생활 모습 조사의 예

❶ '마포 구청' 누리집을 검색합니다.
❷ '문화 관광' 메뉴 → '역사 속 문화 탐방' 메뉴를 선택합니다.
❸ '매봉산 풀무골'을 선택하여 옛날 생활 모습을 확인합니다.
❹ 옛날 생활 모습 조사 보고서를 작성합니다.

서울 암사동 선사 유적지

| 소개 | 예 먼 옛날 사람들이 모여 살던 곳으로 당시 사람들이 사용했던 생활 도구와 집터 등 다양한 삶의 흔적이 남아 있습니다. |

볼 수 있는 생활 도구와 집의 모습

예 돌도끼, 갈판과 갈돌, 토기, 가락바퀴와 같은 생활 도구와 다양한 움집을 볼 수 있습니다.

오늘날 고장의 생활 모습과 비교

예 먼 옛날의 사람들은 주로 움집에서 살았지만, 오늘날에는 아파트에 많이 삽니다. 또 먼 옛날의 사람들은 열매를 따 먹거나 동물을 사냥해서 먹었지만, 오늘날에는 시장이나 대형 할인점에서 음식을 사서 먹습니다.

가장 관심이 가는 생활 도구 또는 집의 모습

예

▲ 움집   ▲ 갈판과 갈돌

확인 톡! 톡!

♀ 정답과 해설 **7**쪽

1 서로 관련 있는 내용끼리 바르게 선으로 연결하시오.

(1) 민속촌 •

(2) 유적지 •

(3) 전통 민속 마을 •

• ㉠ 옛날 사람들이 살던 집터나 마을 흔적을 볼 수 있음.

• ㉡ 옛날 사람들이 살던 집에 지금도 사람들이 살고 있음.

• ㉢ 옛날에 있었던 마을을 다시 만들어 옛날 사람들의 생활 모습을 직접 체험할 수 있음.

2 옛날 사람들이 사용하던 도구가 전시되어 있는 곳이 무엇인지 쓰시오.

( )

'옛날과 오늘날의 생활 모습'에서 배운 내용을 떠올리며 시대에 따라 생활 도구가 어떻게 변화했는지 선으로 연결해 봅시다.

도움 무엇에 사용하는 도구인지 살펴본 후, 관련 있는 도구들을 시대 순서대로 선으로 연결해 보아요.

핵심 꿀꺽 질문

먼 옛날의 생활 도구와 생활 모습을
설명할 수 있나요?

옛날과 오늘날의 생활 도구를
비교할 수 있나요?

집의 변화에 따라 생활 모습이
어떻게 달라졌나요?

1 '흥부와 놀부'로 연극을 준비하는 모습에 대해 알맞은 설명을 한 사람을 골라 쓰시오.

> **한선:** 배경을 시대에 맞게 잘 준비했어.
> **지영:** 전기밥솥을 가마솥으로 바꿔야 해.
> **민수:** 흥부가 동물의 가죽으로 된 옷을 입어야 할 것 같아.

_____

2 돌이나 뼈를 갈고 다듬어 도구를 만든 시대의 사람들의 생활 모습으로 알맞지 <u>않은</u> 것은 어느 것입니까? (　　　)

① 가축을 길렀다.
② 농사를 지었다.
③ 흙으로 그릇을 만들었다.
④ 주로 동굴이나 바위 그늘에서 살았다.
⑤ 강에서 조개와 물고기 등을 잡아먹었다.

3 먼 옛날 사람들이 청동으로 주로 무기나 장신구 등을 만들었던 까닭을 보기 에서 골라 기호를 쓰시오.

> **보기**
> ㉠ 재료가 귀했기 때문이다.
> ㉡ 다루기 쉬웠기 때문이다.
> ㉢ 재료의 값이 쌌기 때문이다.

_____

[4-5] 다음 내용을 읽고 물음에 답하시오.

> 사람들은 점차 청동보다 훨씬 단단한 (㉠)(으)로 도구를 만들기 시작했습니다. (㉠)은/는 생활 도구와 무기로 널리 사용되었습니다.

4 ㉠에 공통으로 들어갈 알맞은 말을 쓰시오.

_____

5 ㉠으로 만든 농사 도구로 달라진 생활 모습을 쓰시오.

_____
_____

중요

6 논밭을 갈 때 사용하는 도구로 알맞은 것은 어느 것입니까? (　　　)

①
▲ 가락바퀴

②
▲ 돌보습

③
▲ 주먹 도끼

④
▲ 빗살무늬 토기

⑤
▲ 비파형 동검

7 다음과 같은 농사 도구의 변화로 달라진 생활 모습을 쓰시오.

▲ 돌보습   ▲ 쇠 쟁기   ▲ 트랙터

_____

_____

8 먼 옛날 사람들이 곡식을 수확할 때 사용했던 도구의 이름을 쓰시오.

_____

9 다음에서 설명하는 도구로 알맞은 것은 어느 것입니까?   (   )

먼 옛날 사람들이 음식을 갈 때 주로 사용했던 도구입니다.

① 믹서   ② 토기
③ 가마솥   ④ 항아리
⑤ 갈판과 갈돌

10 음식을 만드는 도구의 변화로 달라진 생활 모습에 대한 설명으로 알맞지 <u>않은</u> 것은 어느 것입니까?   (   )

① 옛날에는 직접 불을 피워 요리했다.
② 옛날에는 주로 남자들이 요리를 했다.
③ 오늘날에는 전기를 이용한 도구를 사용한다.
④ 옛날에는 음식을 넣은 항아리를 땅에 묻어 음식을 저장했다.
⑤ 오늘날에는 요리하는 공간과 생활하는 공간이 집 안에 같이 있다.

11 오늘날 빠르고 편리하게 많은 옷감을 만들 수 있는 기계로 알맞은 것은 어느 것입니까?
                                    (   )

① 베틀   ② 뼈바늘
③ 재봉틀   ④ 방직기
⑤ 가락바퀴

12 다음과 같이 옷을 만드는 도구가 발달하면서 달라진 사람들의 생활 모습을 쓰시오.

> 뼈바늘 → 쇠바늘 → 재봉틀

_____

_____

13 다음과 같은 생활 모습을 볼 수 있었던 먼 옛날의 집은 무엇인지 쓰시오.

> • 땅을 파서 기둥을 세우고, 그 위에 풀을 얹어 지은 집입니다.
> • 방과 부엌, 창고가 한 공간 안에 모여 있습니다.

_____

중요

14 다음과 같은 집에 대한 설명으로 알맞은 것은 어느 것입니까? ( )

▲ 기와집

① 방과 거실이 집 밖에 있었다.
② 철근을 이용해 튼튼하게 지었다.
③ 나무로 만들고 짚으로 지붕을 덮었다.
④ 입구를 좁고 길게 만들어서 바람이 덜 들어오도록 했다.
⑤ 안채에는 여자들이, 사랑채에서는 남자들이 주로 생활했다.

15 우리 고장의 옛날 생활 모습을 볼 수 있는 곳으로 알맞지 않은 것은 어느 것입니까? ( )

① 박물관   ② 민속촌
③ 유적지   ④ 놀이 공원
⑤ 전통 민속 마을

워드 클라우드와 함께하는 **서술형 문제**

[16-17] 워드 클라우드의 단어를 이용하여 서술형 문제의 답을 쓰시오.

> 불 연기   방   시멘트   입구
> 나무 농사 지붕 마당 기와
> 예에 개인 공간 땅을 여러 집
> 부뚜막 바람 창고 좁은 동 공간
> 안채 농사 짚 화장실 철근

16 밑줄 친 '움집'의 특징을 서술하시오.

> 서울 암사동 선사 유적지를 다녀와서
>
> 먼 옛날 사람들의 생활 모습을 알 수 있는 암사동 선사 유적지를 다녀왔다. 그곳에서 먼 옛날 사람들이 나무와 풀로 지은 움집을 보았다.

_____

_____

17 다음을 보고 물음에 답하시오.

> ㉠ 움집   ㉡ 아파트   ㉢ 초가집

(1) 집의 변화를 순서대로 기호를 쓰시오.

_____

(2) 오늘날 집의 특징을 서술하시오.

_____

현대 속의 전통, 북촌 한옥 마을

북촌 한옥 마을은 서울특별시 종로구 가회동, 재동, 삼청동 일대에 한옥이 모여 있는 서울의 대표적인 한옥 마을입니다. 북촌은 예로부터 양반 동네로 알려졌으며, 마을의 주택 모두 조선 시대의 기와집입니다. 북촌 한옥 마을에는 박물관, 전통 공방, 한옥 체험관 등 다양한 공간이 있어 옛 조선 시대의 분위기를 느껴 볼 수 있습니다.

북촌 한옥 역사관

조선 시대의 대표적인 주거지였던 '북촌'의 역사를 한눈에 살펴볼 수 있는 한옥 역사관입니다.

북촌 한옥청

강연·전시·공연 등 각종 문화 활동이 펼쳐질 수 있도록 개방하는 공공 한옥입니다.

헌책을 사고팔 수 있고, 독서 동아리 활동과 인문학 강좌, 낭독 체험 등 책을 매개로 한 다양한 문화 활동 프로그램을 운영하는 공공 한옥입니다.

전통 홍염 공방

전통 홍염 방식으로 재현한 다양한 복원 작품을 감상할 수 있고, 각종 천연 염재를 이용해 다양한 색채의 자연 염색을 체험해 볼 수 있습니다.

추석은 왜 해마다 돌아올까요?

보충 ❶

◉ 우리나라의 명절

우리나라의 명절에는 설날, 추석, 정월 대보름, 한식, 단오, 동지 등이 있다. 이러한 명절에는 농사일과 계절의 변화와 관련이 깊은 세시 풍속을 즐긴다.

보충 ❷

◉ 차례

명절이나 일정한 절기에 지내는 제사이다. 오늘날에는 절기에 지내는 차례는 거의 사라지고 설날과 추석의 명절 차례만 전해지고 있다.

용어 사전

❶ **수리취떡**: 수리취(국화과의 여러해살이풀)의 잎을 넣어서 만든 시루떡이다.

❷ **송편**: 멥쌀가루를 익반죽하고 풋콩, 깨, 밤 같은 소를 넣어 반달 모양으로 빚어서, 시루에 솔잎을 켜켜로 놓고 찐 떡을 말한다.

❸ **강강술래**: 여러 사람이 함께 손을 잡고 원을 그리며 빙빙 돌면서 춤을 추고 노래를 부르는 놀이이다.

❶ 세시 풍속의 의미

(1) **풍속**: 하는 일과 먹는 음식, 놀이 등 옛날부터 전해 오는 생활 습관을 말한다.

(2) **세시 풍속**: 해마다 일정한 시기에 반복되는 풍속이다.

(3) **명절**: 설날, 추석 등 해마다 일정한 시기를 지켜 즐기는 날을 말한다. 보충 ❶

(4) **명절 때 특별히 하는 것**

명절	먹는 음식	하는 일
설날	▲ 떡국	• 어른들께 세배를 함. • 가족들과 차례를 지냄. 보충 ❷
단오	▲ ❶수리취떡	• 그네뛰기, 씨름 등을 함. • 마당놀이, 사물놀이 등을 즐김.
추석	▲ ❷송편	• 가족들과 차례를 지냄. • ❸강강술래와 줄다리기 등의 놀이를 함. ▲ 윷놀이 ▲ 강강술래 ▲ 줄다리기

내용+ 설날, 단오, 추석은 한식과 함께 우리나라를 대표하는 4대 명절이다.

❷ 명절의 날짜

(1) **달력에서 명절들의 날짜 찾아보기**: 스마트 기기의 달력 기능을 이용하거나 검색 기능을 활용하여 명절의 날짜를 찾을 수 있다. 쏙 시원한 활동 풀이

(2) **명절의 날짜로 알 수 있는 것**: 작년과 올해, 내년 명절들의 날짜가 별로 차이 나지 않는다.

 스스로 활동

다음 명절들이 언제인지 달력에서 찾아 날짜를 써 봅시다.

명절	작년	올해	내년
설날	예 2021년 2월 12일	예 2022년 2월 1일	예 2023년 1월 22일
단오	예 2021년 6월 14일	예 2022년 6월 3일	예 2023년 6월 22일
추석	예 2021년 9월 21일	예 2022년 9월 10일	예 2023년 9월 29일

 확인 톡! 톡!

정답과 해설 8쪽

1 빈칸에 들어갈 알맞은 말을 쓰시오.

하는 일과 놀이, 먹는 음식 등 옛날부터 전해 오는 다양한 생활 습관 중 해마다 일정한 시기에 반복되는 것을
□□□□(이)라고 합니다.

(   )

2 해마다 일정한 시기를 지켜 즐기는 날이 무엇인지 쓰시오.

(   )

3 내용이 맞으면 ○표, 틀리면 ×표를 선택하시오.
(1) 명절에는 특별한 음식과 놀이를 즐깁니다. (○ , ×)
(2) 해마다 명절들의 날짜는 똑같습니다. (○ , ×)

4 다음 내용에서 알맞은 말에 ○표 하시오.

추석에 먹는 대표적인 음식은 (떡국 / 송편)입니다.

옛날에는 어떤 세시 풍속이 있었을까요?

◉ 오곡밥과 부럼
오곡밥은 쌀, 보리, 조, 콩, 기장 등의 다섯 가지 곡식으로 지은 밥이다. 부럼은 호두, 땅콩 등의 딱딱한 열매를 말한다.

▲ 오곡밥

◉ 동지
1년 중 낮이 가장 짧고 밤이 가장 긴 날이다. 이는 이후부터 낮이 점점 길어진다는 의미로, 한 해의 끝이자 새해의 시작점으로 여겨지기도 했다. 이 점에 주목해 옛날 사람들이 동지를 '작은 설'로 여겼다.

용어 사전
❶ 음력: 달 모양을 기준으로 날짜를 세는 방법이다.
❷ 보름: 음력으로 그달의 열닷새째(15일째) 되는 날이다.
❸ 모내기: 모를 못자리에서 논으로 옮겨 심는 일이다.
❹ 창포물: 창포라는 풀의 잎과 뿌리를 삶은 물이다.
❺ 헛간: 막 쓰는 물건을 쌓아 두는 광을 말한다.

① 옛날의 세시 풍속

(1) 옛날 사람들은 특정한 시기에 맞춰 다양한 세시 풍속을 지냈다.
(2) 세시 풍속을 통해 옛날 사람들의 생활과 마음을 알 수 있다. 속 시원한 활동 풀이

② 옛날 세시 풍속의 종류와 특징 속 시원한 활동 풀이

설날(❶음력 1월 1일)
• 음력으로 새해 첫날임.
• 마을의 웃어른께 세배를 드리고 떡국을 먹음.
• 윷놀이, 널뛰기, 연날리기 등의 놀이를 즐김.

정월 대❷보름(음력 1월 15일)
• 음력으로 새해 첫 보름달이 뜨는 날임.
• 오곡밥을 지어 마을 사람들과 나누어 먹고 부럼을 깨물며 한 해의 건강을 기원함. 보충 ❶
• 달집태우기, 쥐불놀이를 함.

한식(양력 4월 5일 무렵)
• 조상의 무덤을 찾아가 인사하며 한 해 농사가 잘되기를 기원함.
• 불을 사용하지 않고 찬 음식을 먹음.

단오(음력 5월 5일)
• ❸모내기를 끝낸 후 즐겁게 노는 날로, 여자들은 그네를 뛰고, 남자들은 씨름을 즐김.
• 나쁜 기운을 쫓는 의미로 ❹창포물에 머리를 감음.

백중(음력 7월 15일)
• 호미를 씻어 ❺헛간에 넣어 두는 날이라고도 함.
• 여러 가지 과일과 채소로 조상들께 제사를 지내고 마을 사람들과 잔치를 벌임.

추석(음력 8월 15일)
• 곡식을 수확하는 시기로, 햇곡식과 과일로 음식을 만들어 먹고, 조상들께 차례를 지냄.
• 줄다리기, 강강술래를 함.

동지(양력 12월 22일 무렵) 보충 ❷
• 일 년 중 밤이 가장 길고 낮이 가장 짧은 날임.
• 나쁜 기운을 물리치기 위해 팥죽을 먹거나, 대문과 문 근처 벽에 팥죽을 뿌림.

 스스로 활동

각각의 세시 풍속에 어울리는 붙임 딱지를 찾아 붙이고, 세시 풍속에 어떤 마음이 담겨 있는지 생각해 봅시다.

설날	정월 대보름	한식	단오	백중	추석	동지
예 새해의 건강과 복을 기원하는 마음	예 한 해의 건강과 농사가 잘되기를 소망하는 마음	예 풍년이 들기를 기원하는 마음	예 농사일로 쌓였던 피로를 풀고 싶은 마음	예 김매기를 끝내고 몸과 마음을 쉬며 힘을 얻고 싶은 마음	예 곡식을 수확하고 나서 조상께 감사하는 마음	예 나쁜 기운을 물리치고 싶은 마음

 다 함께 활동

모둠 친구들과 함께 세시 풍속을 하나 정해 정지 동작으로 표현해 봅시다.

예 세배를 하는 동작을 표현합니다. 부럼을 깨물어 먹는 동작을 표현합니다.

잠깐! 확인해요

계절마다 다양한 세시 풍속이 있습니다. (○ , ×)　　　　　　　　　(○)

확인 톡! 톡!

○ 정답과 해설 8쪽

1 음력으로 새해 첫날이 무엇인지 쓰시오.

(　　　　　　　　　)

2 빈칸에 들어갈 알맞은 말을 쓰시오.

단오에 여자들은 주로 그네를 뛰고, 남자들은 씨름을 즐겼습니다. 나쁜 기운을 쫓는다는 의미로 □□□에 머리를 감기도 했습니다.

(　　　　　　　　　)

오늘날에는 세시 풍속이 어떤 모습으로 남아 있을까요?

1 옛날과 오늘날의 세시 풍속

(1) 옛날 사람들이 농사일에 맞춰 즐긴 세시 풍속

	봄	여름	가을	겨울
농사일	씨뿌리기, 밭갈이	모내기	수확하기	거름주기
세시 풍속				
	달점 보충 ①	씨름	송편 빚기	팥죽 뿌리기

(2) 옛날 세시 풍속의 특징: 옛날 사람들은 대부분 농사를 짓고 살았기 때문에 농사와 관련된 세시 풍속이 많았다.

(3) 오늘날의 세시 풍속

① 멀리 떨어져 사는 가족과 친척들이 명절 때 고향에 모인다.

② 명절 때 영상 통화로 안부를 전하기도 한다.

③ 명절 연휴를 활용해 가족끼리 여행을 가기도 한다.

④ ❶납골당을 방문해 돌아가신 분들의 제사를 지내기도 한다.

2 옛날과 오늘날의 세시 풍속 비교

공통점	가족의 건강과 행복을 바라고, 가족이나 친구들과 함께 즐거운 시간을 보내고 싶은 마음은 변하지 않음.
차이점	• 옛날보다 세시 풍속이 ❷간소화되거나 사라짐. 보충 ❷ • 옛날에는 농사와 관련된 세시 풍속이 많았지만, 오늘날에는 많이 사라짐. • 옛날에는 마을 사람이 함께 즐겼지만, 오늘날에는 가족 중심으로 즐김. • 옛날에는 특별한 날에 즐겼던 음식과 놀이를 오늘날에는 평소에도 즐김.

3 오늘날에 체험할 수 있는 세시 풍속 ⟨속 시원한 활동 풀이⟩

음식 체험	놀이 체험	농사일 체험
• 정월 대보름에 먹는 오곡밥과 부럼 • 삼복 때 더위를 이기기 위해 먹는 삼계탕 • 늦가을에 담그는 김장 김치 • 동지에 먹는 팥죽	• 풍물놀이 • 연날리기	• ❸새끼 꼬기 • 보리❹타작

다 함께 활동

세시 풍속을 체험해 본 경험을 친구들과 함께 이야기해 봅시다.

	언제, 누구와	무엇을 먹었는지	무엇을 했는지	기억에 남는 것은 무엇인지
나	예 추석, 가족	예 송편	예 큰아버지 댁을 방문해 윷놀이를 했습니다.	예 평소에는 우리 가족끼리 있는데 추석에는 친척들이 다 모였습니다.
김○○	예 설날, 가족	예 외국 음식	예 가족과 해외여행을 갔습니다.	예 설날은 쉬는 날이 길어서 가족과 해외여행을 다녀올 수 있었습니다.

잠깐! 확인해요

설날과 추석 등의 세시 풍속은 오늘날에도 계속 이어지고 있습니다. (○ , ×)

(○)

 확인 톡! 톡!

⊙ 정답과 해설 8쪽

1 서로 관련 있는 내용끼리 바르게 선으로 연결하시오.

(1) 달점 •

(2) 송편 빚기 •

(3) 팥죽 뿌리기 •

(4) 씨름 •

• ㉠ 여름에 모내기를 마치고 즐긴 세시 풍속

• ㉡ 겨울에 거름을 주고 즐긴 세시 풍속

• ㉢ 가을에 수확을 하고 즐긴 세시 풍속

• ㉣ 봄에 씨뿌리기를 마치고 즐긴 세시 풍속

2 내용이 맞으면 ○표, 틀리면 ×표를 선택하시오.

(1) 옛날에는 농사와 관련된 세시 풍속이 많았습니다. (○ , ×)

(2) 옛날에 먹었던 떡국과 팥죽은 오늘날에는 먹지 않습니다. (○ , ×)

우리 고장에는 어떤 세시 풍속이 있을까요?

보충 ❶

◉ 당산제
음력 정월 대보름날이나 정초에 마을의 신에게 제사를 지내는 세시 풍속이다. 마을 사람 모두가 참여해 마을의 풍년과 평안을 빈다.

보충 ❷

◉ 지신밟기

정월 대보름날 전후로 집터를 지켜 준다는 지신에게 제사를 올리고 축복을 비는 세시 풍속이다.

❶ 고장의 세시 풍속

(1) 고장 사람들이 세시 풍속을 즐긴 모습

① 고장 사람들이 함께 모여 ❶마을신에게 ❷제사를 지내기도 하고, 특별한 음식과 놀이를 즐기기도 했다. 보충 ❶

② 오늘날에도 고장 사람들이 세시 풍속을 함께 즐기는 모습을 볼 수 있다.

(2) 고장의 세시 풍속에 담긴 의미: 고장 사람들은 세시 풍속을 함께하며 고장의 안전과 행복을 빌었다.

❷ 우리 고장의 세시 풍속 조사 속 시원한 활동 풀이

(1) 세시 풍속 조사하기: 우리 고장은 어떤 세시 풍속을 언제, 어떻게 즐겼는지 알아보고, 그 속에 담긴 의미는 무엇인지 조사한다.

(2) 조사 내용 기록하기: 조사한 내용을 기록하고, 친구들과 함께 이야기한다.

① 생떡국(경상북도 경주시)

세시 풍속

• 경주시에서는 정월 대보름 전날 이른 저녁에 생떡국을 만들어 먹음.

• 생떡국은 떡 반죽을 빚어 만든 생떡을 ❸장국에 넣어 끓인 국임.

담긴 의미: 생떡국을 먹으면 한 해 농사가 잘된다고 믿었음.

② 정월 대보름 맞이 민속 축제(경기도 용인시)

세시 풍속

• 용인시에서는 정월 대보름에 민속 축제가 열림.

• 축제에 가면 지신밟기나 달집태우기를 체험할 수 있음. 보충 ❷

담긴 의미: 세시 풍속의 모습은 옛날과 다르지만, 마을 사람들의 안전과 가족의 행복을 바라는 마음은 옛날과 다르지 않음.

(3) 발표하기: 우리 고장의 세시 풍속을 조사하면서 무엇을 느꼈는지 발표한다.

(4) 우리 고장 자랑글 쓰기: 조사한 우리 고장의 세시 풍속을 바탕으로 글을 쓴다.

내용➕ 우리 고장을 자랑하는 글을 써 봄으로써 세시 풍속에 담긴 고장 사람들의 마음을 이해하고, 우리 고장을 사랑하는 마음을 가질 수 있다.

용어 사전

❶ 마을신: 마을을 지켜 주는 신이다.
❷ 제사: 신령 또는 죽은 사람의 넋에게 음식을 바치면서 기원을 하거나 죽은 이를 추모하는 일이다.
❸ 장국: 쇠고기를 잘게 썰어 양념을 친 다음 맑은 장물에 끓인 국이다.

 지역화 다 함께 활동

오른쪽 사례를 참고하여, 친구들과 함께 우리 고장에 어떤 세시 풍속이 있는지 조사해 봅시다.

어떤 세시 풍속인가요?

예 경상남도 밀양의 게줄당기기

어떤 의미가 담겨 있나요?

예 정월 대보름날 당산제를 지내고 마을 사람들이 모두 모여 한 해의 풍년과 평안을 기원하며 줄을 당겼습니다.

잠깐! 확인해요

고장에는 마을 사람들이 함께했던 세시 풍속이 있습니다. (○ , ×)　　　　　　　(　○ 　)

 확인 톡! 톡!

정답과 해설 8쪽

1 내용이 맞으면 ○표, 틀리면 ×표를 선택하시오.

(1) 오늘날에는 고장 사람들이 세시 풍속을 함께 즐기는 모습을 볼 수 없습니다. (○ , ×)

(2) 옛날부터 고장 사람들은 세시 풍속을 함께하며 고장의 안전과 행복을 빌었습니다. (○ , ×)

2 빈칸에 들어갈 알맞은 말을 쓰시오.

　경상북도 경주시에서는 정월 대보름 전날 이른 저녁에 한 해 농사가 잘되기를 바라는 마음으로 □□□ 을/를 만들어 먹었습니다.

　　　　　　　　　　　　　(　　　　　　　　　　　)

3 다음 내용에서 알맞은 말에 ○표 하시오.

　경기도 용인시에서는 (정월 대보름 / 단오) 맞이 민속 축제를 열어 지신밟기나 달집태우기와 같은 세시 풍속을 즐깁니다.

세시 풍속에 담긴 옛날 사람들의 소망을 알아볼까요?

① 옛날 사람들의 ➊소망을 담은 세시 풍속

(1) 새해 소망을 담은 세시 풍속: 새해나 봄이 되면 집안 곳곳에 글(➋입춘문)이나 동물 그림(세화)을 붙이고 소망을 빌었다. 보충 ①,②

(2) 옛날 사람들의 소망
① 자신에게 행운이 들어오기를 바랐을 것이다.
② 가족이 일 년 동안 건강하기를 빌었을 것이다.
③ 한 해 농사의 풍년을 기원했을 것이다.

② 소망을 담은 글쓰기 속 시원한 활동 풀이

❶ 옛날 사람들이 봄이 되면 대문에 붙인 글씨에 어떤 소망을 담았을지 생각해 본다.
❷ 자신의 소망을 종이에 적고 예쁘게 꾸민다.
❸ 글에 담긴 의미를 친구들에게 설명한다.
❹ 소망이 담긴 종이를 적절한 장소에 붙인다.

활동 도우미 세화 그려 보기

❶ 세화에 담긴 의미를 알아봅니다.

▲ ➌해치	▲ 개	▲ 닭	▲ 호랑이
화재를 막아 준다고 믿었다.	도둑으로부터 지켜 준다고 믿었다.	어둠을 밝히고 귀신을 쫓아 준다고 믿었다.	나쁜 귀신이 들어오지 못하게 한다고 믿었다.

❷ 동물을 한 가지 고르고, 자신의 소망을 담아 세화를 그려 봅니다.

우리 집에 도둑이 들지 않게 잘 지켜줘.

나쁜 일이 우리 집에 생기지 않도록 해 줘.

❸ 세화를 집안 어디에 붙이면 좋을지 생각해 봅니다.

옛날 사람들이 봄이 되면 대문에 붙인 글씨	예 입춘대길, 건양다경 
글에 담긴 의미	예 봄을 맞이하여 기쁘고 즐거운 일이 많이 생기길 바랍니다.
소망이 담긴 종이 꾸미기	예 올해에는 우리 가족 모두 건강하고 좋은 일만 생겨라.
종이를 붙일 장소	예 대문, 방문, 책상 앞 등

확인 톡! 톡!

📍정답과 해설 8쪽

1 내용이 맞으면 ○표, 틀리면 ×표를 선택하시오.

(1) 옛날 사람들은 새해나 봄이 되면 집안 곳곳에 입춘문을 붙였습니다. (○ , ×)

(2) 옛날 사람들은 동물을 그린 세화를 붙이고 소망을 빌었습니다. (○ , ×)

2 소망을 담은 글쓰기 방법을 순서대로 기호를 쓰시오.

ㄱ 글에 담긴 의미를 친구들에게 설명합니다.

ㄴ 자신의 소망을 종이에 적고 예쁘게 꾸밉니다.

ㄷ 소망이 담긴 종이를 적절한 장소에 붙입니다.

ㄹ 옛날 사람들이 봄이 되면 대문에 붙인 글씨에 어떤 소망을 담았을지 생각합니다.

(   )

'옛날과 오늘날의 세시 풍속'에서 배운 내용을 떠올리며 주사위 놀이를 해 봅시다.

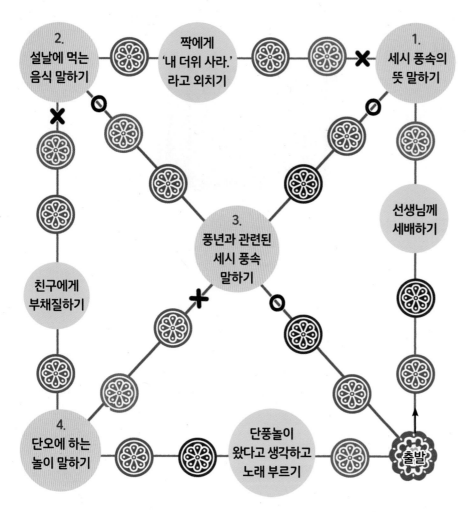

놀 이 방 법

❶ 짝과 가위바위보를 해서 순서를 정합니다.

❷ 주사위를 던져서 나온 수만큼 전진합니다(단, 6이 나오면 한 번 쉽니다).

❸ 멈춘 칸에 적힌 지시를 따릅니다.

❹ 문제가 있는 동그라미에서는 무조건 멈추고 문제를 풉니다.

❺ 문제를 맞혔으면 다음 순서 때 O 방향으로, 틀렸으면 X 방향으로 갑니다.

❻ 출발점으로 먼저 돌아오면 승리합니다.

예 1. 해마다 일정한 시기에 반복되는 풍속 2. 떡국 3. 추석 4. 씨름

도움 가족이나 친구들과 명절에 했던 다양한 세시 풍속을 떠올리며 적어 보아요.

🥕 핵심 꿀꺽 질문 🌱

세시 풍속의 뜻은 무엇인가요?

옛날에는 어떤 세시 풍속이 있었나요?

오늘날 세시 풍속이 어떻게 전해지고 있나요?

1 다음과 같은 놀이를 하며 해마다 일정한 시기에 즐기는 날이 무엇인지 쓰시오.

> • 윷놀이 • 그네뛰기 • 강강술래

_____

2 우리나라의 명절로 알맞지 <u>않은</u> 것은 어느 것입니까? ( )

① 한식   ② 단오
③ 동지   ④ 핼러윈 데이
⑤ 정월 대보름

3 다음에서 설명하는 명절에 하는 세시 풍속을 <u>두 가지</u> 쓰시오.

음력으로 새해 첫 보름달이 뜨는 날로, 세시 풍속을 하며 풍년을 기원했습니다.

_____

4 다음 그림과 관련 있는 명절로 알맞은 것은 어느 것입니까? ( )

▲ 찬 음식 먹기   ▲ 조상의 무덤에 인사하기

① 설날   ② 추석
③ 한식   ④ 단오
⑤ 동지

중요
5 다음에서 설명하는 명절이 무엇인지 쓰시오.

모내기를 끝낸 후 몸과 마음을 푸는 날로, 그네뛰기, 씨름, 창포물에 머리 감기 등의 세시 풍속을 즐겼습니다.

6 백중에 행해진 세시 풍속으로 알맞은 것은 어느 것입니까? ( )

① 부럼을 깨문다.
② 쥐불놀이를 한다.
③ 오곡밥을 먹는다.
④ 달집태우기를 한다.
⑤ 조상에게 제사를 지낸다.

7 다음과 같이 옛날 사람들이 동지에 팥죽을 먹거나 대문과 문 근처 벽에 팥죽을 뿌린 까닭으로 알맞은 것은 어느 것입니까? (　　　)

① 풍년을 기원하기 위함이다.
② 더위를 이겨내기 위함이다.
③ 나쁜 기운을 쫓기 위함이다.
④ 새해 소원을 빌기 위함이다.
⑤ 한 해의 운을 점치기 위함이다.

8 빈칸에 공통으로 들어갈 알맞은 말을 쓰시오.

> 옛날 사람들은 주로 ☐☐을/를 짓고 살았기 때문에 ☐☐와/과 관련 있는 세시 풍속이 많았습니다.

9 계절에 맞는 세시 풍속을 보기 에서 골라 기호를 쓰시오.

> 보기
> ㉠ 봄 – 씨름
> ㉡ 여름 – 달집
> ㉢ 가을 – 송편 빚기
> ㉣ 겨울 – 수리취떡 먹기

중요

10 오늘날의 세시 풍속에 대한 설명으로 알맞지 않은 것은 어느 것입니까? (　　　)

① 옛날보다 즐기는 세시 풍속이 많아졌다.
② 납골당을 방문해 돌아가신 분들의 제사를 지낸다.
③ 명절 연휴를 활용하여 가족끼리 여행을 떠나기도 한다.
④ 명절 때 바쁜 일이 있는 경우 영상 통화로 안부를 전하기도 한다.
⑤ 멀리 떨어져 사는 가족과 친척들이 명절 때 고향에 모이는 경우가 많다.

11 옛날과 오늘날의 세시 풍속을 비교한 것으로 알맞은 것은 어느 것입니까? (　　　)

① 옛날에는 가족끼리만 세시 풍속을 즐겼다.
② 오늘날에는 농사와 관련된 세시 풍속이 많다.
③ 가족의 건강과 행복을 바라는 마음은 옛날과 오늘날이 똑같다.
④ 설날에 차례를 지내고 어른께 세배하는 세시 풍속은 오늘날 사라졌다.
⑤ 옛날에는 추석에 송편을 만들어 먹었지만, 오늘날에는 떡국을 만들어 먹는다.

12 다음과 같이 오늘날 세시 풍속이 달라진 까닭이 무엇인지 쓰시오.

> 오늘날에는 농사와 관련된 세시 풍속이 많이 사라졌고, 설날이나 추석과 같이 큰 명절을 중심으로 한 세시 풍속만 이어져 내려오고 있습니다.

13 세시 풍속을 체험한 경험에 대해 알맞지 <u>않은</u> 설명을 한 사람은 누구입니까? (　　　　)

① 한진: 짚으로 새끼를 꼬아본 적이 있어.
② 영수: 홍두깨로 보리타작을 한 적이 있어.
③ 지영: 늦가을에 김장 김치를 담가 보았어.
④ 예진: 바람이 부는 날 연날리기를 해 보았어.
⑤ 미선: 삼복 때 더위를 이기기 위해 오곡밥을 먹었어.

14 다음과 같은 세시 풍속에 담긴 의미가 무엇인지 쓰시오.

정월 대보름 맞이 민속 축제(경기도 용인시)

• 정월 대보름이 되면 민속 축제가 열립니다.
• 지신밟기, 달집태우기를 체험할 수 있습니다.

_____

_____

15 소망을 담은 글쓰기를 할 때 가장 먼저 해야 할 일을 보기 에서 골라 기호를 쓰시오.

보기

㉠ 글에 담긴 의미를 친구들에게 설명한다.
㉡ 자신의 소망을 종이에 적고 예쁘게 꾸민다.
㉢ 소망이 담긴 종이를 적절한 장소에 붙인다.
㉣ 옛날 사람들이 봄이 되면 대문에 붙인 글씨에 어떤 소망을 담았을지 생각한다.

_____

워드 클라우드와 함께하는 서술형 문제

[16-17] 워드 클라우드의 단어를 이용하여 서술형 문제의 답을 쓰시오.

복 건강 행운 팥죽 달집태우기
풍년 그네뛰기 햇곡식 복 송편
세시 풍속 차례 강강술래 오곡밥
건강 널뛰기
쥐불놀이 새해 줄다리기 떡국 감사

16 추석에 행해진 세시 풍속을 서술하시오.

_____

_____

17 다음과 같은 세시 풍속에 담긴 옛날 사람들의 소망을 서술하시오.

옛날 사람들은 봄이 되면 새해 소망을 담아 집안 곳곳에 동물 그림이나 글씨를 붙였습니다.

_____

_____

지역마다 다양한 떡국

예로부터 사람들은 음력 1월 1일 설날에 떡국을 먹었습니다. 옛날 사람들은 설날에 떡국을 먹으면
나이를 한 살 더 먹는다고 생각했습니다. 긴 가래떡에는 건강하게 오래 살라는 장수의 의미
를, 엽전 모양으로 동그랗게 자른 떡에는 한 해를 풍요롭게 해 주길 바라는 재물에 대한
소망을 담았습니다. 가장 대표적인 떡국은 긴 가래떡을 엽전 모양으로 잘라 끓인 것이
지만, 떡국에 넣는 재료와 떡국의 모양은 지역마다 다양합니다.

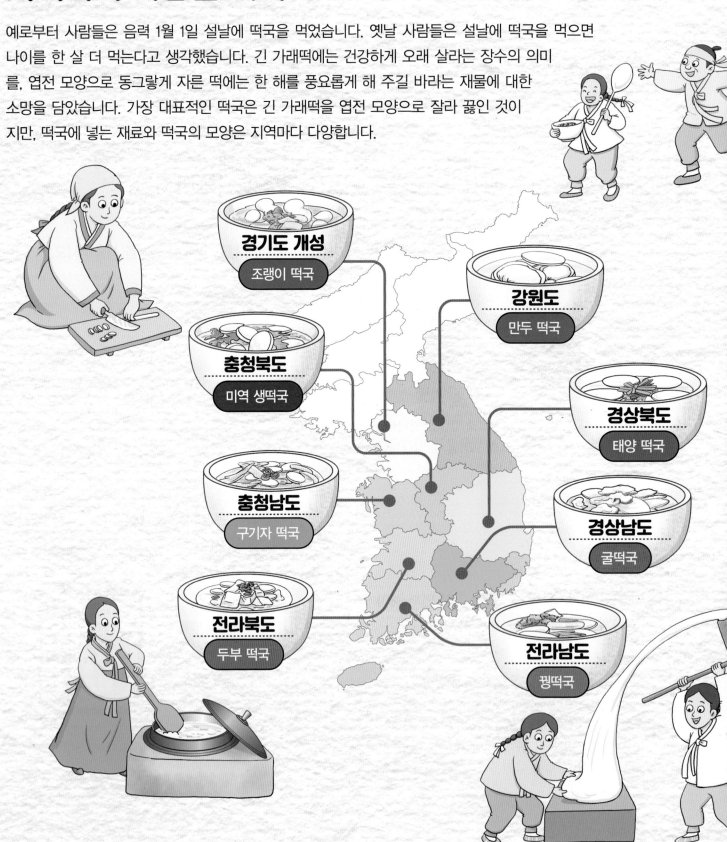

경기도 개성
조랭이 떡국

강원도
만두 떡국

충청북도
미역 생떡국

경상북도
태양 떡국

충청남도
구기자 떡국

경상남도
굴떡국

전라북도
두부 떡국

전라남도
꿩떡국

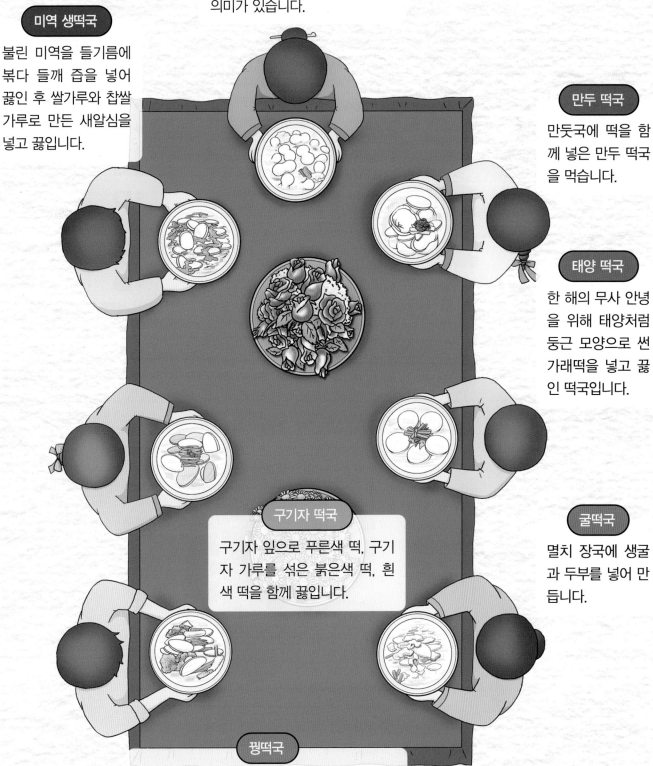

조랭이 떡국

한 해의 안녕을 기원하면서 누에 고치 모양으로 만든 개성 지방의 음식입니다. 누에고치의 실처럼 한 해의 일이 술술 잘 풀리라는 의미가 있습니다.

미역 생떡국

불린 미역을 들기름에 볶다 들깨 즙을 넣어 끓인 후 쌀가루와 찹쌀 가루로 만든 새알심을 넣고 끓입니다.

만두 떡국

만둣국에 떡을 함 께 넣은 만두 떡국 을 먹습니다.

태양 떡국

한 해의 무사 안녕 을 위해 태양처럼 둥근 모양으로 썬 가래떡을 넣고 끓 인 떡국입니다.

구기자 떡국

구기자 잎으로 푸른색 떡, 구기 자 가루를 섞은 붉은색 떡, 흰 색 떡을 함께 끓입니다.

굴떡국

멸치 장국에 생굴 과 두부를 넣어 만 듭니다.

꿩떡국

납작하게 썰어 양념한 꿩고기를 볶다가 물과 소금, 가래떡을 넣고 끓입니다.

정리 콕콕 이 단원에서 배운 내용을 글과 그림으로 정리해 봅시다.

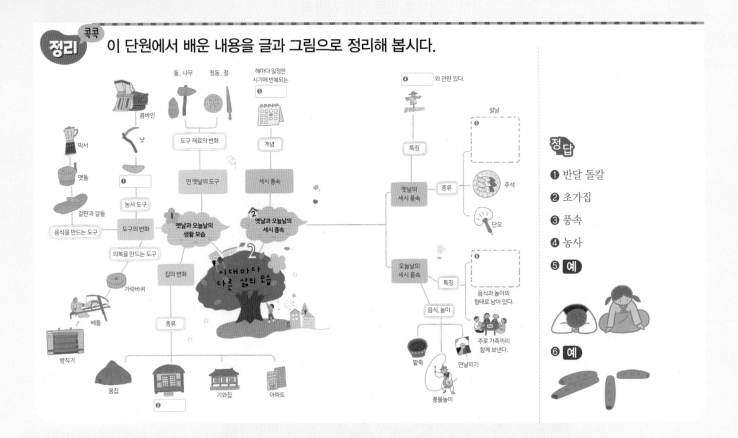

정답

❶ 반달 돌칼

❷ 초가집

❸ 풍속

❹ 농사

❺ 예

❻ 예

창의 팡팡 다음 조각을 맞춰 옛날 사람들이 사용하던 도구를 표현해 봅시다.

만드는 방법

❶ 퍼즐 조각을 맞춰 어떤 도구인지 알아봅니다.

❷ 맞춰진 조각을 잘 살펴본 후, 조각이 없는 부분은 어땠을지 생각해 그립니다.

❸ 옛날 사람들이 오른쪽의 생활 도구를 어떻게 사용했을지 그림이나 글로 표현합니다.

· 도구를 사용하는 모습 표현하기

예 옛날 사람들은 콘 모양의 토기를 만들어 사용했습니다. 이 토기는 음식을 담거나 저장할 때 사용했을 것입니다. 그릇의 밑부분이 뾰족한 것으로 보아 토기를 땅에 꽂아 놓고 사용했을 것 같습니다.

세상 속으로 인형극으로 그 시대 생활 모습 표현하기

1단계

인형극 대본 정하기

⚙ **선택한 인형극**

예

깬돌이와 간돌이

⚙ **선택한 까닭**

예 이번 단원에서 공부한 내용 중 먼 옛날 사람들의 도구와 생활 모습을 연극으로 표현해 보고 싶었습니다. 선생님께서 들려주신 먼 옛날 사람들의 이야기도 재미있었습니다.

2단계

인형극 준비하기

⚙ **시대에 맞는 종이 인형과 도구, 배경 고르기**

도구	배경	당시 생활 모습
예 주먹 도끼	예 산속 동굴	예 옛날에는 돌을 깨뜨려 만든 도구로 동물을 사냥했고, 먹을거리를 찾아 이동하며 동굴에서 살았습니다.

⚙ **각자 어떤 역할을 맡을지 정하고 연습하기**

3단계

인형극 하기

예 다른 친구들의 인형극을 감상하면서 느낀 점: 시대에 맞는 도구와 배경을 잘 골라 당시 사람들의 생활 모습을 실감 나게 연기한 것 같습니다.

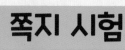

1 시대마다 사람들이 일상생활에서 사용한 생활 도구와 집의 모습이 (다릅니다 / 같습니다).

2 (청동 / 철)(으)로 만든 농사 도구로 수확량이 크게 늘고, 마을도 더 커졌습니다.

3 먼 옛날 사람들은 (고인돌 / 가락바퀴)로 실을 뽑아 옷을 만들어 입었습니다.

4 음식을 갈 때 사용하는 도구는 '갈판과 갈돌 → (   ) → 믹서'로 변화했습니다.

5

왼쪽 사진과 같은 먼 옛날의 집이 무엇인지 쓰시오.

(   )

6 해마다 일정한 시기에 반복되는 풍속을 (   )(이)라고 합니다.

7 음력 새해 첫날인 설날에 (떡국 / 송편)을 먹으면 나이를 한 살 더 먹는다고 여겼습니다.

8 일 년 중 밤이 가장 긴 (   )에는 팥죽을 만들어 먹고 집안 곳곳에 뿌렸습니다.

9 옛날에는 (공업 / 농사)와/과 관련된 세시 풍속이 많았습니다.

10 경기도 용인시에서는 (단오 / 정월 대보름)이/가 되면 축제를 여는데, 여기에서 지신밟기나 달집태우기를 체험할 수 있습니다.

1 전래 동화를 소재로 연극을 할 때, 이야기의 배경이 되는 시대의 생활 모습을 잘 알아야 하는 까닭이 무엇인지 쓰시오.

_____

2 다음 연극 배경과 소품에 대해 알맞지 <u>않은</u> 설명을 한 사람이 누구인지 쓰시오.

ㄱ 금도끼 은도끼　　　　ㄴ 요술 맷돌

민정: ㄱ에서 전기톱을 금도끼로 바꿔야 해.
수진: ㄱ의 배경도 고층 빌딩이 아니라 산속 연못으로 바꿔야 할 것 같아.
정민: ㄴ에서 믹서를 사용하는 건 좋은 생각이야.

_____

3 다음과 같은 도구에 대한 설명으로 알맞은 것은 어느 것입니까?　　　　(　　　)

① 철로 만들었다.
② 흙으로 빚어 만들었다.
③ 돌을 깨뜨려서 만들었다.
④ 농사를 지을 때 사용했다.
⑤ 음식을 보관할 때 사용했다.

▲ 주먹 도끼

4 빈칸에 들어갈 알맞은 말을 쓰시오.

먼 옛날 사람들은 점차 금속을 사용하여 도구를 만들기 시작했습니다. 그러나 구리와 주석을 섞어 만든 ☐☐은/는 귀했기 때문에 일상생활에서는 여전히 돌이나 나무로 만든 도구를 사용했습니다.

_____

5 다음과 같이 철로 만든 농사 도구를 사용하면서 달라진 점이 무엇인지 쓰시오.

_____
_____

6 논밭을 갈 때 사용한 도구의 변화를 순서대로 기호를 쓰시오.

ㄱ　　　　　ㄴ　　　　　ㄷ

▲ 쇠 쟁기　　▲ 돌보습　　▲ 트랙터

7 다음에서 설명하는 농사 도구가 무엇인지 쓰시오.

> 먼 옛날 사람들이 곡식을 수확할 때 사용하던 도구입니다.

8 빈칸에 들어갈 도구로 알맞은 것은 어느 것입니까? (　　)

> 음식을 저장할 때 사용한 도구는 토기 → (　　) → 냉장고의 순서로 변화했습니다.

① 가마솥　　　　② 항아리
③ 전기밥솥　　　④ 가스레인지
⑤ 갈판과 갈돌

9 음식을 갈 때 사용하는 도구로 알맞은 것은 어느 것입니까? (　　)

①
▲ 아궁이

②
▲ 가마솥

③
▲ 믹서

④
▲ 전기밥솥

⑤
▲ 토기

10 다음과 같이 실을 엮어서 옷감을 만드는 도구로 알맞은 것은 어느 것입니까? (　　)

① 바늘
② 베틀
③ 재봉틀
④ 방직기
⑤ 가락바퀴

11 기와집에서 생활하는 사람들의 모습으로 알맞은 것을 보기에서 골라 기호를 쓰시오.

보기
㉠ 짚으로 지붕을 덮어서 만들었다.
㉡ 오늘날과 같은 거실이 집 안에 있었다.
㉢ 안채에서는 여자들이, 사랑채에서는 남자들이 생활했다.

12 다음에서 설명하는 것이 무엇인지 쓰시오.

> 해마다 일정한 시기를 지켜 즐기는 날로, 설날, 정월 대보름, 추석 등이 있습니다.

13 중요 ★ 빈칸에 들어갈 알맞은 말을 쓰시오.

> □□□□□은/는 음력으로 새해 첫 보름달이 뜨는 날로, 오곡밥과 부럼을 먹으며 한 해의 건강을 기원했습니다.

14 다음 그림과 같은 세시 풍속에 담긴 마음이 무엇인지 쓰시오.

▲ 창포물에 머리 감기

_____

_____

15 다음에서 설명하는 명절로 알맞은 것은 어느 것입니까? ( )

> 호미를 씻어 헛간에 넣어 두는 날이라고도 합니다. 이 시기에 나오는 여러 가지 과일과 채소로 조상들께 제사를 지내고 마을 사람들과 함께 잔치를 벌였습니다.

① 한식 　　② 입춘
③ 설날 　　④ 백중
⑤ 단오

16 추석에 대한 설명으로 알맞은 것은 어느 것입니까? ( )

① 창포물에 머리를 감았다.
② 그네뛰기, 씨름 등의 놀이를 즐겼다.
③ 불을 사용하지 않고 찬 음식을 먹는 날이다.
④ 일 년 중 밤이 가장 길고 낮이 가장 짧은 날로 팥죽을 먹었다.
⑤ 한 해 동안 농사지은 곡식을 수확하고 조상들께 감사의 마음을 담아 차례를 지냈다.

중요★

17 계절마다 농사와 관련된 세시 풍속이 알맞게 연결되지 **않은** 것을 보기 에서 골라 기호를 쓰시오.

> **보기**
> ㉠ 봄 – 씨뿌리기, 달점
> ㉡ 여름 – 밭갈이, 부럼 먹기
> ㉢ 가을 – 수확하기, 송편 빚기
> ㉣ 겨울 – 거름주기, 팥죽 뿌리기

18 박물관에서 동지를 체험할 때 만들 수 있는 음식으로 알맞은 것은 어느 것입니까? ( )

① 송편 　　② 팥죽
③ 육개장 　　④ 삼계탕
⑤ 수리취떡

19 경상북도 경주시에서 정월 대보름 전날에 다음과 같은 음식을 먹는 까닭이 무엇인지 쓰시오.

> 생떡국은 떡 반죽을 빚어 만든 생떡을 장국에 넣어 끓인 국입니다.

_____

_____

20 빈칸에 들어갈 알맞은 말을 쓰시오.

> 옛날 사람들은 봄이 되면 한 해 소망을 담은 글귀나 그해의 복을 비는 좋은 글귀를 쓴 □□□을/를 대문에 붙였습니다.

[1-3] 먼 옛날 사람들이 사용했던 도구를 보고 물음에 답하시오.

⊙ 주먹 도끼

© 돌괭이

© 비파형 동검

② 쇠 괭이

1 ⊙은 무엇을 하는 데 사용했는지 서술하시오.

_____

_____

2 ©과 같은 도구를 사용하던 사람들이 식량을 구했던 방법을 서술하시오.

_____

_____

3 ②을 만드는 재료가 ©의 재료보다 좋은 점을 서술하시오.

_____

_____

[4-6] 옛날 세시 풍속의 종류를 보고 물음에 답하시오.

⊙ 설날	
© 단오	
© 동지	

4 ⊙에 하는 세시 풍속을 서술하시오.

_____

_____

5 ©에 하는 세시 풍속을 서술하시오.

_____

_____

6 ©에 팥죽을 먹는 까닭을 서술하시오.

_____

_____

3. 가족의 모습과 역할 변화

사 회를
이 해하고
다 함께
탐구하자!

공부 계획표

- 자신의 일정에 맞게 계획을 세워 보고, 실제 학습일을 적어 봅시다.
- 학습을 마무리한 후 얼마나 학습 목표를 달성했는지 스스로 점검해 봅시다.

고장에서 열린 가족사진 전시회를 보러 왔어요. 다양한 가족의 모습을 알아볼까요?

속 시원한 활동 풀이

📍 교과서 97~98쪽

사회랑 놀아요 — 사진 속 가족을 찾아라!

① '사랑 가득' 상을 받은 가족은 모두 하트 모양이 있는 옷을 입었어.

② '미소 가득' 상을 받은 가족은 같은 색의 모자를 쓰고 있어.

③ '행복 가득' 상을 받은 가족은 한쪽에서 사진을 찍고 있어.

④ 타임머신을 타고 나타난 옛날 가족이 있어.

가족사진 전시회 ↑

❓ **찾은 네 가족 모습이 어떤 점에서 다른지 이야기해 봅시다.**

예
- 가족 구성원이 서로 다릅니다.
- 가족 구성원의 수에도 차이가 있습니다.

도움 친구들이 말해 준 각 가족의 특징을 바탕으로 사진 속 가족을 찾아보아요.

이 단원에서 나는

📍 교과서 99쪽

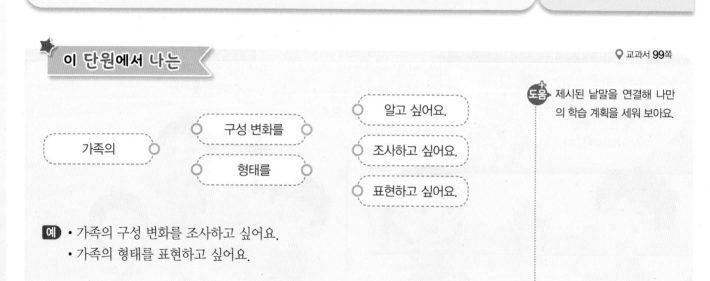

가족의 — 구성 변화를 / 형태를 — 알고 싶어요. / 조사하고 싶어요. / 표현하고 싶어요.

도움 제시된 낱말을 연결해 나만의 학습 계획을 세워 보아요.

예
- 가족의 구성 변화를 조사하고 싶어요.
- 가족의 형태를 표현하고 싶어요.

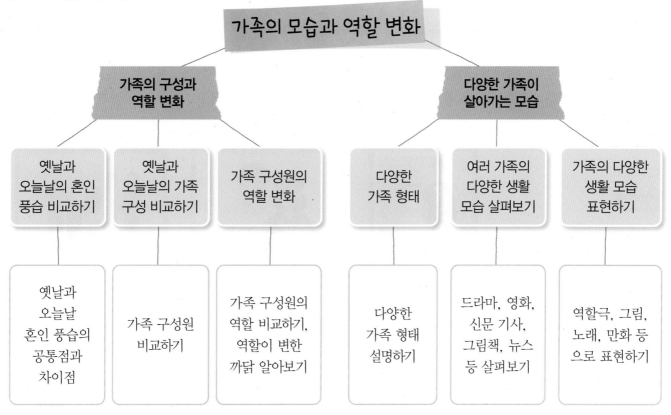

가족의 모습과 역할 변화

가족의 구성과 역할 변화 | 다양한 가족이 살아가는 모습

옛날과 오늘날의 혼인 풍습 비교하기 | 옛날과 오늘날의 가족 구성 비교하기 | 가족 구성원의 역할 변화 | 다양한 가족 형태 | 여러 가족의 다양한 생활 모습 살펴보기 | 가족의 다양한 생활 모습 표현하기

옛날과 오늘날 혼인 풍습의 공통점과 차이점 | 가족 구성원 비교하기 | 가족 구성원의 역할 비교하기, 역할이 변한 까닭 알아보기 | 다양한 가족 형태 설명하기 | 드라마, 영화, 신문 기사, 그림책, 뉴스 등 살펴보기 | 역할극, 그림, 노래, 만화 등 으로 표현하기

❀ 옛날과 오늘날의 가족 구성과 가족 구성원의 역할이 변화한 까닭을 알 수 있어요.

❀ 다양한 가족 형태와 각 가족들의 서로 다른 생활 모습을 알 수 있어요.

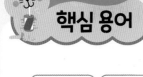

핵심 용어

❶ 혼(婚) 결혼할 혼 **인(姻)** 혼인 인

❶ 남자와 여자가 부부가 되어 가정을 이루는 것을 말합니다.

❷ 확(擴) 넓힐 확 **대(大)** 클 대 **가(家)** 집 가 **족(族)** 일가족 족

❷ 자녀가 결혼 후에도 부모와 함께 사는 가족 형태를 뜻합니다.

❸ 핵(核) 핵심 핵 **가(家)** 집 가 **족(族)** 일가족 족

❸ 부모와 결혼하지 않은 자녀가 함께 사는 가족 형태를 뜻합니다.

결혼식 모습을 본 적이 있나요?

보충 ①

● **결혼식 때 입는 옷**
요즘에는 신랑이 양복을, 신부가 웨딩드레스를 입고 결혼식을 하는 경우가 많다.

보충 ②

● **조선 시대의 결혼 방식**
조선 시대에는 혼인을 매우 중요하게 생각했기 때문에 부모님이 조건을 꼼꼼하게 따져 자식의 결혼 상대자를 결정했다. 그래서 결혼하는 날까지 신랑, 신부가 서로의 얼굴도 보지 못하는 경우도 있었다.

① 가족사진에 나타난 혼인 관련 모습 알아보기

(1) **혼인:** 남자와 여자가 부부가 되어 ❶가정을 이루는 것으로 결혼과 같은 말이다.

(2) ❷**가족사진에 나타나 있는 모습:** 혼인과 관련된 모습은 엄마가 아빠와 결혼한 것, 삼촌과 숙모가 결혼한 것이다.

▲ 엄마, 아빠의 결혼식 장면임. **보충 ❶**

▲ 엄마, 아빠가 갓 태어난 여자아이를 안고 있음.

▲ 할머니, 할아버지, 엄마, 이모, 삼촌이 있음.

▲ 여자아이의 할머니, 할아버지가 함께 계심.

▲ 할머니, 할아버지, 이모, 삼촌, 숙모, 사촌 동생, 엄마, 아빠, 여자아이가 있음.

▲ 삼촌과 숙모의 결혼식 모습임.

(3) 혼인으로 생기는 변화의 사례

- 가족이 늘어난다.
- 작은엄마가 생겼다.
- 이모가 결혼하면 이모에게 남편이 생긴다.

→ 혼인을 하게 되면 새로운 가족이 생긴다.

용어 사전

❶ **가정:** 한 가족이 생활하는 집이나 생활 공동체를 뜻한다.
❷ **가족:** 혼인, 혈연, 입양 등으로 이루어진 사람들의 집단을 뜻한다.
❸ **청첩장:** 결혼식에 초대하는 글을 적은 문서를 뜻한다.

② 일상생활 속 결혼식 모습 이야기하기 (속 시원한 활동 풀이)

(1) **전통 혼례를 본 경험:** 공원에서 전통 방식으로 결혼하는 모습을 보았다.

(2) **모바일 ❸청첩장을 본 경험:** 아빠가 받으신 모바일 청첩장을 보았다.

(3) **드라마에서 본 모습:** 결혼식 중에 신랑, 신부가 부모님께 편지를 읽는 모습을 보았다.

(4) **책에서 본 모습:** 옛날에는 어른들이 정한 대로 신랑 얼굴도 못 보고 결혼했다는 내용을 보았다. **보충 ❷**

 📍교과서 100~101쪽

공부한 날
___월 ___일

그림을 살펴보고 일상생활에서 내가 본 결혼식 모습과 느낀 점을 이야기해 봅시다.

결혼식 모습을 본 경험	느낀 점
예 • 얼마 전에 삼촌이 결혼했습니다. • 드라마에서 주인공이 결혼하는 모습을 보았습니다.	예 • 결혼을 축하해 줄 수 있어서 기뻤습니다. • 결혼을 통해 새로운 가족이 생겨 신기했습니다.

 확인 톡! 톡!

📍정답과 해설 12쪽

1 남자와 여자가 부부가 되어 가정을 이루는 것이 무엇인지 쓰시오.

(   )

2 내용이 맞으면 ○표, 틀리면 ✕표를 선택하시오.
(1) 이모가 결혼을 하면 이모에게 남편이라는 새로운 가족이 생깁니다. (○ , ✕)
(2) 오늘날에는 전통 방식으로 결혼을 하지 않습니다. (○ , ✕)

오늘날의 결혼식 모습을 알아볼까요?

보충 ❶

● 결혼식의 기본적인 순서
결혼식이 시작되고 신랑, 신부가 입장하면 서로 맞절을 하고, 혼인 서약을 한다. 결혼반지를 주고받고 나면 주례가 신랑, 신부에게 도움이 될 만한 이야기를 해 준다. 그 뒤 양쪽 부모님과 하객에게 인사를 하고, 행진하며 퇴장한다.

보충 ❷

● 오늘날의 폐백
옛날에는 폐백이 결혼식이 끝나고 신부가 신랑의 집안 어른들께 첫인사를 하는 것을 뜻했다. 오늘날은 신랑, 신부가 양쪽 집안 어른들께 함께 절을 올리며 폐백을 드린다. 또한 결혼식 때 폐백을 드리지 않는 경우도 많다.

❶ 오늘날의 결혼 풍습

결혼식 장소	결혼식장에서 함.
결혼식 때 입는 옷	신부는 웨딩드레스, 신랑은 양복을 입음.
결혼식 중에 하는 일	❶주례와 가족, 친척, 친구 앞에서 ❷혼인 서약을 하고, 결혼반지를 주고받음. 보충 ❶
폐백드리기	신랑, 신부가 한복으로 갈아입고, 폐백실에서 집안 어른께 폐백을 드림. 보충 ❷
결혼식 후에 하는 일	신랑, 신부가 신혼여행을 떠남.

내용➕ 새로운 가족이 생긴 것을 모두에게 알리고 축하를 받기 위해 가족과 친척, 친구들 앞에서 결혼식을 한다.

❷ 오늘날의 다양한 결혼식 모습

(1) 오늘날의 결혼식 모습 속 시원한 활동 풀이

작은 결혼식(스몰 웨딩)
결혼식장이 아닌 작은 장소에서 적은 수의 사람만 초대하여 결혼식을 함.

결혼식을 하지 않는 경우
결혼식을 치르지 않는 대신 여행을 떠나는 등 함께하고 싶은 활동을 함.

전통 ❸혼례
신랑, 신부 각자 나라의 전통 혼례복을 입고 전통 방식으로 결혼식을 함.

취미 활동 결혼식
스노보드, 스노클링 등 신랑, 신부가 좋아하는 취미 활동으로 결혼식을 함.

야외 결혼식
실내 결혼식장이 아닌 공원, 정원, 야외 결혼식장 등 신랑, 신부가 선택한 야외에서 결혼식을 함.

공연 형식의 결혼식
결혼식 중에 춤을 추거나 노래를 부르는 순서를 넣거나 토크 쇼, 음악회 등의 공연 형식으로 진행함.

용어 사전

❶ 주례: 결혼식에서 신랑, 신부에게 도움이 되는 이야기를 하고 혼인 서약 등을 진행하는 사람이다.
❷ 혼인 서약: 결혼식을 할 때 주례나 증인 앞에서 결혼을 약속하는 것을 뜻한다.
❸ 혼례: 남자와 여자가 부부 관계를 맺는 서약을 하는 의식으로 결혼식을 뜻하는 말이다.

내용➕ 주례 없이 신랑, 신부의 편지와 부모님의 말씀으로 결혼식을 진행하기도 한다.

(2) 오늘날 결혼식의 특징: 다양한 장소에서 여러 형식으로 결혼식이 이루어진다.

 속 시원한 **활동 풀이**

📍교과서 102~103쪽

공부한 날

___월 ___일

 스스로 활동

여러분은 미래에 어떤 결혼식을 하고 싶은지 글이나 그림으로 나타내 봅시다.

예 제가 키우는 강아지와 함께 결혼식을 하고 싶습니다.	예 우리 고장에서 제가 가장 좋아하는 장소인 도서관에서 결혼식을 하고 싶습니다.

잠깐! 확인해요

오늘날의 결혼식은 한 가지 방식으로만 치러집니다. (○ , ✕)　　　　　(✕)

 확인 톡! 톡!

📍정답과 해설 12쪽

1 오늘날 결혼식의 모습을 순서대로 기호를 쓰시오.

ⓐ ▲ 폐백　　ⓑ ▲ 결혼반지 주고받기　　ⓒ ▲ 혼인 서약　　ⓓ ▲ 신혼여행

(　　　　　　　　　　)

2 내용이 맞으면 ○표, 틀리면 ✕표를 선택하시오.

(1) 오늘날에도 폐백은 매우 중요하기 때문에 결혼식 이후에 꼭 드려야 합니다. (○ , ✕)

(2) 오늘날에는 다양한 장소에서 여러 형식으로 결혼식이 이루어집니다. (○ , ✕)

탐구해요

옛날의 혼인 풍습을 알아볼까요?

❶ 옛날의 혼인 풍습

혼례 치르기 보충 ❶
- 신부의 집 마당에서 혼례를 치렀고, 신랑이 신부의 집에 가서 나무 기러기를 바치면 혼례가 시작됨.

보충 ❷
- 신랑과 신부가 마주 보고 큰절을 올린 뒤 잔에 술을 부어 함께 나누어 마시며 사람들에게 혼인이 이루어졌음을 알림.

신랑의 집으로 이동하기
혼례가 끝나면 신부의 집에서 며칠 동안 머무르다가 신랑은 말을, 신부는 ❶가마를 타고 신랑의 집으로 감.

폐백드리기
- 신랑과 신부가 신랑의 집에 도착하면 신부가 신랑의 부모님과 어른들께 인사하며 폐백을 드림.
- 신랑의 부모님과 어른들은 폐백 자리에서 자식을 많이 낳고 부자가 되라는 뜻으로 대추와 밤을 신부의 치마에 던짐.

내용⁺ 폐백 때 대추와 밤을 많이 받을수록 자식을 많이 낳고 부자가 된다고 믿었다.

❷ 옛날과 오늘날의 혼인 풍습 비교

(1) 옛날과 오늘날 혼인 풍습의 다른 점 (속 시원한 활동 풀이)

구분	옛날의 결혼식	오늘날의 결혼식
장소	신부의 집	결혼식장
입는 옷	한복	신부−웨딩드레스, 신랑−양복
주고받는 것	나무 기러기	결혼반지
결혼식 후에 하는 일	신부의 집에서 며칠 동안 머무르다가 신랑 집으로 감.	신혼여행을 감.

(2) 옛날과 오늘날 혼인 풍습의 비슷한 점
① 많은 사람에게 결혼을 알린다.
② 가족과 친척, 친구들이 모여 가족이 된 두 사람을 ❷축복해 준다.

 스스로 활동

옛날과 오늘날의 혼인 풍습을 비교해 봅시다.

구분	옛날	오늘날
다른 점	예 • 주로 집안끼리 혼인을 결정합니다. • 신부의 집에서 혼례를 치릅니다. • 혼례가 끝나면 신랑의 집으로 가서 신랑의 부모님께 폐백을 드립니다.	예 • 신랑, 신부의 의견에 따라 결혼 상대자를 결정합니다. • 결혼식장이나 다양한 장소에서 결혼식을 올립니다. • 결혼식장의 폐백실에서 신랑과 신부의 부모님께 폐백을 드립니다.
비슷한 점	예 • 가족이 된 두 사람을 축복하는 마음은 변함이 없습니다. • 혼례와 결혼식 모두 두 사람이 부부가 되어 가정을 이룬다는 것을 사람들에게 알리는 의식입니다.	

잠깐! 확인해요

옛날과 오늘날의 혼인 풍습은 서로 완전히 다릅니다. (○ , ×)　　　　　　　　　　　(　×　)

 확인 톡! 톡!

📍정답과 해설 12쪽

1 **내용이 맞으면 ○표, 틀리면 ×표를 선택하시오.**

(1) 옛날에 혼례는 신부의 집 마당에서 치러졌습니다. (○ , ×)

(2) 옛날에는 결혼식에서 결혼반지를 주고받았으며, 오늘날에는 나무 기러기를 줍니다. (○ , ×)

2 **빈칸에 들어갈 알맞은 말을 쓰시오.**

옛날에는 혼례가 끝난 뒤 부부는 신부의 집에서 며칠 동안 머무르다가 신랑은 말을, 신부는 ☐☐을/를 타고 신랑의 집으로 갔습니다.

(　　　　　　　　　　　　)

시대가 변하면서 가족 구성은 어떻게 달라졌을까요?

❶ 옛날의 가족 구성 알아보기

(1) **확대 가족**: 부모가 결혼한 자녀와 함께 사는 가족이다.

(2) 옛날의 가족 구성

가족 구성	확대 가족이 많았음.
많은 까닭	옛날에는 농사를 주로 지어 ❶일손이 많이 필요했기 때문임.
장점	• 가족 ❷구성원의 수가 많아서 필요할 때 서로 도울 수 있음. • 농사를 지을 때 일손이 많아서 농사일하기에 좋음.

❷ 오늘날의 가족 구성 알아보기

(1) **핵가족**: 부모가 결혼하지 않은 자녀와 함께 사는 가족이다.

(2) 오늘날의 가족 구성 보충 ❶

가족 구성	확대 가족보다 핵가족이 더 많음.
많은 까닭	• 자녀들이 일자리를 찾아 부모님과 떨어져 살게 되었기 때문임. • 자녀 교육을 위해 ❸편의 시설이 많은 도시로 이사하기 때문임. • 개인 생활을 위해 따로 살며 ❹독립하는 경우가 많아졌기 때문임. 보충 ❷

내용➕ 오늘날에는 다른 가족 없이 혼자 사는 사람들인 1인 가구가 많아지고 있다.

❸ 확대 가족과 핵가족의 가족 구성 비교하기 🔵속 시원한 활동 풀이

확대 가족	핵가족

• 부모가 결혼한 자녀와 함께 삶. • 가족 구성원의 수가 많은 편임.	• 부모가 결혼하지 않은 자녀와 함께 삶. • 가족 구성원의 수가 적은 편임.

내용➕ 오늘날에는 확대 가족과 핵가족을 모두 찾아볼 수 있지만 핵가족이 더 많다.

 스스로 활동

가족 구성을 비교해 봅시다.

1 왼쪽 그림에서 핵가족과 확대 가족을 찾아봅시다.

(가), (나), (라) 가족은 핵가족이고, (다) 가족은 확대 가족입니다.

2 옛날과 오늘날의 가족 구성이 어떻게 달라졌는지 이야기해 봅시다.

예 옛날에는 농사를 짓는 데 일손이 많이 필요하여 확대 가족이 많았습니다. 오늘날에는 취업, 교육, 개인 생활을 위해 따로 사는 경우가 많아 핵가족이 주로 나타납니다.

 잠깐! 확인해요

부모와 결혼한 자녀가 함께 사는 가족을 (핵가족 / 확대 가족)이라고 합니다.   (확대 가족   )

확인 톡! 톡!

📍정답과 해설 12쪽

1 내용이 맞으면 ○표, 틀리면 ×표를 선택하시오.

(1) 오늘날에는 확대 가족이 주로 나타납니다. (○ , ×)

(2) 핵가족은 확대 가족보다 가족 구성원의 수가 적은 편입니다. (○ , ×)

2 오늘날 핵가족을 많이 찾아볼 수 있는 까닭을 보기 에서 모두 골라 기호를 쓰시오.

보기

㉠ 개인 생활을 위해 독립했습니다.   ㉡ 자녀 교육을 위해 이사했습니다.
㉢ 농사를 짓기 위해 일손이 필요합니다.   ㉣ 자녀들이 일자리를 찾아 이사했습니다.

(   )

시대에 따라 가족 구성원의 역할은 어떻게 달라졌을까요?

보충 ①

◉ 옛날 가족의 모습
옛날에는 아이들이 할아버지, 할머니와 함께 자라나면서 많은 사랑을 받고 예의범절을 배울 수 있었다. 또한 가족이 많아 외롭지 않고 어려운 일도 함께 해결할 수 있었다.

보충 ②

◉ 육아 휴직자의 증가
우리나라 육아 휴직자는 2008년 29,145명에서 2017년 90,123명으로 같은 기간 약 3.1배 증가하여 꾸준한 증가 추세를 보인다. 이 중 남성 육아 휴직자는 2008년에 355명에 불과했으나 2017년에는 12,043명으로 많이 증가했다. 이는 '아빠 육아 휴직 보너스제' 및 '첫 3개월 급여 인상' 등과 같은 정책 때문인 것으로 보인다.

1 옛날과 오늘날 가족 구성원의 역할

(1) 옛날 가족 구성원의 역할 보충 ①

남자	여자
• 할아버지: 손자에게 글공부를 가르쳐 줌.	• 할머니: 손주를 돌보고 바느질을 함.
• 아버지: 농사일을 함.	• 어머니: 식사 준비를 함.
• 아들: 할아버지와 글공부를 하거나 아버지와 함께 농사일을 함.	• 딸: 할머니와 바느질을 하거나 어머니와 함께 식사 준비를 함.

(2) 오늘날 가족 구성원의 역할

겨울 방학 때 무엇을 할지 가족회의로 결정해요.

① 부부가 함께 자녀를 돌본다.
② 부부 모두 직장을 다닌다.
③ 가족 구성원 모두 역할을 나누어 집안일을 한다.
④ 집안의 중요한 일은 가족회의로 함께 결정한다.

내용⁺ 부부가 모두 출근하면 자녀들을 돌봄 시설 등에 맡기기도 한다.

(3) 옛날과 오늘날의 가족 구성원 역할 비교 속 시원한 활동 풀이

옛날	집안일은 주로 여자가 하고, 바깥일은 주로 남자가 하는 등 가족 구성원의 역할이 정해져 있었음.
오늘날	가족 구성원이 집안일을 나누어서 하는 등 남성의 일과 여성의 일을 따로 구분하지 않음.

내용⁺ 시대에 따라 가족 구성원의 역할은 변화한다.

2 오늘날 가족 구성원의 역할이 달라진 까닭 속 시원한 활동 풀이

❶맞벌이 가정이 늘어나면서 ❷육아 휴직을 하는 아빠들이 많아짐. 보충 ②	누구나 교육받을 수 있어 여성의 사회 진출이 활발해졌음.	남녀가 ❸평등하다는 의식이 높아져 성별에 관계없이 다양한 사회 분야에서 일함.

용어 사전

❶ 맞벌이 가정: 부부가 모두 직업을 가지고 일하는 가정이다.
❷ 육아 휴직: 자녀를 키우기 위해 직장을 일정한 기간 동안 쉴 수 있는 제도이다.
❸ 평등: 권리, 의무, 자격 등이 차별 없이 모든 사람에게 고르고 똑같음을 뜻한다.

옛날과 오늘날의 가족 구성원 역할이 어떻게 달라졌는지 이야기해 봅시다.

[예] 옛날에는 가족 구성원이 하는 일이 구분되어 있어 남자는 주로 바깥일을 하고 여자는 주로 집안일을 했습니다. 오늘날에는 남성의 일과 여성의 일을 따로 구분하지 않고 청소나 설거지, 빨래 등의 집안일을 함께 나누어 합니다.

옛날 가족 구성원의 역할이 나타난 장면을 보고, 오늘날에는 어떤 모습으로 변화했는지 글이나 그림으로 표현해 봅시다.

옛날	[예] 어머니와 딸이 매일 식사 준비를 함.	[예] 할아버지가 집안의 중요한 일을 결정함.
오늘날	[예] 상황과 능력에 따라서 역할을 나누어 식사 준비를 함.	[예] 가족회의를 통해 집안의 중요한 일을 함께 결정함.

가족 구성원의 역할은 시대에 따라 항상 일정하게 정해져 있습니다. (○ , ✕)　　　　　　　　　　(✕)

확인 톡! 톡!

📍정답과 해설 12쪽

1 **내용이 맞으면 ○표, 틀리면 ✕표를 선택하시오.**

(1) 옛날에는 남자가 주로 바깥일을 하고 여자는 주로 집안일을 했습니다. (○ , ✕)

(2) 오늘날에는 가족의 중요한 일을 할아버지가 결정하는 경우가 많습니다. (○ , ✕)

가족 구성원의 바람직한 역할을 알아볼까요?

보충 ❶

● 행복한 가족을 만들기 위한 구체적인 실천 방법
• 가족 모두 집안일을 나누어서 한다.
• 형제자매와 사이좋게 지낸다.
• 가족에게 어려운 일이 생기면 함께 걱정해 주고, 도와줄 수 있는 일을 찾는다.

보충 ❷

● 가족회의 진행하기
누구든 가족회의를 요청할 수 있고, 작은 일부터 큰 문제까지 일상생활에서 일어나는 모든 일을 가족회의를 통해 서로 의논할 수 있다. 일주일에 한 번씩 정기적으로 할 수도 있고, 문제가 생겼을 때 진행할 수도 있다.

❶ 가족의 갈등을 해결하는 방법 찾아보기

(1) 가족 ❶갈등: 가족 구성원 사이에 서로 생각이 다를 때 생긴다.

(2) 각 가족 구성원의 관점에서 문제 파악하기

▲ 아빠	회사에 다녀온 뒤 갓난아이인 셋째를 돌보느라 잠잘 시간도 모자람.	▲ 엄마	처리해야 할 회사 일이 있는데, 밀린 집안일도 해야 해서 힘듦.
▲ 동생	부모님이 바쁘셔서 밖에 나가 놀지 못해 심심함.	▲ 오빠	가족끼리 여행 간 지가 오래돼서 가족 여행을 가고 싶음.

(3) 역할극을 통해 가족 구성원들의 마음 알아보기

❷ 가족 구성원의 바람직한 역할 실천하기

(1) 가족 구성원의 바람직한 역할 ❷토의하기

① 대화를 통해 서로 어떤 생각을 하는지 이해하고, 어떻게 하면 갈등을 해결할 수 있을지 의견을 나누어 본다.

② 가족 구성원으로서 자신의 역할을 잘 실천하도록 노력한다.

③ 가족 구성원 사이에 서로 존중하고 다른 사람을 ❸배려하는 태도를 가진다.

④ 서로 어떤 점이 서운하고 속상한지 솔직하게 이야기해 본다.

(2) 가족 구성원으로서 바람직한 역할 실천하기: 가족회의를 열어서 행복한 가족을 만들기 위해 실천할 수 있는 일을 찾아본다. 보충 ❶ ❷ 속 시원한 활동 풀이

용어 사전

❶ 갈등: 서로 생각이나 마음이 달라 다투는 상황을 뜻한다.
❷ 토의: 어떤 문제에 대해 검토하고 협의하는 것을 뜻한다.
❸ 배려: 도와주거나 보살펴 주려고 마음을 쓰는 것을 말한다.

가족 구성원의 바람직한 역할 알아보기

상황	예 주말에 가려고 했던 가족 나들이를 가지 못하게 되어 가족 갈등이 일어난 상황

각 가족 구성원의 관점에서 본 문제

예 회사 일이 계속 바빴어서 이번 주말에는 쉬고 싶은데 이해해 주지 않아서 속상해요. ◀ 아빠

저도 회사 일과 집안일을 같이 하느라 집안일이 많이 밀려서 몸과 마음이 힘들어요. ◀ 엄마

엄마, 아빠와 함께 여행 갈 생각에 이번 주 내내 기대했는데 못 가게 되어서 아쉬워요. ◀ 누나

저도 밖에서 엄마, 아빠와 시간을 보내고 싶었는데 약속을 지키지 않으셔서 섭섭해요. ◀ 동생

역할극 대본

예 **아빠:** 이번 주말에 여행을 가기로 했는데 약속을 지키지 못해서 너희가 많이 실망했을 것 같구나. 엄마, 아빠가 너무 바빠서 약속을 지키지 못해 미안하다.

누나: 네, 아빠. 여행을 가기로 약속했을 때부터 많이 기대했는데 못 가게 되어서 아쉬웠어요. 하지만 엄마, 아빠가 많이 힘들어 보이셔서 걱정이었어요.

엄마: 이해해 주어서 고맙구나. 엄마도 회사 일과 집안일을 같이 하다 보니 너희에게 더 신경을 쓰지 못한 것 같아.

동생: 그럼 누나와 제가 할 수 있는 집안일을 찾아서 엄마를 도와드릴게요.

아빠: 그렇게 말해 주니 정말 고맙구나. 나도 집안일을 해야겠다. 그리고 가족회의를 열어서 다시 여행 계획을 세워 보자.

누나: 좋아요. 앞으로도 이렇게 힘든 일은 서로 대화를 했으면 좋겠어요.

가족 구성원의 바람직한 역할

예 • 서로 힘든 일이나 바라는 일이 있으면 함께 대화를 나누거나 가족회의를 연다.
• 서로 이해하고 배려하는 마음을 가진다.

📍 정답과 해설 12쪽

1 가족 구성원 사이에 나타나는 갈등을 해결하는 방법을 보기 에서 모두 골라 기호를 쓰시오.

보기

㉠ 가족 구성원의 입장을 배려합니다.   ㉡ 자신의 역할을 잘 실천하도록 노력합니다.
㉢ 상대방의 노력만 필요하다고 이야기합니다.   ㉣ 서로 어떤 점이 서운한지 솔직히 이야기합니다.

(   )

즐겁게 정리해요

'가족의 구성과 역할 변화'에서 배운 내용을 떠올리며 문제에 알맞은 O, X 카드를 선택하여 펭귄 가족이 들고 있는 낱말 카드를 완성해 봅시다.

❶ 오늘날 결혼식의 모습은 모두 똑같습니다. → 다 행

❷ 옛날에는 신랑, 신부가 결혼한 뒤 부모와 떨어져 사는 경우가 많았습니다. → 양 복

❸ 오늘날에는 핵가족이 확대 가족보다 더 많습니다. → 한 지

❹ 가족 구성원의 역할은 정해져 있기 때문에 함부로 바꿀 수 없습니다. → 여 가

❺ 가족 구성원 사이에서 갈등을 해결하려면 불만이 있어도 참아야 합니다. → 만 족

행 복 한 가 족

도움 옛날과 오늘날의 혼인 풍습과 가족 구성에 대해 배운 내용을 기억해 풀어 보아요.

🍓 핵심 꿀꺽 질문 ?

옛날과 오늘날의 혼인 풍습을 비교할 수 있나요?

시대별로 가족 구성원의 역할 변화를 설명할 수 있나요?

가족 구성원의 바람직한 역할은 무엇이라고 생각하나요?

1 오늘날 결혼식 모습으로 알맞지 <u>않은</u> 것은 어느 것입니까? ( )

① 결혼반지를 주고받는다.
② 다양한 형식이 나타나기도 한다.
③ 주로 신부의 집에서 결혼식을 한다.
④ 주례, 친구, 가족 앞에서 혼인 서약을 한다.
⑤ 신부는 웨딩드레스, 신랑은 양복을 입는다.

2 오늘날 다양한 결혼식 모습과 관련 있는 내용을 바르게 선으로 연결하시오.

(1)  • • ㉠ 공연 형식의 결혼식

(2)  • • ㉡ 야외 결혼식

중요

3 빈칸에 들어갈 알맞은 말을 쓰시오.

옛날에는 신랑이 신부에게 □□ □□을/를 바치면 혼례가 시작됩니다.

4 빈칸에 들어갈 알맞은 말을 쓰시오.

신랑의 부모님과 어른들은 폐백 자리에서 자식을 많이 낳고 부자가 되라는 뜻으로 □□와/과 밤을 신부의 치마에 던져 주었습니다.

중요

5 옛날과 오늘날의 혼인 풍습을 비교한 내용이 알맞게 들어간 것은 어느 것입니까? ( )

	구분	옛날	오늘날
①	혼인 결정	신랑, 신부의 의견이 중요함.	집안끼리 결정함.
②	장소	결혼식장	신부의 집
③	입는 옷	웨딩드레스, 양복	한복
④	주고받는 것	결혼반지	나무 기러기
⑤	혼인 후 하는 일	신부의 집에서 며칠 동안 머무르다가 신랑의 집으로 감.	신혼여행을 감.

6 빈칸에 들어갈 알맞은 말을 쓰시오.

옛날에는 주로 □□을/를 지어 일손이 많이 필요했기 때문에 자녀가 결혼한 후에도 부모와 함께 사는 확대 가족이 많았습니다.

7 다음 그림을 보고, 핵가족이 무엇인지 쓰시오.

[8-9] 다음 그림을 보고, 물음에 답하시오.

ㄱ  ㄴ

8 위에서 오늘날 더 많이 볼 수 있는 가족 구성을 골라 기호를 쓰시오.

_____

9 오늘날에 8번과 같은 가족 형태가 많은 이유를 <u>두 가지</u> 쓰시오.

_____

10 다음 그림에 나타난 옛날 가족 구성원의 역할로 알맞지 <u>않은</u> 것은 어느 것입니까? (   )

① 아버지와 아들이 농사일을 한다.
② 할머니께서 아기를 돌보고 계신다.
③ 할머니와 손녀가 바느질하고 있다.
④ 모든 가족이 모여 식사 준비를 한다.
⑤ 할아버지가 손자에게 글공부를 가르쳐 주신다.

11 오늘날 가족 구성원의 역할에 대한 내용이 맞으면 ○표, 틀리면 ×표를 선택하시오.

(1) 가족이 모두 집안일을 합니다. (○ , ×)
(2) 집안의 중요한 일은 가족회의로 정합니다.
(○ , ×)
(3) 남성이 하는 일과 여성이 하는 일이 구분되어 있습니다. (○ , ×)

12 오늘날 가족 구성원의 역할이 달라진 까닭으로 알맞지 <u>않은</u> 것은 어느 것입니까? (   )

① 남녀의 역할이 고정되어 있기 때문이다.
② 여성의 사회 진출이 활발해졌기 때문이다.
③ 남녀 누구나 교육받을 기회가 있기 때문이다.
④ 남녀가 평등하다는 의식이 높아졌기 때문이다.
⑤ 성별과 관계없이 사회의 다양한 분야에서 일하는 사람이 많아졌기 때문이다.

13 다음 내용에서 알맞은 말에 ○표 하시오.

오늘날에는 남녀 모두 직업을 갖고 일하는 맞벌이 가정이 (늘어나면서 / 줄어들면서) 육아 휴직을 하는 아빠들이 많아졌습니다.

14 다음과 같은 가족의 갈등을 해결할 수 있는 방법을 쓰시오.

밀린 집안일을 하느라 바쁘네. 오늘 처리해야 할 회사 일도 있는데.

_____

_____

중요

15 다음과 같은 가족의 갈등을 해결하기 위해 필요한 자세로 알맞은 것을 <u>두 가지</u> 고르시오.

(,)

> 아빠: 회사에 다녀온 뒤 갓난아이인 셋째를 돌보느라 잠잘 시간도 모자라.
> 오빠: 가족끼리 여행 간 지가 오래되어서 가족 여행을 가고 싶어.
> 동생: 부모님이 바쁘셔서 밖에 나가 놀지 못해 심심해.

① 가족이 겪고 있는 갈등을 알리지 않는다.
② 서운하고 속상한 점은 이야기하지 않는다.
③ 가족 구성원으로서 자신의 역할에 관심을 갖지 않는다.
④ 가족 구성원 사이에 서로 노력이 필요한 점을 말해 본다.
⑤ 가족 구성원이 서로 존중하고 다른 사람의 입장을 배려하는 태도를 가진다.

[16-17] 워드 클라우드의 단어를 이용하여 서술형 문제의 답을 쓰시오.

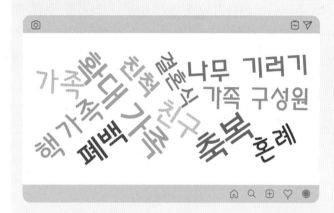

16 다음 그림을 보고, 옛날과 오늘날 혼인 풍습의 비슷한 점을 서술하시오.

▲ 옛날의 결혼식   ▲ 오늘날의 결혼식

_____

_____

17 누리네 가족과 준성이네 가족의 차이점을 서술하시오.

> • 누리네 가족은 아빠, 엄마, 누리 이렇게 셋이 삽니다.
> • 준성이네 가족은 할아버지, 할머니, 아빠, 엄마, 누나, 준성이로 이루어져 있습니다.

_____

세계의 다양한 결혼 풍습

우리나라에는 신랑이 신부에게 나무 기러기를 주고, 폐백을 드리는 결혼 풍습이 있었습니다. 세계 각 나라에도 다양한 결혼 풍습이 있습니다. 독일에서는 결혼식 전날 오래된 접시를 깨뜨리는 풍습이 있고, 인도에서는 결혼하기 전에 신랑과 신부의 별자리로 결혼 생활을 점친다고 합니다. 이처럼 다른 나라의 결혼 풍습도 이해하고 존중하려는 마음가짐을 가져야 합니다.

스코틀랜드

결혼식 전에 신부와 신랑에게 우유, 콜라, 초콜릿과 같은 끈적한 음식들을 던지는 풍습이 있습니다. 앞으로 두 사람에게 힘든 일이 생겨도 잘 이겨 내라는 의미가 담겨 있습니다.

그리스

신부의 신발 바닥에 신부 친구들의 이름을 적어 놓고 결혼식이 끝난 뒤 이름이 제일 많이 지워진 친구가 그다음에 결혼하게 된다고 생각했습니다.

결혼식이 끝나고 교회 밖으로 나온 신랑, 신부에게 쌀알을 던지는 풍습이 있습니다. 이것에는 자식을 잘 낳고, 부자가 되기를 바라는 의미가 담겨 있습니다.

독일

결혼식 전날 잔치에 참석하는 사람들은 자신의 집에서 오래된 접시를 가져와 신혼부부의 집 앞에 던져 깨뜨리는데 이러한 행동이 신혼부부에게 행운을 가져다준다고 믿었습니다.

인도

신랑, 신부의 별자리로 결혼 생활을 점치는데, 만약 별자리가 맞지 않으면 행복한 결혼 생활을 누릴 수 없다고 믿습니다.

가족 형태가 다르다고요?

● 반려동물과 함께 생활하는 가족

우리나라에서 개, 고양이, 새, 물고기 등 다양한 반려동물과 더불어 살아가는 사람들은 약 1,500만 명에 달한다. 많은 사람들이 반려동물도 가족이라고 생각하며 소중히 여긴다.

① 다양한 형태의 가족 속 시원한 활동 풀이

산책 나온 사람들이 많네요. 엄마, 아빠, 강아지까지 함께 산책 나오니 좋아요.

▲ 엄마, 아빠, 아이로 구성된 가족 보충 ①

아빠와 살던 저에게 엄마와 형이 생겼어요. 두 가족이 한 가족이 되었어요.

▲ 두 가족이 새롭게 한 가족이 된 가족

저는 할머니, 동생과 함께 살아요. 제게는 할머니가 엄마이고 아빠예요.

▲ 할머니, 손자, 손녀로 이루어진 가족

엄마의 고향은 중국이에요. 중국에서 배드민턴 선수였대요. 그래서 배드민턴을 아주 잘 치세요.

▲ 엄마가 중국인인 가족

저는 아빠와 둘이 살아요. 아빠와 저녁에 무엇을 먹을지 이야기해요.

▲ 아빠와 딸로 이루어진 가족

엄마는 저에게 가슴으로 낳은 딸이라고 말씀하세요. 우리는 입양으로 한 가족이 되었어요.

▲ ●입양으로 이루어진 가족

내용⁺ 이 외에 아이가 더 많은 가족, 부부만 사는 가족 등도 있다.

② 오늘날 가족 형태의 특징

(1) **우리 가족과의 비슷한 점과 다른 점**: 우리 가족과 같거나 비슷한 ❷형태의 가족도 있고, 다른 형태의 가족도 있다.

(2) **가족 형태의 다양성**: 오늘날 가족의 형태는 매우 다양하다.

(3) **가족이 살아가는 모습의 다양성**: 가족 형태는 달라도 모든 가족은 저마다의 모습으로 함께 살아가고 있다.

용어 사전

❶ 입양: 혈연관계가 아닌 사람들이 법적으로 부모와 자식의 관계가 되는 일을 뜻한다.
❷ 형태: 어떤 사물이나 구조가 일정하게 갖추고 있는 생김새나 모양을 뜻한다.

그림에 나타난 가족의 형태를 정리해 봅시다.

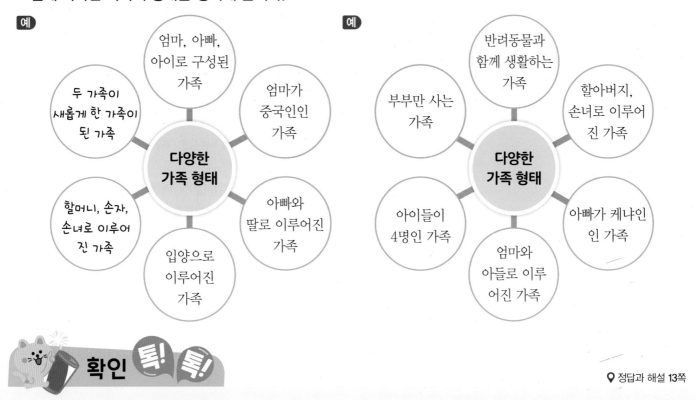

예

- 엄마, 아빠, 아이로 구성된 가족
- 엄마가 중국인인 가족
- 두 가족이 새롭게 한 가족이 된 가족
- **다양한 가족 형태**
- 할머니, 손자, 손녀로 이루어진 가족
- 입양으로 이루어진 가족
- 아빠와 딸로 이루어진 가족

예

- 반려동물과 함께 생활하는 가족
- 부부만 사는 가족
- 할아버지, 손녀로 이루어진 가족
- **다양한 가족 형태**
- 아이들이 4명인 가족
- 엄마와 아들로 이루어진 가족
- 아빠가 케냐인인 가족

확인 톡! 톡!

📍 정답과 해설 13쪽

1 다음 내용에서 알맞은 말에 ○표 하시오.

(아버지 / 할머니), 손자, 손녀로 구성되어 있는 가족입니다.

2 빈칸에 들어갈 알맞은 말을 쓰시오.

오늘날에는 혈연관계가 아닌 아이를 ☐☐하여 가족이 이루어지기도 합니다.

(   )

3 내용이 맞으면 ○표, 틀리면 ×표를 선택하시오.
(1) 오늘날 가족의 형태는 다양하지 않습니다. (○ , ×)
(2) 우리 가족과 비슷한 형태의 가족도 있고, 다른 형태의 가족도 있습니다. (○ , ×)

다양한 가족 형태를 살펴볼까요?

 보충 ❶

◉ **가족 구성원의 수**

가족 구성원의 수는 다양한 이유로 늘어나거나 줄어들 수 있다. 처음에는 당황스러울 수 있지만 한 가족이므로 서로 이해하고 배려하며 지내야 한다.

보충 ❷

◉ **다문화 가정**

해외여행뿐만 아니라 외국에서 공부하거나 일할 기회가 많아지면서 전 세계적으로 다문화 가정이 많아지고 있다. 우리나라에서는 다문화 가정을 돕기 위해 한국 생활 적응에 꼭 필요한 기본 정보와 도움이 될 만한 최신 정보를 다문화 가족 지원 포털 누리집에서 다양한 언어로 제공하고 있다.

❶ 다양한 가족 형태와 생활 모습 속 시원한 활동 풀이

드라마에 나타난 가족 보충 ❶
- 부모가 ❶재혼하여 두 가족이 새롭게 한 가족이 됨.
- 한 가족이 되기까지 어려운 점도 있었지만 행복한 모습임.

영화에 나타난 가족
- 할머니와 손녀로 이루어진 가족임.
- 손녀가 할머니께 글자를 가르쳐 드리고, 서로 의지하며 살아가는 모습임.

신문 기사에 나타난 가족
- 많은 아이를 입양해서 가족을 이룸.
- 입양은 가족이 되는 또 다른 방법일 뿐이라고 말하며 행복해하는 모습임.

그림책에 나타난 가족
- 엄마와 아이로 이루어진 가족임.
- 둘이서 함께해야 할 일이 많고, 둘뿐이지만 서로 아끼고 사랑하는 모습임.

뉴스 프로그램에 나타난 가족 보충 ❷
- 베트남에서 온 엄마를 둔 가족임.
- 한국말을 모르는 엄마와 속 깊은 대화를 나누고 싶어서 베트남어를 배움.

❷ 가족의 생활 모습이 다양한 까닭

(1) **다양한 가족 형태:** 가족마다 형태가 다르기 때문이다.

(2) **다양한 가족 구성원:** 가족마다 가족 구성원이 다르기 때문이다.

용어 사전

❶ **재혼:** 다시 결혼하는 것을 뜻한다.

 **활동 풀이**

모둠별로 신문 기사, 책, 방송 자료 등에 담긴 다양한 가족이 살아가는 모습을 조사해 봅시다.

가족의 생활 모습		
	예 책에서 남자아이를 입양한 가족을 조사했습니다. 부부가 아이에게 자전거 타는 법을 가르쳐 주고, 함께 나들이도 가고 썰매도 타며 행복하게 지내는 모습을 볼 수 있었습니다.	예 텔레비전 프로그램에서 본 아빠가 외국인인 가족을 조사했습니다. 아빠가 태어난 나라를 가족들과 방문하기도 하고, 우리나라의 전통 놀이도 함께하며 즐겁게 지내는 모습을 볼 수 있었습니다.
알게 된 점	예 아이의 존재 자체만으로도 사랑을 주는 엄마, 아빠와 그 사랑으로 무럭무럭 자라는 아이가 함께하는 모습이 정말 행복해 보였습니다.	예 다른 나라에서 태어났지만 그것과 상관없이 한 가족으로서 서로 아껴 주고, 서로의 문화를 함께 즐기는 행복한 가족이라는 점을 알 수 있었습니다.

잠깐! 확인해요

가족이 살아가는 모습은 모두 같습니다. (○ , ×)　　　　　　(×)

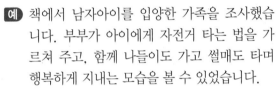 **확인 톡! 톡!**

 정답과 해설 13쪽

1 **내용이 맞으면 ○표, 틀리면 ×표를 선택하시오.**

(1) 할머니와 손녀로 이루어진 가족입니다. (○ , ×)
(2) 신문에서 찾은 가족의 모습입니다. (○ , ×)

다양한 가족의 생활 모습을 표현해 볼까요?

보충 ❶

◉ 우리나라 가족의 변화
우리나라 가족은 시간이 지날수록 변화하고 있다. 옛날에 비해 가족의 규모와 평균 가족 구성원의 수가 감소했으며, 한 부모 가족, 다문화 가족, 자녀가 없는 부부 가족 등이 늘어나고 있다.

❶ 가족의 생활 모습 표현하기 (쏙 속 시원한 활동 풀이)

(1) 그림 그리기

• 제목: 사랑 가득한 우리 가족
• 설명: 조각이 모두 있어야 예쁜 하트 모양의 퍼즐이 완성되는 것처럼 다양한 가족 구성원이 서로 이해하며 함께 잘 지낼 때 아름다운 가족을 이룰 수 있음을 표현함.

(2) 역할극 하기

누나: 오늘 날씨가 참 좋다.
형: 우리 가족이 이렇게 함께 나오니까 더 좋네.
엄마: 우리가 가족이 되어서 행복해.
나: 저의 엄마, 아빠가 되어 주셔서 감사해요.
아빠: 우리 아들들이 되어 주어 고마워. 앞으로도 행복하게 잘 살자. 자, 카메라 보고 하나, 둘, 셋!

동생: 우와! 맛있겠다.
아빠: 이건 아빠가 너희만큼 어렸을 때 자주 먹었던 간식 ❷만다지야. 학교에 다녀오면 할머니께서 만들어 주셨지. 맛이 어때?
나: 고소하고 맛있어요. 할머니를 뵙고 싶어요.
엄마: 이번 방학에 할머니를 뵈러 케냐에 가자.

• 제목: 가족사진 찍는 날	• 제목: 만다지를 먹어 본 날
• 설명: 가족이 된 지 1년이 된 것을 ❶기념하는 가족사진을 찍는 가족을 역할극으로 표현했음.	• 설명: 케냐가 고향인 아빠께서 어릴 적에 드시던 음식을 가족과 함께 먹는 모습을 역할극으로 표현했음. 보충 ❶

용어 사전

❶ 기념: 어떤 뜻깊은 일이나 훌륭한 인물을 오래도록 잊지 않고 마음에 간직하는 것을 뜻한다.
❷ 만다지: 도넛과 비슷하게 생긴 작은 튀김 빵이다.

❷ 다양한 가족의 생활 모습을 대하는 태도 알아보기

(1) 소중히 여기는 태도: 가족의 형태는 달라도 모든 가족이 소중하다.

(2) 존중하는 태도: 다른 가족을 대할 때 그 가족을 이해하고 다양한 형태의 가족을 존중하는 태도를 가져야 한다.

 **다 함께** 활동

가족의 생활 모습을 표현해 봅시다.

1 모둠별로 교과서 124쪽의 그림에서 한 가족을 선택하여 그 가족의 생활 모습을 여러 가지 방법으로 표현해 봅시다.

우리 모둠이 선택한 가족	예 	예 ❷번 그림 예 **그림 속에 담겨 있는 이야기:** 아빠, 엄마, 아들로 이루어진 가족으로 엄마가 재혼하여 새로 아빠가 생겼습니다. 가족이 모두 함께 처음으로 가족 낚시 갈 준비를 하고 있습니다.
역할극 대본 쓰기	예 **아이:** 처음으로 가족이 다 함께 낚시 갈 생각을 하니까 정말 신나요! **아빠:** 아빠도 기대되는구나. 이 낚싯대만 챙기고 어서 출발하자. **엄마:** 낚시하면서 먹을 음식도 챙겼어요. 이제 가 볼까요? (낚시를 하고 있는 아빠와 아들, 음식 준비를 하며 아빠와 아들을 바라보고 있는 엄마) **엄마의 혼잣말:** 우리 아들이 아빠와 잘 지내 주어서 고맙구나.	

2 표현하면서 생각하거나 느낀 점을 모둠 친구들과 이야기해 봅시다.

예 가족마다 상황이나 생활 모습은 다르지만 함께 있어 힘이 된다는 점은 모두 같다는 것을 알게 되었습니다.

 **잠깐! 확인해요**

다양한 형태의 가족을 (차별 / 존중)해야 합니다.   (존중   )

확인 톡! 톡!

📍정답과 해설 13쪽

1 다양한 가족의 생활 모습을 표현하는 여러 가지 방법이 무엇인지 쓰시오.

(   )

2 내용이 맞으면 ○표, 틀리면 ✕표를 선택하시오.

(1) 가족마다 상황과 생활 모습이 다르기 때문에 모든 가족이 소중하지는 않습니다. (○ , ✕)

(2) 다른 가족을 대할 때 그 가족을 이해하고 다양한 형태의 가족을 존중하는 태도가 필요합니다. (○ , ✕)

가족의 의미를 알아볼까요?

❶ 가족의 의미 표현하기 꼭! 속 시원한 활동 풀이

충전기		우리 집 강아지가 학교에서 돌아온 나를 반겨 주면 힘이 나는 것처럼, 힘이 하나도 없을 때 우리 가족이 꼭 안아 주면, 충전되는 것처럼 힘이 나기 때문임.
달걀말이		달걀의 흰자와 노른자를 잘 섞고 돌돌 말은 달걀말이의 모습이 서로 꼭 안아 주는 우리 가족 같음.
바다		바다를 건너서 만난 우리 엄마, 아빠는 깊이를 알 수 없는 바다만큼 우리를 사랑하시기 때문에 바다에 ❶비유함.
장갑		할머니 품속은 따뜻하고 포근하여 추운 겨울에 손을 따뜻하게 해 주는 장갑처럼 우리 가족은 항상 내 마음을 따뜻하게 해 줌.
라면		기분이 ❷우울할 때 라면을 먹으면 배도 부르고 기분도 좋아지는 것처럼 기분이 우울할 때 아빠와 함께 운동하면 기분이 좋아짐.
음악		우리 가족에게 일어나는 크고 작은 일이 ❸음표가 되어 시끄러운 음악을 만들기도 하고 신나고 즐거운 음악을 만들기도 함.

❷ 가족 표현의 공통점 알아보기

(1) 표현의 의미: 가족의 소중함을 표현했다.

(2) 표현 내용: 함께 있으면 힘이 나고 든든한 마음이 담겨 있다. 보충❶,❷

활동 도우미   가족의 의미를 표현하는 다양한 활동

아빠산

기쁠 때나 슬플 때나
항상 내 뒤에 있는
든든한 아빠산

나는 크고 푸르른
아빠산 속에서 뛰노는
행복한 토끼

▲ 시 쓰기

나의 솜이불, 할머니께

할머니, 저 할머니 손녀 지현이에요. 항상 제게 맛있는 음식을 만들어 주시고, 제가 힘들 때면 꼭 안아 주셔서 감사드려요. 할머니와 함께 있으면 솜이불을 덮은 것처럼 마음이 따뜻해져요. 오래오래 행복하게 살아요.

손녀 지현이 드림

▲ 편지 쓰기

비타민 송

눈부신 하늘 아래
함께 하는 우리 가족
힘들고 지치는 일이 있어도
우리 가족 함께라면
다 이겨낼 수 있어

너를 웃게 하는 비타민
내게 힘을 주는 비타민
오늘도 행복한 우리 가족

▲ 노랫말 만들기

가족을 설명할 수 있는 그림을 그려 보고 글을 써 봅시다.

예 우리 가족은 두툼한 오리털 잠바이다. 겨울에 아무리 찬 바람이 불어도 오리털 잠바를 입으면 하나도 춥지 않은 것처럼 아무리 어렵고 힘든 일이 있어도 우리 가족이 있어서 든든하고 힘이 난다. 우리 가족의 따뜻한 사랑이 오리털 잠바와 닮았다.

잠깐! 확인해요

가족의 모습은 다양하지만 가족끼리 서로 돕고 사랑하는 것이 중요합니다. (○ , ×)　　　　　　（　○　）

정답과 해설 13쪽

1 다음 내용에서 알맞은 말에 ○표 하시오.

　우리 가족은 춥고 배고플 때, 기분이 우울할 때 먹으면 배도 부르고 기분도 좋아지는 (라면 / 음악) 같습니다.

2 가족을 비유하는 활동에 대한 내용이 맞으면 ○표, 틀리면 ×표를 선택하시오.
⑴ 가족 구성원의 단점이 잘 나타나 있습니다. (○ , ×)
⑵ 바다, 충전기, 장갑 등 다른 대상으로 가족을 설명했지만 모두 가족의 소중함을 표현했습니다.
　　　　　　　　　　　　　　　　　　　　　　　　　　　(○ , ×)

함께 해요

다양한 가족 형태를 존중하는 태도를 실천해 볼까요?

보충 ❶

● 여러 형태의 가족을 존중하자는 내용이 담긴 공익 광고

▲ 세상 모든 가족 함께, 「다양한 가족-졸업 편」

▲ 세상 모든 가족 함께, 「다양한 가족-식탁 편」

두 광고에는 가족의 모습이 조금 다르더라도 모두 행복한 가족이라는 내용이 담겨 있다.

❶ 공익 광고 알아보기

(1) 공익 광고: 사람들에게 우리 사회의 중요한 ❶가치를 알리고, 사회 공동의 ❷이익을 위해 만드는 광고이다.

(2) 다양한 가족을 존중하는 내용을 담은 공익 광고 **보충 ❶**

❷ 다양한 가족을 존중하는 내용을 담은 공익 광고 만들기

(1) 공익 광고를 만들 때 생각해야 할 점

① 어떤 내용으로 구성할지 생각해 보고, 꼭 들어가야 할 중요한 단어를 찾아본다.

② 주제를 잘 전달하기 위해 어떤 장면을 보여 주어야 할지 생각해 본다.

③ 마지막에서 함께 외칠 수 있는 간단한 ❸구호를 생각해 본다.

보충 ❷

● 공익 광고 계획 세우기

공익 광고 계획을 세울 때는 공익 광고의 제목과 등장인물을 생각해 본다. 또한 장면별로 간단한 대사와 동작을 정해 본다.

(2) 공익 광고 예시

	'수영을 잘하는 엄마', '엄마와 물놀이할 때 좋은 아들'이라고 말한 뒤 다 같이 '우리는 가족'이라고 외침.
	'운전을 잘하시는 할아버지', '할아버지와 함께할 때 행복한 손자, 손녀'라고 말한 뒤 다 같이 '우리는 가족'이라고 외침.
	'기타를 잘 치는 엄마', '피아노를 잘 치는 아빠', '새로 가족이 되어 좋은 딸', '춤을 잘 추는 아들'이라고 말한 뒤 다 같이 '우리는 가족'이라고 외침.
	한 명이 '다양한 형태의 가족을 존중해요.'라고 큰 소리로 외침.

(3) 공익 광고 만들기 ^{교과서} 속 시원한 **활동 풀이**

❶ 공익 광고 계획을 세운다. **보충 ❷**

❷ 계획한 내용대로 공익 광고를 만들어 모둠별로 발표한다.

❸ 공익 광고를 만들면서 느낀 점을 이야기하고 생활 속에서 꾸준히 실천한다.

용어 사전

❶ 가치: 사물이 지니고 있는 쓸모를 말한다.

❷ 이익: 물질적으로나 정신적으로나 보탬이 되는 것을 말한다.

❸ 구호: 어떤 요구나 주장을 나타내기 위해 외치는 간결한 문구이다.

속 시원한 활동 풀이

| 공익 광고 제목 | 예 미술 시간에 그려 본 가족 그림 |

공익 광고 대본		❶ **한결:** (할머니, 언니, 한결이가 그려진 그림을 들고) 저는 사랑하는 할머니, 언니와 셋이 살아요.
		❷ **준수:** (엄마, 준수가 그려진 그림을 들고) 우리 엄마는 세상에서 최고로 강하고 멋진 엄마예요.
		❸ **예진:** (엄마, 아빠, 예진, 남동생이 그려진 그림을 들고) 새로 생긴 남동생 덕분에 매일 행복해요.
		❹ **한결, 준수, 예진:** (플래카드를 들고) 모습은 달라도 모두 행복한 가족입니다.

| 공익 광고를 만들면서 느낀 점 | 예 • 우리 가족의 소중함을 느낄 수 있었습니다.
• 다양한 가족 형태를 더 잘 이해할 수 있었습니다.
• 다양한 가족의 삶의 모습을 다시 생각해 볼 수 있었습니다.
• 일상생활에서 다른 가족에게 가져야 할 태도를 배울 수 있었습니다. |

 **확인 톡! 톡!**

🔗 정답과 해설 13쪽

1 공익 광고를 만들면서 느낀 점을 바르게 이야기하지 <u>않은</u> 사람을 다음 글에서 골라 기호를 쓰시오.

㉠ 마루: 우리 가족의 소중함도 느낄 수 있었어.
㉡ 별이: 다양한 가족 형태를 더 잘 이해할 수 있었어.
㉢ 준성: 우리 가족과 형태가 다른 가족이 이상하게 느껴졌어.

(   )

'다양한 가족이 살아가는 모습'에서 배운 내용을 떠올리며 알맞게 설명한 숫자 카드를 순서대로 찾아 비밀번호를 풀어 집에 들어가 봅시다.

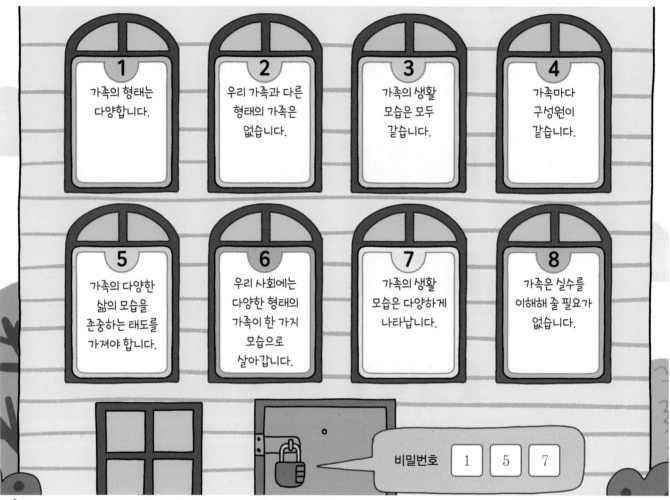

1 가족의 형태는 다양합니다.

2 우리 가족과 다른 형태의 가족은 없습니다.

3 가족의 생활 모습은 모두 같습니다.

4 가족마다 구성원이 같습니다.

5 가족의 다양한 삶의 모습을 존중하는 태도를 가져야 합니다.

6 우리 사회에는 다양한 형태의 가족이 한 가지 모습으로 살아갑니다.

7 가족의 생활 모습은 다양하게 나타납니다.

8 가족은 실수를 이해해 줄 필요가 없습니다.

비밀번호 1 5 7

도움 다양한 가족의 형태와 생활 모습에 대해 배운 내용을 떠올려 보며 맞는 설명을 찾아보아요.

핵심 꿀꺽 질문

다양한 가족 형태를 설명할 수 있나요?

가족의 다양한 생활 모습을 표현할 수 있나요?

다양한 가족을 이해하고 존중하는 태도를 갖게 되었나요?

[1-3] 다음 그림을 보고 물음에 답하시오.

1 위에서 할머니, 손자, 손녀로 이루어진 가족을 골라 기호를 쓰시오.

2 ㄹ 가족에 대한 설명으로 알맞은 것은 어느 것입니까? (   )

① 엄마, 아이로 구성되어 있다.
② 아빠와 딸, 둘이 사는 가족이다.
③ 할머니, 손자, 손녀가 함께 산다.
④ 두 가족이 새롭게 한 가족이 되었다.
⑤ 아빠, 엄마, 아이 두 명이고 엄마 고향은 중국이다.

3 위와 같은 가족을 통해 알 수 있는 오늘날 가족 형태의 특징을 쓰시오.

중요

4 밑줄 친 부분을 뜻하는 말로 알맞은 것은 어느 것입니까? (   )

> 엄마와 둘이 살던 가영이, 아빠와 둘이 살던 정우가 한 가족이 되었습니다. 엄마가 아프셨지만 새롭게 가족을 이루어 행복하게 살아갑니다.

① 이민   ② 재혼
③ 입양   ④ 이사
⑤ 졸업

[5-6] 다음 자료를 보고 물음에 답하시오.

5 위와 같은 가족의 모습은 어떤 자료에 나타난 모습입니까? (   )

① 영화   ② 드라마
③ 그림책   ④ 신문 기사
⑤ 뉴스 프로그램

6 위 가족에 대한 설명으로 알맞은 것은 어느 것입니까? (   )

① 엄마의 고향은 베트남이다.
② 입양으로 한 가족이 되었다.
③ 아이 없이 부부만 살고 있다.
④ 아빠와 아이, 이렇게 둘이 한 가족이다.
⑤ 할머니와 손녀가 서로 의지하면서 살아가고 있다.

7 입양을 하게 되면 가족에게 생길 수 있는 변화로 알맞은 것은 어느 것입니까? (   )

① 가족의 수가 줄어든다.
② 두 가족이 새롭게 한 가족이 된다.
③ 가족의 수가 늘어 확대 가족이 된다.
④ 할아버지, 할머니와도 같이 살게 된다.
⑤ 부모님께는 자녀들이 늘어나고, 아이들에게는 새로운 형제자매가 생길 수 있다.

8 다음에 나타난 가족의 생활 모습 표현 방법으로 알맞은 것은 어느 것입니까? (   )

> 누나: 오늘 날씨가 참 좋다.
> 형: 우리 가족이 이렇게 함께 나오니까 더 좋네.
> 엄마: 우리가 가족이 되어서 행복해.
> 나: 저의 엄마, 아빠가 되어 주셔서 감사해요.
> 아빠: 우리 아들들이 되어 주어 고마워.

① 만화 그리기   ② 퍼즐 만들기
③ 역할극 하기   ④ 노래 만들기
⑤ 그림 그리기

9 다음 그림에 나타난 가족에 대한 설명으로 알맞은 것은 어느 것입니까? (   )

아빠의 고향은 케냐예요. 아빠의 어릴 적 사진을 함께 보아요.

① 아빠가 외국인인 가족이다.
② 부모님 중 한 분만 계신다.
③ 확대 가족으로 구성되어 있다.
④ 새롭게 가족이 된 엄마와 함께 살고 있다.
⑤ 문화가 다른 할머니와 아이들이 살고 있다.

10 다양한 가족의 생활 모습을 표현하는 활동을 통해 느낀 점으로 알맞은 것을 보기 에서 **두 가지** 골라 기호를 쓰시오.

> 보기
> ㉠ 다양한 형태의 가족을 존중해야 한다.
> ㉡ 가족의 형태는 달라도 모든 가족은 소중하다.
> ㉢ 가족들의 구성과 살아가는 모습은 모두 같다.
> ㉣ 우리 가족과 다른 형태의 가족을 이해하지 않아도 된다.

중요

11 다음 빈칸에 공통으로 들어갈 말은 어느 것입니까? (   )

> 우리 가족은 (   )입니다. 추운 겨울에 손을 따뜻하게 해 주는 (   )처럼 가족은 항상 내 마음을 따뜻하게 해 줍니다.

① 양말   ② 장갑
③ 모자   ④ 목도리
⑤ 귀마개

12 다음 내용에서 가족을 충전기로 표현한 이유를 쓰시오.

우리 가족은 충전기입니다. 학교에 다녀온 뒤 지쳤을 때 우리 집 강아지가 꼬리를 흔들며 반겨 주면 힘이 나는 것처럼 말입니다.

13 공익 광고의 목적으로 알맞은 것을 두 가지 고르시오. (,)

① 제품을 알리기 위해서이다.
② 회사의 이익을 위해서이다.
③ 물건을 판매하기 위해서이다.
④ 사회 공동의 이익을 위해서이다.
⑤ 사람들에게 우리 사회의 중요한 가치를 알리기 위해서이다.

14 다양한 가족을 존중하는 내용을 담은 공익 광고를 만드는 방법으로 알맞지 <u>않은</u> 것을 보기에서 골라 기호를 쓰시오.

보기
㉠ 어떤 내용으로 구성할지 생각해 본다.
㉡ 주제 전달을 위해 어떤 장면을 보여 줄지 생각한다.
㉢ 마지막에 함께 외칠 수 있는 간단한 구호를 넣는다.
㉣ 꼭 들어가야 할 중요한 단어는 생각하지 않아도 된다.

_____

중요

15 다양한 가족의 모습을 살펴보고 공익 광고로 표현해 본 뒤 우리가 가져야 할 태도로 알맞은 것은 어느 것입니까? ( )

① 다양한 형태의 가족을 존중해야 한다.
② 가족 구성원이 우리와 다른 집은 무시해도 된다.
③ 다른 가족의 생활 모습을 따라 해 보려고 노력한다.
④ 우리 가족과 다른 형태의 가족을 이해하지 않아도 된다.
⑤ 가족의 모습은 다양하기 때문에 우리 가족이 최고라고 생각한다.

워드 클라우드와 함께하는 **서술형 문제**

[16-17] 워드 클라우드의 단어를 이용하여 서술형 문제의 답을 쓰시오.

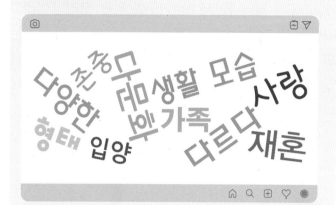

16 다음 그림 속 사람들이 어떻게 가족이 되었는지 서술하시오.

저에게 엄마, 아빠가 생긴 지 1년이 되는 날이어서 가족사진을 찍으러 가요.

_____
_____

17 다양한 형태의 가족을 대하는 바람직한 태도를 서술하시오.

_____

때로는 혼자, 때로는 함께

1인 가구가 늘어나면서 1인 가구를 위한 '코리빙'이라고 불리는 공동체 주택이 곳곳에 생기고 있습니다. '코리빙'은 '함께'를 뜻하는 Cooperative와 '산다'를 뜻하는 Living이 합쳐진 말로, 침실·화장실·주방 등 각자의 독립적인 공간이 있고, 일을 하거나 여가 생활을 즐길 수 있는 공동으로 사용하는 공간이 따로 있는 형태입니다. 혼자만의 시간을 원할 때는 자신의 방에 머무르고, 다른 사람들과 소통하고 싶을 때는 방 밖으로만 나오면 된답니다.

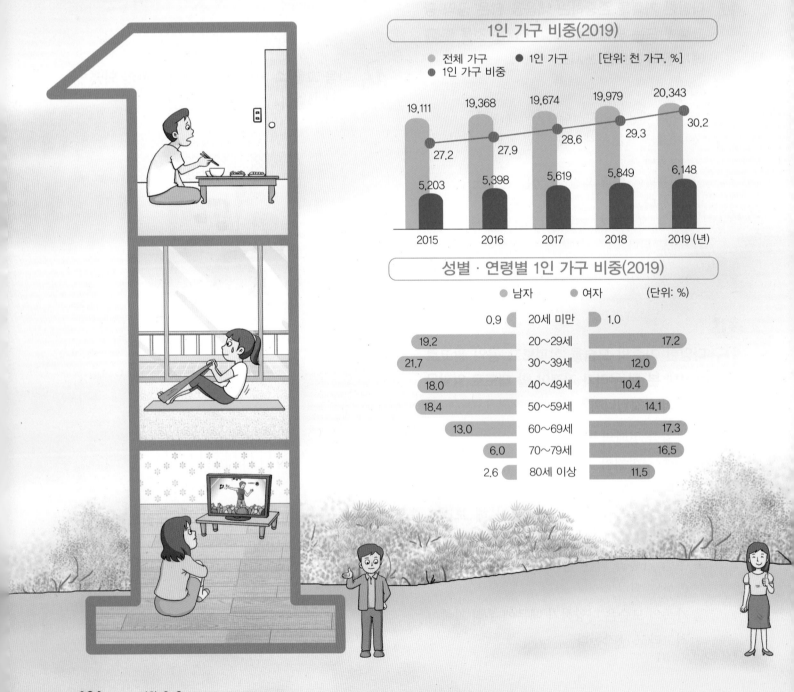

1인 가구 비중(2019)

● 전체 가구 ● 1인 가구 [단위: 천 가구, %]
● 1인 가구 비중

	2015	2016	2017	2018	2019 (년)
전체 가구	19,111	19,368	19,674	19,979	20,343
1인 가구	5,203	5,398	5,619	5,849	6,148
1인 가구 비중	27.2	27.9	28.6	29.3	30.2

성별·연령별 1인 가구 비중(2019)

● 남자 ● 여자 (단위: %)

남자	연령	여자
0.9	20세 미만	1.0
19.2	20~29세	17.2
21.7	30~39세	12.0
18.0	40~49세	10.4
18.4	50~59세	14.1
13.0	60~69세	17.3
6.0	70~79세	16.5
2.6	80세 이상	11.5

정리 콕콕 이 단원에서 배운 내용을 글과 그림으로 정리해 봅시다.

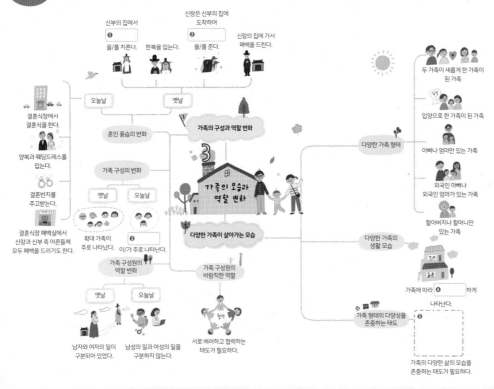

정답

❶ 혼례

❷ 나무 기러기

❸ 핵가족

❹ 다양

❺ 예

창의 팡팡 옛날과 오늘날의 가족이 생활하는 모습을 비교해 봅시다.

❶ 옛날과 오늘날 가족의 생활 모습에 어떤 변화가 있었는지 씁니다.

옛날 가족

예 • 확대 가족이 많았다.
• 온 가족이 농사짓는 경우가 많았다.
• 남자와 여자의 일에 구분이 있었다.

↓

오늘날 가족

예 • 핵가족이 많다.
• 가족이 다양한 직업을 가지고 일한다.
• 남성의 일과 여성의 일을 구분하지 않는다.

❷ 타임머신을 타고 옛날로 간다면 가족 구성원들이 하루를 어떻게 보내고 있을지 상상해 쓰고, 오늘날 우리 가족의 하루와 비교합니다.

시간	옛날 가족의 하루	오늘날 가족의 하루
아침 8시	일찍 일어나서 다 함께 농사일을 하러 나갔다. 한창 일하는 중이다.	나는 학교 갈 준비를 하고, 부모님께서는 회사 갈 준비를 하신다.
오후 1시	예 다 같이 모여 일을 잠깐 쉬면서 점심을 먹는다.	예 나는 학교에서 급식을 먹고, 부모님은 회사에서 식사를 하신다.
오후 8시	예 가족 모두 정리하고 잠잘 준비를 한다.	예 나는 숙제를 하고 아빠는 축구 경기를 보시며 엄마는 책을 읽으신다.

세상 속으로 미래 가족 구성원의 역할 그리기

1단계

미래 과학 기술
찾아보기

예 • 건강 관리를 해 주는 로봇이 가족이 아프거나 다치지 않도록 도와줍니다.
• 심심하고 외로울 때 친구가 되어 주는 로봇이 있어 부모님이 일하러 나가셨을 때도 아이가 로봇과 함께 재미있게 놀 수 있고, 가족이 다 같이 로봇과 함께 신나는 놀이를 할 수 있어요.
• 홀로그램 기술이 생겨 다른 곳에 있는 가족도 만날 수 있습니다.
• 가전제품과 전기 장치를 자동으로 조절해 주는 기술이 생겨 집에 있을 때나 집을 비울 때도 안심할 수 있습니다.

2단계

미래 과학 기술의
영향을 상상하기

미래 가족은 어떻게 구성되어 있을까요?
예 오늘날 가족과 크게 다르지 않을 것 같습니다. 또한 로봇이나 반려동물과 함께 혼자 사는 사람들이 많아질 것 같고, 로봇도 가족 구성원이 될 수 있을 것 같습니다.

찾아본 미래 과학 기술이 가족 구성원의 역할에 어떤 영향을 미칠까요?
예 로봇이 가족의 건강 상태를 항상 확인해 주어 안전하게 지낼 수 있고, 가족이 떨어져 지내도 홀로그램 영상으로 만날 수 있을 것입니다.

3단계

미래의 가족 그림을
그리고 발표하기

예 건강 관리 로봇이 운동을 해야 할 때나 몸에 좋은 음식을 알려 주어 가족 구성원이 서로 챙기고 돌보는 일이 줄어들 거예요.

예 멀리 떨어져 사는 가족이 있어도 홀로그램 기술을 활용해서 같은 곳에 있는 것처럼 만나고 대화할 수 있을 거예요.

1 남자와 여자가 부부가 되어 가정을 이루는 것을 (혼인 / 가족)이라고 합니다.

2 옛날에는 혼인할 때 신랑이 신부의 집에 가서 (촛대 / 나무 기러기)를 바치면 혼례가 시작됩니다.

3 왼쪽과 같이 부모가 결혼하지 않은 자녀와 함께 사는 가족을 무엇이라고 합니까?

(   )

엄마   아빠
아이   아이

4 옛날에는 남성과 여성의 일을 구분하지 않고 가족 구성원이 집안일을 나누어서 했습니다.

(○ , ×)

5 가족 구성원 사이에 나타나는 갈등을 해결하고 행복한 가족을 이루려면 서로 (무시 / 이해) 하고 존중하는 자세가 필요합니다.

6 가족 형태는 달라도 모든 가족은 저마다의 모습으로 함께 살아가고 있습니다. (○ , ×)

7 가족들의 구성과 살아가는 모습은 서로 비슷합니다. (○ , ×)

8 가족마다 형태와 구성이 (같기 / 다르기) 때문에 가족의 생활 모습이 다양합니다.

9 다른 가족을 대할 때 각 가족의 차이를 알고 이해하면서 다양한 형태의 가족을 (   )하는 태도가 필요합니다.

10 사람들에게 우리 사회의 중요한 가치를 알리고, 사회 공동의 이익을 위해 만드는 광고를 (   ) 광고라고 합니다.

1 오늘날의 결혼식 모습으로 알맞지 <u>않은</u> 것은 어느 것입니까? ( )

① 신랑의 집에서 폐백을 드린다.
② 결혼식장에서 결혼식을 올린다.
③ 결혼식 대신 여행을 가기도 한다.
④ 공연 형식으로 결혼식을 하기도 한다.
⑤ 가족만 모여 진행하는 작은 결혼식을 하기도 한다.

[2-3] 다음 그림을 보고, 물음에 답하시오.

㉠

▲ 폐백드리기

㉡

▲ 혼례 치르기

㉢

▲ 신랑의 집으로 이동하기

2 옛날 혼인 모습을 순서대로 기호를 쓰시오.

_____

3 위 ㉢에서 신부가 타고 가는 것이 무엇인지 쓰시오.

_____

4 옛날의 혼인 풍습과 관련 있는 것은 어느 것입니까? ( )

① 주례   ② 결혼식장
③ 결혼반지   ④ 웨딩드레스
⑤ 나무 기러기

5 옛날과 오늘날 결혼식에 대한 설명으로 알맞은 것을 보기 에서 두 가지 골라 기호를 쓰시오.

보기
㉠ 오늘날에도 폐백을 드린다.
㉡ 옛날에는 양복을 입고 혼례를 치렀다.
㉢ 오늘날에는 결혼식 후 신혼여행을 간다.
㉣ 옛날에는 신랑의 집에서 혼례를 치렀다.

중요★

6 확대 가족에 해당하는 것을 보기 에서 골라 기호를 쓰시오.

보기
㉠ 아빠, 엄마, 오빠, 나
㉡ 할아버지, 할머니, 나
㉢ 아빠, 엄마, 누나, 형, 나, 동생
㉣ 할아버지, 할머니, 아빠, 엄마, 나

7 옛날에 확대 가족이 많았던 까닭으로 알맞은 것은 어느 것입니까? ( )

① 주로 장사를 많이 했기 때문이다.
② 일자리를 찾아 자녀들이 떠났기 때문이다.
③ 자녀 교육을 위해 도시로 이사했기 때문이다.
④ 개인 생활을 위해 독립하는 경우가 많기 때문이다.
⑤ 주로 농사를 지어 일손이 많이 필요했기 때문이다.

8 다음 내용에서 알맞은 말에 ○표 하시오.

오늘날에는 확대 가족과 핵가족을 모두 찾아볼 수 있지만 (핵가족 / 확대 가족)이 더 많습니다.

9 다음 그림을 보고, 옛날 가족 구성원의 역할에 대해 알맞은 설명을 한 친구의 이름을 쓰시오.

▲ 어머니와 딸이 저녁 식사를 매일 준비하는 모습

▲ 할아버지께서 집안의 중요한 일을 결정하시는 모습

예빈: 가족의 중요한 일은 어머니께서 결정하셨어.

기준: 집안일을 구분하지 않고 가족 모두 함께 했지.

지수: 옛날에는 가족 구성원이 하는 일이 구분되어 있었어.

_____

중요

10 오늘날 가족 구성원의 역할이 달라진 까닭으로 알맞지 <u>않은</u> 것은 어느 것입니까? (   )

① 맞벌이 가정이 늘어났기 때문이다.

② 남녀가 평등하다는 의식이 높아졌기 때문이다.

③ 사회 활동을 하는 여성이 줄어들었기 때문이다.

④ 남녀의 구분 없이 교육 기회가 늘어났기 때문이다.

⑤ 성별과 관계없이 사회의 다양한 분야에서 일하는 사람들이 많아졌기 때문이다.

11 가족 구성원의 바람직한 역할을 쓰시오.

_____

_____

12 빈칸에 들어갈 알맞은 말을 쓰시오.

오늘날에는 집안의 중요한 일은 ☐☐☐☐ (으)로 함께 결정합니다.

_____

_____

13 다음 가족에 대한 설명으로 알맞은 것은 어느 것입니까? (   )

저는 아빠와 둘이 살아요.

① 반려동물을 키우고 있다.

② 아빠가 다른 나라 사람이다.

③ 아빠와 딸로 구성되어 있다.

④ 아빠, 엄마, 딸로 구성되어 있다.

⑤ 할아버지, 할머니, 손녀로 구성되어 있다.

중요

14 오늘날 가족의 형태에 대한 설명으로 알맞은 것은 어느 것입니까? (   )

① 가족의 형태는 모두 같다.

② 가족의 형태는 매우 다양하다.

③ 우리 가족과 다른 형태의 가족은 없다.

④ 우리 가족과 같은 형태의 가족만 있다.

⑤ 우리 가족과 비슷한 형태의 가족만 있다.

15 다음 가족의 모습에 대한 설명으로 알맞지 <u>않은</u> 것은 어느 것입니까? ( )

아빠와 둘이 살던 저, 엄마와 둘이 살던 가영이가 한 가족이 되었어요.

① 가족 구성원이 4명이다.
② 두 가족이 새롭게 한 가족이 되었다.
③ 부모가 재혼하여 이루어진 가족이다.
④ 아빠, 엄마, 딸, 아들로 구성되어 있다.
⑤ 언어가 잘 통하지 않아 어려움을 겪었다.

16 빈칸에 들어갈 알맞은 말을 쓰시오.

김○○ 씨 부부는 공개 □□(으)로 모두 4명의 아이를 두었습니다. 아이들은 모두 가족이 된 나이도, 함께 지낸 시간도 제각각이지만 서로를 돌보는 든든한 남매가 되었습니다.

_____

_____

17 다양한 매체의 가족 모습을 살펴보고 난 뒤 알게 된 점으로 알맞지 <u>않은</u> 것은 어느 것입니까? ( )

① 가족마다 구성이 다양하다.
② 가족에게 생긴 이야기를 알 수 있다.
③ 가족의 생활 모습이 여러 가지로 나타난다.
④ 가족이 구성되는 방법은 어느 가족이나 같다.
⑤ 가족 형태는 달라도 서로 힘이 되는 든든한 가족이라는 점을 알 수 있다.

18 다음 내용에서 가족을 바다로 표현한 이유를 쓰시오.

우리 가족은 바다입니다. 바다를 건너서 만난 우리 엄마, 아빠는 깊이를 알 수 없는 바다만큼 우리를 사랑하십니다.

_____

_____

19 다음은 다양한 가족의 생활 모습을 어떤 방법으로 표현한 것입니까? ( )

아빠산
기쁠 때나 슬플 때나 항상 내 뒤에 있는 든든한 아빠산

나는 크고 푸르른 아빠산 속에서 뛰노는 행복한 토끼

① 시 쓰기
② 일기 쓰기
③ 그림 그리기
④ 역할극 하기
⑤ 만화로 표현하기

중요

20 다양한 가족을 존중하는 내용을 담은 공익 광고를 만들고 난 후 느낀 점으로 알맞지 <u>않은</u> 것은 어느 것입니까? ( )

① 우리 가족의 소중함을 느낄 수 있다.
② 다양한 가족 형태를 더 잘 이해할 수 있다.
③ 가족의 생활 모습이 모두 같다는 것을 알 수 있다.
④ 다양한 가족의 삶의 모습을 다시 생각해 볼 수 있다.
⑤ 일상생활에서 다른 가족에게 가져야 할 태도를 배울 수 있다.

[1-3] 옛날 가족 구성원의 역할을 보고 물음에 답하시오.

1 옛날에 남녀가 했던 일을 구분하여 서술하시오.

_____

_____

2 옛날 가족의 모습 중 오늘날까지 이어졌으면 좋을 만한 것에는 무엇이 있을지 서술하시오.

_____

_____

3 오늘날 가족 구성원의 역할이 달라진 까닭을 서술하시오.

_____

_____

[4-6] 다음 자료를 보고 물음에 답하시오.

동생: 우아! 맛있겠다.
나: 아빠, 꼭 도넛처럼 생겼어요.
아빠: 이건 아빠가 너희만큼 어렸을 때 자주 먹었던 간식 만다지야. 학교에 다녀오면 할머니께서 만들어 주셨지. 맛이 어때?
나: (   )
엄마: 그러면 이번 겨울 방학에 할머니를 뵈러 케냐에 가자.

4 위 자료는 어떤 방법으로 가족의 생활 모습을 표현한 것인지 서술하시오.

_____

_____

5 그림 속 '나'가 되어 아빠에게 하고 싶은 말을 서술하시오.

_____

_____

6 다양한 가족의 생활 모습을 표현하는 활동을 통해 느낀 점을 서술하시오.

_____

_____

3-2 초등 사회 평가 문제집

문제 톡톡

금성 초등 교과서 완전 정복!

학교 시험 완벽 대비!!

핵심만 쪽쪽

① 환경에 따라 다른 삶의 모습

📍 정답과 해설 17쪽

(1) 우리 고장의 환경과 생활 모습

❶ 우리 고장의 환경

(1) 자연환경은 산, 들, 하천, 바다와 같은 땅의 모양과 눈, 비, 기온 등과 같이 날씨에 영향을 주는 것을 말합니다.

(2) (❶　　　　)은/는 사람들이 자연환경을 이용하여 만든 논, 밭, 과수원, 다리, 도로, 건물 등을 말합니다.

❷ 땅의 모양에 따른 고장 사람들의 생활 모습

(❷　　　　)	등산을 함, 케이블카를 설치함.
들	농사를 지음, 도로와 건물을 만들어 이용함.
하천	생활용수와 공업용수로 이용함. 주변에 공원을 만들어 이용함.
바다	바다에서 물고기나 조개를 잡음, 항구를 만들어 이용함.

❸ 계절에 따른 고장 사람들의 생활 모습

(1) 고장의 기온과 강수량은 계절에 따라 다릅니다.

(2) 계절에 따라 다양한 생활 모습이 나타납니다.

여름	시원한 곳을 찾아감.
겨울	눈이 내리면 눈싸움을 함.

❹ 고장의 환경에 따른 생활 모습

바다가 있는 고장	물고기를 잡거나 김, 미역 등을 기르고 이를 파는 일을 함.
산이 많은 고장	목장에서 소나 양을 키우거나 산비탈에 논밭을 만들어 농사를 지음.
넓은 들이 있는 고장	농사를 짓거나 과일을 재배하고, 도시가 발달한 고장에서는 회사나 공장 등에서 일을 함.

❺ 고장의 환경을 이용하는 다양한 여가 생활 모습

(1) (❸　　　　): 스스로 즐거움을 얻고자 남는 시간에 하는 자유로운 활동입니다.

(2) 자연환경을 이용한 여가 생활과 인문환경을 이용한 여가 생활이 있습니다.

(2) 환경에 따른 의식주 생활 모습

❶ 우리가 살아가는 데 꼭 필요한 것

(1) (❹　　　　)은/는 사람들이 살아가는 데 필요한 옷, 음식, 집을 한꺼번에 가리키는 말입니다.

(2) 옷, 음식, 집과 관련된 생활을 각각 의생활, 식생활, 주생활이라고 합니다.

❷ 우리 고장과 다른 고장의 의생활 모습

(1) 계절과 날씨에 따라 고장의 의생활 모습은 다양합니다.

(2) 세계 여러 고장의 의생활 모습

일 년 내내 덥고 비가 많이 내리는 고장	소매가 짧고 바람이 잘 통하는 가벼운 옷을 입음.
뜨겁고 비가 적게 내리는 고장	긴 옷을 입고 머리와 얼굴을 천으로 감쌈.
낮과 밤의 기온 차가 큰 고장	망토를 걸치고 모자를 씀.
겨울이 길고 추운 고장	(❺　　　　)의 털이나 가죽으로 만든 두꺼운 옷을 입음.

❸ 우리 고장과 다른 고장의 식생활 모습

(1) 자연환경에 따라 고장의 식생활 모습은 다양합니다.

(2) 세계 여러 고장의 식생활 모습

덥고 비가 많이 내리는 고장	기름에 튀기거나 볶아서 만든 요리가 발달함.
겨울이 길고 추운 고장	채소와 과일을 구하기 어려워서 고기를 주로 먹음.

❹ 우리 고장과 다른 고장의 주생활 모습

(1) 자연환경에 따라 고장의 주생활 모습은 다양합니다.

(2) 세계 여러 고장의 주생활 모습

덥고 비가 많이 내리는 고장	창을 크게 만들고, 집 아래에 기둥을 높이 세움.
뜨겁고 비가 거의 내리지 않는 고장	주변에서 흔히 구할 수 있는 흙을 이용하여 집을 지음.
겨울이 길고 추운 고장	주변에서 쉽게 구할 수 있는 통나무로 집을 짓고, 창을 작게 냄.

🧩 가로 문제와 세로 문제를 읽고, 퍼즐을 풀어 보세요.

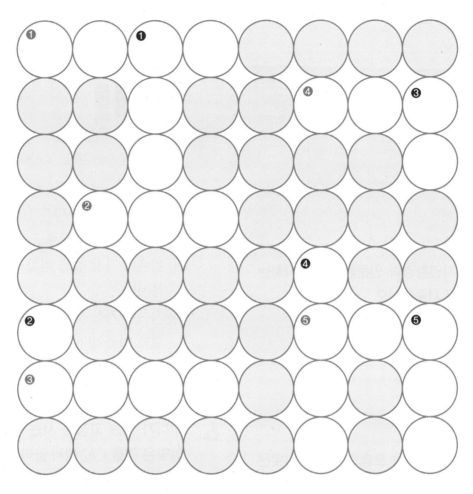

가로 문제

❶ 스스로 즐거움을 얻고자 남는 시간에 하는 자유로운 활동입니다.

❷ 일정한 곳에 일정 기간 내린 비, 눈 등 물의 양을 말합니다.

❸ 산, 들, 바다와 같은 땅의 모양이나 눈, 비, 기온과 같이 날씨에 영향을 주는 것입니다.

❹ 여름에는 날씨가 매우 더워서 □□□와/과 에어컨을 많이 사용합니다.

❺ 사람들이 살아가는 데 필요한 옷, 음식, 집을 한꺼번에 가리키는 말입니다.

세로 문제

❶ 일상생활에 쓰이는 물을 말합니다.

❷ 정선은 산이 많고 서늘하여 여름에도 □□을/를 재배하기에 좋아 이것을 이용한 음식이 많습니다.

❸ 고장의 □□와/과 강수량은 계절에 따라 다릅니다. 또한 같은 계절이라도 고장에 따라 □□와/과 강수량에 차이가 있습니다.

❹ 우리는 고장에서 산과 들, 하천, 바다와 같은 다양한 □□ □□을/를 볼 수 있습니다.

❺ 사는 집이나 사는 곳에 관한 생활을 말합니다.

종요

1 다음 보기의 내용을 자연환경과 인문환경으로 구분하여 기호를 쓰시오.

> **보기**
> ㉠ 산　　㉡ 비　　㉢ 항구
> ㉣ 바람　㉤ 스키장　㉥ 아파트

(1) 자연환경: _____

(2) 인문환경: _____

서술형

2 우리 고장의 자연환경과 인문환경을 조사하는 방법을 두 가지 서술하시오.

_____

_____

3 사람들이 들을 이용하는 모습으로 가장 알맞은 것은 어느 것입니까? (　　)

① 농사를 짓는다.
② 물고기나 조개를 잡는다.
③ 항구를 만들어 이용한다.
④ 주변에 공원을 만들어 이용한다.
⑤ 전망대나 케이블카를 설치하여 이용한다.

4 다음과 같이 사람들이 바다를 이용하는 모습으로 알맞은 것은 어느 것입니까? (　　)

① 밭
② 논
③ 공원
④ 항구
⑤ 전망대

종요

5 다음 그래프에 대한 설명으로 알맞은 것은 어느 것입니까? (　　)

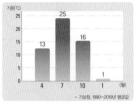
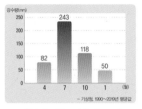

▲ 강릉시 평균 기온 그래프　▲ 강릉시 평균 강수량 그래프

① 가을에는 비가 내리지 않는다.
② 1월의 평균 강수량은 118mm이다.
③ 평균 기온이 두 번째로 높은 달은 4월이다.
④ 기온이 가장 높고 비가 많이 내리는 계절은 봄이다.
⑤ 기온이 가장 낮고 추위에 대비해야 하는 계절은 겨울이다.

6 바다가 있는 고장에 사는 사람들이 하는 일로 알맞은 것을 보기에서 골라 기호를 쓰시오.

> **보기**
> ㉠ 과수원에서 과일을 재배한다.
> ㉡ 배나 도구를 이용하여 물고기를 잡는다.
> ㉢ 눈이 많이 내리는 곳에서는 스키장을 운영한다.

_____

7 산이 많은 고장에 사는 사람들이 하는 일로 알맞지 않은 것은 어느 것입니까? (　　)

① 지하자원을 캔다.
② 목장에서 소나 양을 키운다.
③ 버섯을 재배하거나 약초를 캔다.
④ 돈이 필요한 사람에게 돈을 빌려준다.
⑤ 산비탈에 논과 밭을 만들어 농사를 짓는다.

8 다음 내용에서 알맞은 말에 ○표를 하시오.

(들 / 도시)에 사는 사람들은 회사나 공장에서 일하거나 물건과 음식을 파는 등 다양한 일을 합니다.

서술형

9 고장의 인문환경을 이용한 여가 생활을 <u>두 가지</u> 서술하시오.

_____

_____

중요

10 고장의 자연환경을 이용한 여가 생활로 알맞은 것을 <u>두 가지</u> 고르시오. (　,　)

① 연날리기
② 숲속 캠핑하기
③ 박물관 관람하기
④ 공원에서 자전거 타기
⑤ 수영장에서 물놀이하기

11 빈칸에 들어갈 알맞은 말을 각각 쓰시오.

사람들이 안전하고 편안하게 살아가는 데 필요한 것은 많습니다. 그중에서 몸을 보호할 수 있는 　㉠　, 영양분을 얻기 위한 　㉡　, 쉬거나 잠을 잘 수 있는 　㉢　은/는 꼭 필요합니다.

㉠: _____

㉡: _____

㉢: _____

12 다음 중 식생활에 해당하는 것으로 알맞은 것은 어느 것입니까? (　　)

① 온돌
② 우유
③ 모자
④ 반바지
⑤ 이글루

13 계절별 의생활 모습에 대한 설명으로 알맞은 것을 보기에서 <u>두 가지</u> 골라 기호를 쓰시오.

보기

㉠ 여름에는 추위를 막기 위해 목에 목도리를 두른다.
㉡ 겨울에는 몸을 따뜻하게 하려고 두껍고 긴 옷을 입는다.
㉢ 겨울에는 뜨거운 햇볕을 막기 위해 모자나 양산을 쓴다.
㉣ 여름에는 가볍고 시원한 옷감으로 만든 반소매 옷을 입는다.

_____

14 다음과 같은 의생활 모습과 관련 있는 고장의 자연환경을 보기에서 골라 기호를 쓰시오.

동물의 털이나 가죽으로 만든 두꺼운 옷을 입어요.

보기

㉠ 겨울이 길고 춥다.
㉡ 뜨겁고 비가 적게 내린다.
㉢ 낮과 밤의 기온 차가 크다.

중요

15 다음 빈칸에 들어갈 말로 가장 알맞은 것은 어느 것입니까? (　　　)

> 인삼이 잘 자라려면 적당한 햇볕과 흙의 영양분, 흙의 물 빠짐이 중요합니다. 이러한 금산의 □□은/는 인삼을 재배하기에 좋습니다.

① 식생활　　　② 주생활
③ 인문환경　　④ 자연환경
⑤ 여가 생활

16 서로 관련 있는 내용끼리 바르게 선으로 연결하시오.

(1) 통영　•

▲ 비빔밥

(2) 전주　•

▲ 감자전

(3) 정선　•

▲ 굴밥

•㉠

•㉡

•㉢

서술형

17 다음과 같이 겨울이 길고 추운 고장에서 발달한 식생활 모습을 서술하시오.

18 빈칸에 들어갈 알맞은 말을 쓰시오.

제주도 전통 가옥은 거세게 부는 □□의 피해를 막기 위해 지붕을 새끼줄로 고정하고, 주변에 돌담을 쌓은 집입니다.

19 오늘날 도시에서 볼 수 있는 집 모양으로 알맞은 것을 보기에서 두 가지 골라 기호를 쓰시오.

> **보기**
> ㉠ 너와집　　㉡ 아파트
> ㉢ 우데기　　㉣ 연립 주택

20 다음과 같은 주생활 모습이 나타나는 고장의 특징으로 알맞은 것은 어느 것입니까? (　　　)

> 창을 크게 만들고, 집 아래에 기둥을 높이 세워서 땅의 뜨거운 열기와 벌레를 막습니다.

① 겨울이 길고 춥다.
② 거센 바람이 많이 분다.
③ 낮과 밤의 기온 차가 크다.
④ 일 년 내내 덥고 비가 많이 내린다.
⑤ 비가 거의 내리지 않아 나무가 잘 자라지 않는다.

1 다음 ㉠, ㉡에 들어갈 말을 알맞게 짝지은 것은 어느 것입니까? ( )

> ┌㉠┐와/과 같은 땅의 모양이나 ┌㉡┐와/과 같이 날씨에 영향을 주는 것을 자연환경이라고 합니다.

	㉠	㉡		㉠	㉡
①	하천	들	②	바다	비
③	들	바다	④	바람	산
⑤	눈	바람			

중요

2 빈칸에 들어갈 알맞은 말을 쓰시오.

> 사람들이 자연환경을 이용하여 만든 밭, 도로, 건물 등을 □□□□(이)라고 합니다.

3 사람들이 다음과 같이 이용하는 땅의 모양으로 알맞은 것은 어느 것입니까? ( )

> • 등산을 합니다.
> • 전망대나 케이블카를 설치하여 이용합니다.

① 산 ② 섬 ③ 들
④ 하천 ⑤ 바다

서술형

4 고장 사람들이 하천을 이용하는 모습을 서술하시오.

5 다음과 같은 생활 모습을 볼 수 있는 계절은 언제인지 쓰시오.

> 시원한 곳을 찾아가거나 선풍기와 에어컨을 많이 사용합니다.

중요

6 다음 그래프에 대해 알맞은 설명을 한 학생은 누구입니까? ( )

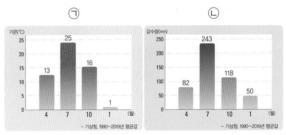

▲ 강릉시 평균 기온 그래프 ▲ 강릉시 평균 강수량 그래프

① 세아: ㉠의 세로는 월을 나타내.
② 민수: ㉡의 세로는 강수량을 나타내.
③ 솜이: 4월은 평균 기온이 두 번째로 높아.
④ 종희: 비나 눈이 가장 많이 내리는 계절은 겨울이야.
⑤ 효린: ㉠에서 막대의 길이가 길수록 기온이 높고 날씨가 춥다는 뜻이야.

7 다음과 같은 일을 주로 하는 고장으로 알맞은 것은 어느 것입니까? ( )

> • 농업 기술을 연구합니다.
> • 과수원에서 과일을 재배합니다.

① 산이 많은 고장 ② 섬이 있는 고장
③ 공장이 많은 고장 ④ 바다가 있는 고장
⑤ 넓은 들이 있는 고장

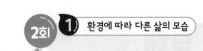

중요

8 산이 많은 고장에 사는 사람들이 하는 일로 알맞지 <u>않은</u> 것을 골라 기호를 쓰시오.

> ㉠ 산비탈에 논과 밭을 만들고 ㉡ 수산물을 팔기도 합니다. ㉢ 눈이 많이 내리는 곳에서는 스키장을 만들어 운영하기도 합니다. ㉣ 산나물과 약초를 캐기도 합니다.

_____

서술형

9 다음 고장에 사는 사람들이 주로 하는 일을 두 가지 서술하시오.

> 들이 펼쳐진 곳에는 많은 사람들이 모여 사는 도시가 발달하기도 합니다. 도시에는 높은 건물이 많고 교통 시설이 발달했습니다.

_____

10 여가 생활로 볼 수 <u>없는</u> 것은 어느 것입니까?
( )

① 연날리기 ② 공원 산책하기
③ 숲속 캠핑하기 ④ 박물관 관람하기
⑤ 학교에서 공부하기

11 서로 관련 있는 내용끼리 바르게 선으로 연결하시오.

(1) 래프팅 •
(2) 영화 관람 •
(3) 갯벌 체험 •

• ㉠ 자연환경
• ㉡ 인문환경

12 다음 보기의 내용이 의식주 중 어느 것에 해당하는지 구분하여 기호를 쓰시오.

> 보기
> ㉠ 양말 ㉡ 치킨 ㉢ 모자
> ㉣ 김치 ㉤ 침낭 ㉥ 단독 주택

(1) 의: _____

(2) 식: _____

(3) 주: _____

13 다음 내용이 의생활, 식생활, 주생활 중 어느 것에 해당하는지 쓰시오.

중앙아시아 몽골 일대에서는 초원 어느 곳에서나 설치와 조립이 간단한 게르를 이용합니다.

_____

14 다음 내용에서 제주도 사람들의 옷차림으로 가장 알맞은 것은 어느 것입니까? ( )

> 서울특별시에 살고 있는 영철이는 2월에 날씨가 매우 추워서 두꺼운 점퍼를 입고 제주도 여행을 떠났습니다. 그런데 제주도에 도착하니 날씨가 서울특별시보다 포근했습니다.

① 망토와 모자
② 긴소매 옷과 얇은 외투
③ 긴 천으로 머리와 얼굴을 감싼 옷
④ 소매가 짧고 바람이 잘 통하는 가벼운 옷
⑤ 동물의 털이나 가죽으로 만든 두꺼운 점퍼

15 다음 밑줄 친 부분에 들어갈 내용으로 알맞은 것은 어느 것입니까? (　　　)

낮과 밤의 기온 차가 큰 고장에서는 낮의 뜨거운 햇볕을 막고 밤의 추위를 견딜 수 있도록 _____

① 얇은 점퍼를 입는다.
② 망토를 걸치고 모자를 쓴다.
③ 반소매 옷과 반바지를 입는다.
④ 동물의 털로 만든 두꺼운 옷을 입는다.
⑤ 소매가 짧고 바람이 잘 통하는 옷을 입는다.

16 각 고장의 환경에 어울리는 식생활 모습으로 알맞은 것을 보기에서 골라 기호를 쓰시오.

보기
㉠ 겨울이 길고 추운 고장 – 채소를 이용한 음식
㉡ 넓은 들과 산이 있는 고장 – 물고기나 굴을 이용한 음식
㉢ 덥고 비가 많이 내리는 고장 – 열대 과일을 이용한 음식

_____

17 바다가 있는 고장의 상차림과 어울리는 것을 보기에서 모두 골라 기호를 쓰시오.

보기
㉠ 대게찜　　㉡ 해물탕　　㉢ 한우구이
㉣ 생선구이　㉤ 버섯볶음　㉥ 산나물무침

_____

중요

18 다음 ㉠~㉢에 들어갈 말을 알맞게 짝지은 것은 어느 것입니까? (　　　)

• 거센 바람이 부는 고장은 지붕을 새끼줄로 고정하고, 집 주변에 ㉠ 을/를 쌓았습니다.
• 나무를 쉽게 구할 수 있는 고장은 지붕을 ㉡ (으)로 얹은 집을 짓습니다.
• 뜨겁고 비가 거의 내리지 않는 고장은 주변에서 흔히 구할 수 있는 ㉢ (으)로 집을 짓습니다.

	㉠	㉡	㉢
①	돌담	나뭇잎	흙
②	나뭇잎	얼음	돌
③	얼음	나뭇잎	돌담
④	울타리	나뭇조각	돌
⑤	돌담	나뭇조각	흙

19 빈칸에 들어갈 알맞은 말을 쓰시오.

여러 고장의 주생활 모습이 다양하게 나타나는 까닭은 고장 사람들이 □□□□을/를 이용하거나 극복하는 모습이 다르기 때문입니다.

_____

서술형

20 다음과 같이 겨울이 길고 추운 고장의 주생활 모습의 특징을 두 가지 서술하시오.

_____

1 다음 사진을 보고 두 환경의 차이점을 서술하시오.

(가) 산   (나) 배추밭

평가
실마리
- **관련 내용** 교과서 12~13쪽, 개념 톡톡 12쪽
- **출제 의도** 고장의 환경 구분하기
- **선생님의 한마디**
  "고장의 환경은 자연 그대로의 것과 사람들이 만든 것으로 나뉘어."

2 다음 사진과 관련 있는 계절의 날씨 특징과 사람들의 생활 모습을 서술하시오.

평가
실마리
- **관련 내용** 교과서 19쪽, 개념 톡톡 16쪽
- **출제 의도** 계절에 따른 고장 사람들의 생활 모습
- **선생님의 한마디**
  "사진 속 눈을 보면서 날씨의 특징과 생활 모습을 생각해 봐!"

3 다음 그래프를 보고 강릉시의 여름과 겨울 날씨를 비교하여 서술하시오.

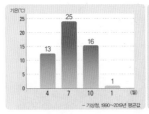 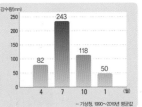

▲ 강릉시 평균 기온 그래프   ▲ 강릉시 평균 강수량 그래프

평가
실마리
- **관련 내용** 교과서 18~19쪽, 개념 톡톡 16쪽
- **출제 의도** 평균 기온과 강수량 그래프 해석하기
- **선생님의 한마디**
  "여름과 겨울의 기온과 강수량의 차이점을 잘 살펴봐!"

4 다음과 같은 고장에 사는 사람들이 계단식 논을 만드는 까닭을 서술하시오.

평가
실마리
- **관련 내용** 교과서 22~23쪽, 개념 톡톡 18쪽
- **출제 의도** 산이 많은 고장의 환경과 생활 모습
- **선생님의 한마디**
  "산이 많은 고장의 자연환경을 떠올려 봐!"

5 다음 대화를 읽고, 물음에 답하시오.

> 혜진: 애들아 주말 동안 어떻게 지냈어?
> 우석: 응, 나는 ㉠ 수영장에 가서 수영을 했어.
> 성희: 너도? 나도 ㉡ 계곡에 가서 물놀이를 했어.
> 민지: 나는 주말에 ㉢ 산에 가서 캠핑을 했어.

(1) 위 대화에서 자연환경을 이용한 여가 생활을 찾아 기호를 쓰시오.

_____

(2) 위 내용 외에 인문환경을 이용한 여가 생활에는 무엇이 있는지 서술하시오.

_____

> **평가 실마리**
> • **관련 내용** 교과서 26~27쪽, 개념 톡톡 20쪽
> • **출제 의도** 사람들의 여가 생활 모습
> • **선생님의 한마디**
> "여가 생활을 즐긴 환경이 자연환경인지 인문환경인지 구분해 보자!"

6 다음 (가), (나) 고장에 사는 사람들의 의생활 모습을 비교하여 서술하시오.

(가)	(나)

▲ 일 년 내내 덥고 비가 많이 내리는 고장	▲ 뜨겁고 비가 적게 내리는 고장

_____

> **평가 실마리**
> • **관련 내용** 교과서 36~37쪽, 개념 톡톡 32쪽
> • **출제 의도** 세계 여러 고장의 의생활 모습 비교
> • **선생님의 한마디**
> "고장마다 자연환경이 달라서 의생활 모습도 다르게 나타나."

7 다음과 같은 음식이 발달한 고장의 날씨와 식생활의 특징을 각각 서술하시오.

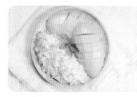	
▲ 찐 쌀에 망고를 곁들여 먹는 음식	▲ 파인애플을 반으로 갈라 볶음밥을 담아내는 음식

_____

> **평가 실마리**
> • **관련 내용** 교과서 41쪽, 개념 톡톡 34쪽
> • **출제 의도** 세계 여러 고장의 식생활 모습
> • **선생님의 한마디**
> "열대 과일이 풍부한 고장의 날씨와 식생활 특징을 떠올려 봐!"

8 다음 두 고장의 집을 보고 공통점과 차이점을 서술하시오.

(가)	(나)

_____

> **평가 실마리**
> • **관련 내용** 교과서 42~43쪽, 개념 톡톡 36쪽
> • **출제 의도** 자연환경의 영향을 받은 주생활
> • **선생님의 한마디**
> "두 집을 지은 재료를 살펴보면 공통점과 차이점을 찾을 수 있어."

(1) 옛날과 오늘날의 생활 모습

❶ 먼 옛날 도구를 만들 때 사용한 재료의 변화

(1) 먼 옛날 사람들은 나무, 뼈, 돌 등 자연에서 얻은 재료를 사용했습니다.

(2) 사람들은 이후 (❶　　　)(청동 → 철)으로 도구를 만들었습니다.

❷ 농사 도구의 변화와 생활 모습

농사 도구의 변화	• 돌보습 → 쇠 쟁기 → 트랙터 • 반달 돌칼 → 쇠 낫 → 콤바인
생활 모습 변화	옛날에는 여러 사람이 함께 농사를 지었지만, 오늘날에는 농기계를 사용해 적은 사람으로도 많은 농사일을 할 수 있음.

❸ 음식 만드는 도구의 변화와 생활 모습

음식 만드는 도구의 변화	• 갈판과 갈돌 → 맷돌 → 믹서 • 토기 → (❷　　　) → 전기밥솥
생활 모습 변화	옛날에는 사람의 힘을 이용했지만, 오늘날에는 전기를 이용한 도구를 사용함.

❹ 옷 만드는 도구의 변화와 생활 모습

옷 만드는 도구의 변화	• 가락바퀴 → 베틀 → 방직기 • 뼈바늘 → 쇠바늘 → 재봉틀
생활 모습 변화	• 옛날에는 직접 옷을 만들어 입었지만, 오늘날에는 (❸　　　)에서 만듦. • 옛날에는 주로 몸을 보호하기 위해 옷을 입었지만, 오늘날에는 개성에 따라 옷을 골라 입는 경우가 많음.

❺ 집의 변화와 생활 모습

움집	• 재료: 자연에서 구할 수 있는 나무와 풀 • 방, 부엌, 창고가 한 공간 안에 모여 있음.
초가집과 기와집	• 재료: 나무, 흙, 돌, 짚, 기와 • 초가집과 기와집은 방, 부엌, 마루, 화장실 등의 공간이 나누어 있고, 기와집에는 안채와 사랑채가 있었음.
아파트	• 재료: 콘크리트, 철근, 벽돌 등 • 가족 공동 공간과 개인 공간이 나누어 있음.

(2) 옛날과 오늘날의 세시 풍속

❶ 세시 풍속

(1) (❹　　　)은/는 해마다 일정한 시기에 반복되는 풍속을 말합니다.

(2) 세시 풍속에는 가족의 건강과 행복을 바라는 마음, 풍년을 바라는 마음 등이 담겨 있습니다.

❷ 옛날의 세시 풍속

설날	• 음력 새해 첫날 • 떡국을 먹고 웃어른께 (❺　　　)을/를 드리며, 널뛰기, 연날리기 등을 함.
정월 대보름	• 음력으로 새해 첫 보름달이 뜨는 날 • 오곡밥을 먹고 부럼을 깨묾. • 달집을 태우며 농사가 잘되기를 소망함.
한식	• 찬 음식을 먹음. • 조상께 한 해 농사가 잘되기를 기원함.
단오	그네뛰기, 씨름, 창포물에 머리 감기 등을 함.
백중	• 논밭에 잡초를 없앤 후 즐기는 날 • 마을 사람들이 함께 잔치를 벌임.
추석	송편을 먹고, 햇곡식으로 음식을 해서 이웃과 나누어 먹고 조상께 바침.
동지	• 일 년 중 밤이 가장 긴 날 • 나쁜 기운을 물리치기 위해 팥죽을 먹음.

❸ 오늘날의 세시 풍속

(1) 오늘날 세시 풍속을 지내는 모습

① 명절 때 영상 통화로 안부를 전합니다.

② 멀리 떨어진 가족과 친척이 고향에 모입니다.

③ 명절 연휴를 활용해 가족 여행을 가기도 합니다.

(2) 옛날과 오늘날의 세시 풍속 비교

공통점	가족의 건강과 행복을 바라는 마음은 옛날과 오늘날이 똑같음.
차이점	• 옛날에는 (❻　　　)와/과 관련된 세시 풍속이 많았지만, 오늘날에는 이와 관련된 세시 풍속이 많이 사라졌음. • 옛날에는 마을 사람이 함께 즐겼지만, 오늘날에는 가족 중심으로 즐김. • 옛날에는 특별한 날에 즐겼던 음식과 놀이를 오늘날에는 평소에도 즐김.

🧩 가로 문제와 세로 문제를 읽고, 퍼즐을 풀어 보세요.

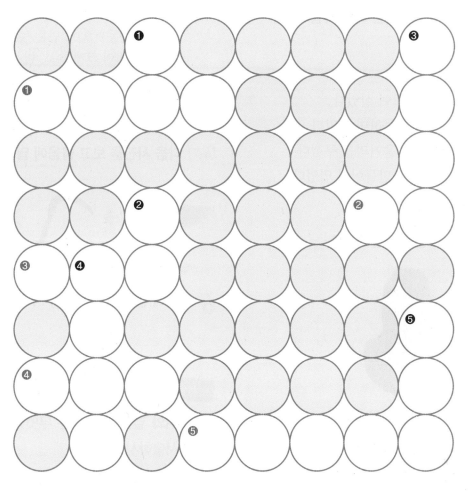

가로 문제

❶ 먼 옛날 사람들이 곡식을 수확할 때 사용한 도구로, 반달처럼 생긴 돌 가운데 두 개의 구멍을 뚫어 끈을 끼워 사용했습니다.

❷ 음식을 만들 때 먼 옛날에는 사람의 힘을 이용한 도구를 사용했고, 오늘날에는 가스나 ☐☐을/를 이용한 도구를 사용합니다.

❸ 나무와 흙으로 만들어 짚으로 지붕을 덮은 집입니다. 방, 부엌, 마루, 화장실 등의 생활 공간이 나뉘어 있습니다.

❹ 옷을 만드는 도구는 뼈바늘 → ☐☐☐ → 재봉틀의 순서로 변화했습니다.

❺ 옛날 사람들은 정월 대보름에 ☐☐☐☐☐, 쥐불놀이를 하며 한 해 농사가 잘되기를 기원했습니다.

세로 문제

❶ 음식을 갈 때 사용한 도구는 갈판과 갈돌 → ☐☐ → 믹서의 순서로 변화했습니다.

❷ ☐☐은/는 먼 옛날에 사람들이 살던 집으로, 땅을 파서 기둥을 세우고, 그 위에 풀을 얹어 지었습니다.

❸ 설날에는 윷놀이, 널뛰기, ☐☐☐☐ 등의 놀이를 즐겼습니다.

❹ 먼 옛날 사람들이 실을 뽑을 때 사용했던 도구는 ☐☐☐☐입니다.

❺ 옷을 만드는 도구는 가락바퀴 → 베틀 → ☐☐☐의 순서로 변화했습니다. ☐☐☐은/는 빠르고 편리하게 많은 옷감을 만드는 기계입니다.

1 돌을 깨뜨려서 도구를 만들었던 시대의 생활 모습으로 알맞지 <u>않은</u> 것은 어느 것입니까?

( )

① 열매를 따 먹었다.
② 주로 해안 근처에 모여 살았다.
③ 먹을거리를 찾아 이동하며 살았다.
④ 동물을 사냥하여 먹을거리를 구했다.
⑤ 동물 가죽으로 옷을 만들어서 입었다.

[2-3] 다음 도구를 보고 물음에 답하시오.

▲ 돌괭이

2 위 도구의 재료는 무엇인지 쓰시오.

_____

 서술형

3 위 도구를 무엇을 하는 데 사용했을지 서술하시오.

_____

_____

4 먼 옛날에 청동으로 만들었던 도구로 알맞은 것을 보기 에서 두 가지 골라 기호를 쓰시오.

┌─ 보기 ─────────────┐
│ ㉠ 무기   ㉡ 장신구 │
│ ㉢ 가락바퀴   ㉣ 농사 도구 │
└────────────────┘

_____

 중요★

5 다음 내용에서 알맞은 말에 ○표 하시오.

(철 / 청동)(으)로 만든 농사 도구를 사용하면서 수확량이 크게 늘고, 마을도 더 커졌습니다.

[6-7] 다음 사진을 보고 물음에 답하시오.

▲ 반달 돌칼   ▲ (㉠)   ▲ 콤바인

6 ㉠에 들어갈 농사 도구가 무엇인지 쓰시오.

_____

 서술형

7 위와 같은 도구들은 무엇을 할 때 사용했는지 서술하시오.

_____

_____

_____

 중요★

8 농사 도구가 발달하면서 달라진 사람들의 생활 모습으로 알맞지 <u>않은</u> 것은 어느 것입니까?

( )

① 수확하는 곡식의 양이 늘어났다.
② 한 사람이 농사지을 수 있는 땅이 넓어졌다.
③ 여러 기능이 있는 농기계를 사용하게 되었다.
④ 수확한 작물을 주로 가족들이 나누어 먹게 되었다.
⑤ 농사를 지을 때 옛날보다 사람이 적게 필요하게 되었다.

9 음식을 익힐 때 사용하는 도구의 변화를 알맞게 나열한 것은 어느 것입니까? (   )

① 토기 → 항아리 → 냉장고
② 토기 → 맷돌 → 전기밥솥
③ 토기 → 가마솥 → 전기밥솥
④ 갈판과 갈돌 → 맷돌 → 전기밥솥
⑤ 갈판과 갈돌 → 가마솥 → 전기밥솥

중요

10 다음 내용과 관련 있는 집을 **보기** 에서 골라 기호를 쓰시오.

- 나무, 흙, 짚 등으로 만든 집입니다.
- 마당에서는 농사와 관련된 일을 하기도 했습니다.
- 방, 부엌, 마루, 화장실 등의 생활 공간을 나누어 사용했습니다.

보기

ㄱ 움집   ㄴ 기와집
ㄷ 아파트   ㄹ 초가집

11 다음 내용에서 알맞은 말에 ○표 하시오.

옛날 사람들이 사용하던 도구가 전시되어 있는 곳은 (박물관 / 공공 기관)입니다.

12 빈칸에 들어갈 알맞은 말을 쓰시오.

추석에 송편을 먹는 것과 같이 해마다 일정한 시기에 반복되는 풍속을 □□ □□(이)라고 합니다.

13 정월 대보름의 세시 풍속으로 알맞지 <u>않은</u> 것은 어느 것입니까? (   )

① 부럼을 깨문다.
② 오곡밥을 먹는다.
③ 쥐불놀이를 한다.
④ 달집태우기를 한다.
⑤ 창포물에 머리를 감는다.

14 다음과 같은 세시 풍속을 했던 명절로 알맞은 것은 어느 것입니까? (   )

① 한식   ② 추석
③ 단오   ④ 백중
⑤ 정월 대보름

15 서로 관련 있는 내용끼리 바르게 선으로 연결하시오.

(1) 설날 •   • ㉠ 연날리기

(2) 백중 •   • ㉡ 팥죽 먹기

(3) 동지 •   • ㉢ 마을 잔치하기

16 다음에서 설명하는 명절이 무엇인지 쓰시오.

수확한 작물들로 음식을 만들자.

농사가 잘 되게해 주셔서 감사합니다.

한 해 농사를 마무리하고 수확하는 시기로, 햇곡식과 과일로 음식을 만들어 이웃과 나누어 먹고, 조상들께 감사하는 마음을 담아 차례를 지냅니다.

_____

중요

17 명절과 세시 풍속을 알맞게 연결한 것은 어느 것입니까? ( )

① 한식 – 쥐불놀이
② 동지 – 오곡밥 먹기
③ 추석 – 찬 음식 먹기
④ 정월 대보름 – 세배 드리기
⑤ 단오 – 창포물에 머리 감기

18 오늘날 세시 풍속의 모습으로 알맞은 것을 **보기** 에서 두 가지 골라 기호를 쓰시오.

보기

㉠ 옛날보다 세시 풍속이 많아졌다.
㉡ 명절 연휴를 활용해 가족끼리 여행을 가기도 한다.
㉢ 명절 때 바쁜 일이 있어도 반드시 모든 가족이 한 곳에 모인다.
㉣ 멀리 떨어져 살고 있는 가족과 친척들이 명절 때 고향에 모인다.

_____

서술형

19 오늘날 세시 풍속이 옛날과 많이 달라진 까닭을 서술하시오.

_____

_____

20 우리 조상들이 삼복 때 먹었던 음식으로, 오늘날에도 많은 사람들이 즐겨 먹는 음식은 어느 것입니까? ( )

① ▲ 송편
② ▲ 김치
③ ▲ 팥죽
④ ▲ 오곡밥
⑤ ▲ 삼계탕

1 빈칸에 들어갈 알맞은 말을 각각 쓰시오.

먼 옛날에는 (㉠)에서 얻은 돌, 나무, 뼈 등으로 생활 도구를 만들어 사용했습니다. 그러다가 점차 (㉡)(으)로 만든 농사 도구를 사용하면서 수확량이 크게 늘었습니다.

_____

중요
2 먼 옛날에 청동으로 주로 무기나 장신구를 만들었던 까닭을 보기에서 골라 기호를 쓰시오.

보기
㉠ 재료가 귀했기 때문이다.
㉡ 다루기 쉬웠기 때문이다.
㉢ 재료의 값이 쌌기 때문이다.

_____

3 ㉠에 들어갈 도구는 무엇인지 쓰시오.

(㉠)   ▲ 맷돌   ▲ 믹서

_____

서술형
4 음식 만드는 도구의 변화로 달라진 사람들의 생활 모습을 서술하시오.

_____

5 다음에서 설명하는 도구는 무엇인지 쓰시오.

먼 옛날 사람들이 둥근 구멍에 막대를 끼워 회전을 줌으로써 실을 만드는 데 사용했습니다.

_____

6 옷을 만드는 도구가 발달하면서 달라진 사람들의 생활 모습으로 알맞은 것은 어느 것입니까?
( )

① 몸을 보호하기 위해서만 옷을 입는다.
② 옷을 만드는 데 걸리는 시간이 늘어났다.
③ 한 가지 옷감으로 만든 옷만 입게 되었다.
④ 동물의 가죽으로 옷을 만들 수 있게 되었다.
⑤ 각자의 개성에 따라 옷을 골라 입게 되었다.

[7-8] 다음 사진을 보고 물음에 답하시오.

7 위와 같은 집이 무엇인지 쓰시오.

_____

서술형
8 위와 같은 집에서 살았던 사람들의 생활 모습을 서술하시오.

_____

9 다음과 같은 집에서 살았던 사람들의 생활 모습으로 알맞은 것은 어느 것입니까? ( )

▲ 초가집

① 화장실이 방 안에 있어 편리했다.
② 안채에서 주로 여자들이 생활했다.
③ 사랑채에서 남자들이 주로 생활했다.
④ 방, 부엌, 화장실이 한 공간에 모여 있다.
⑤ 방, 부엌, 마루, 화장실 등의 생활 공간이 있었다.

10 다음에서 설명하는 장소로 알맞은 것은 어느 것입니까? ( )

> 오늘날 우리 고장의 생활 모습을 볼 수 있는 곳으로, 옛날 사람들이 살고 있는 집에 지금도 사람들이 살고 있습니다.

① 박물관 　　② 유적지
③ 민속촌 　　④ 공공 기관
⑤ 전통 민속 마을

11 다음에서 설명하는 것으로 알맞은 어느 것입니까? ( )

> 하는 일과 먹는 음식, 놀이 등 해마다 일정한 시기에 반복되는 생활 습관입니다.

① 문화 　　② 전통
③ 공휴일 　　④ 기념일
⑤ 세시 풍속

12 다음과 같은 세시 풍속을 하는 명절이 무엇인지 쓰시오.

> • 떡국을 만들어 먹습니다.
> • 윷놀이, 널뛰기, 연날리기 등의 놀이를 즐깁니다.

_____

🔷 서술형

13 다음 그림과 관련 있는 세시 풍속을 서술하시오.

_____

_____

14 빈칸에 들어갈 알맞은 말을 쓰시오.

> ☐☐ ☐☐☐은/는 음력으로 새해 첫 보름달이 뜨는 날로, 오곡밥과 부럼을 먹으며 한 해 동안 건강하기를 기원했습니다.

▲ 오곡밥

_____

15 다음과 같은 세시 풍속을 볼 수 있는 계절로 알맞은 것은 어느 것입니까? ( )

> 동지는 일 년 중 밤이 가장 길고 낮이 가장 짧은 날로, 나쁜 기운을 물리치기 위해 팥죽을 먹었습니다.

① 봄
② 여름
③ 가을
④ 겨울
⑤ 초여름

16 다음과 같은 세시 풍속에 담겨 있는 마음으로 가장 알맞은 것은 어느 것입니까? ( )

▲ 창포물에 머리 감기

① 풍년을 기원한다.
② 더위를 이겨 낸다.
③ 나쁜 기운을 쫓아낸다.
④ 한 해의 운을 점치고자 한다.
⑤ 이웃과 친하게 지내고자 한다.

서술형

17 다음에서 설명하는 명절에 하는 세시 풍속을 서술하시오.

> • 논밭에 잡초를 없애는 김매기를 끝낸 후 즐기는 날입니다.
> • 호미를 씻어 헛간에 두는 날이라고도 합니다.

_____

_____

18 서로 관련 있는 내용끼리 바르게 선으로 연결하시오.

(1) 한식 •   • ㉠ 그네뛰기

(2) 단오 •   • ㉡ 강강술래

(3) 추석 •   • ㉢ 찬 음식 먹기

(4) 동지 •   • ㉣ 팥죽 먹기

19 농사와 관련된 세시 풍속을 알맞게 연결하지 않은 것을 보기 에서 골라 기호를 쓰시오.

> 보기
> ㉠ 봄 – 씨뿌리기 – 달점
> ㉡ 여름 – 밭갈이 – 씨름
> ㉢ 가을 – 수확하기 – 송편 빚기
> ㉣ 겨울 – 거름주기 – 팥죽 뿌리기

_____

중요★

20 옛날과 오늘날의 세시 풍속에 대한 설명으로 알맞지 않은 것은 어느 것입니까? ( )

① 옛날에는 특별한 날에 세시 풍속을 즐겼다.
② 옛날에는 마을 사람들이 함께 세시 풍속을 즐겼다.
③ 옛날에는 계절별로 하던 세시 풍속을 오늘날에는 언제나 즐길 수 있다.
④ 오늘날에는 이웃을 모르는 경우가 많아 가족 중심으로 세시 풍속을 즐긴다.
⑤ 오늘날에는 농사를 짓는 사람들이 늘어나 농사와 관련된 세시 풍속이 많아졌다.

1 다음 사진을 보고 물음에 답하시오.

㉠ 비파형 동검　　㉡ 쇠 괭이

(1) ㉠의 재료는 무엇인지 쓰시오.

_____

(2) ㉡을 사용하면서 달라진 사람들의 생활 모습을 서술하시오.

_____

_____

> **평가 실마리**
> - **관련 내용** 교과서 60~61쪽, 개념 톡톡 60쪽
> - **출제 의도** 먼 옛날 사람들이 사용한 도구와 생활 모습 알아보기
> - **선생님의 한마디**
> "금속을 사용하여 도구를 만든 사람들의 생활 모습을 생각해 봐!"

2 다음과 같이 곡식을 수확할 때 사용한 도구의 발달로 달라진 사람들의 생활 모습을 서술하시오.

반달 돌칼 ➡ 쇠 낫 ➡ 콤바인

_____

> **평가 실마리**
> - **관련 내용** 교과서 63쪽, 개념 톡톡 62쪽
> - **출제 의도** 농사 도구의 발달로 달라진 사람들의 생활 모습 알아보기
> - **선생님의 한마디**
> "농기계를 사용하면서 달라진 사람들의 생활 모습을 생각해 봐!"

3 다음과 같이 기계를 이용해 옷을 만들면 좋은 점을 서술하시오.

▲ 방직기　　▲ 재봉틀

_____

> **평가 실마리**
> - **관련 내용** 교과서 66~67쪽, 개념 톡톡 64쪽
> - **출제 의도** 옷을 만드는 도구의 변화로 달라진 사람들의 생활 모습 알아보기
> - **선생님의 한마디**
> "방직기와 재봉틀의 특징을 떠올려 봐!"

4 다음과 같은 집에 살았던 사람들의 생활 모습을 서술하시오.

▲ 기와집

_____

> **평가 실마리**
> - **관련 내용** 교과서 69쪽, 개념 톡톡 66쪽
> - **출제 의도** 기와집에 살았던 사람들의 생활 모습 알아보기
> - **선생님의 한마디**
> "기와집에서 여성과 남성이 생활했던 곳을 떠올려 봐!"

5 다음과 같은 세시 풍속을 즐겼던 명절을 쓰고, 이와 같은 세시 풍속을 한 까닭을 서술하시오.

▲ 쥐불놀이

_____

평가
실
마리
- **관련 내용** 교과서 79쪽, 개념 톡톡 78쪽
- **출제 의도** 명절과 세시 풍속 알아보기
- **선생님의 한마디**
  "쥐불놀이를 했던 명절을 떠올려 봐!"

6 동지에 다음과 같은 세시 풍속을 한 까닭을 서술하시오.

▲ 팥죽 뿌리기

_____

평가
실
마리
- **관련 내용** 교과서 81쪽, 개념 톡톡 78쪽
- **출제 의도** 명절과 세시 풍속 알아보기
- **선생님의 한마디**
  "세시 풍속에는 옛날 사람들의 소망이 담겨 있어!"

7 다음과 같이 옛날에 계절마다 다양한 세시 풍속이 있었던 까닭을 서술하시오.

▲ 겨울-팥죽 뿌리기   ▲ 봄-달점

▲ 여름-씨름   ▲ 가을-송편 빚기

_____

평가
실
마리
- **관련 내용** 교과서 82쪽, 개념 톡톡 80쪽
- **출제 의도** 옛날에 계절마다 다양한 세시 풍속이 있었던 까닭 알아보기
- **선생님의 한마디**
  "옛날 사람들이 계절마다 무엇을 했는지 떠올려 봐!"

8 옛날과 오늘날의 세시 풍속을 즐기는 모습에서 찾을 수 있는 공통점을 서술하시오.

_____

평가
실
마리
- **관련 내용** 교과서 84쪽, 개념 톡톡 80쪽
- **출제 의도** 옛날과 오늘날의 세시 풍속 비교하기
- **선생님의 한마디**
  "옛날과 오늘날의 세시 풍속에 담긴 마음을 떠올려 봐!"

(1) 가족의 구성과 역할 변화

❶ 옛날과 오늘날의 혼인 풍습

구분	옛날	오늘날
결혼식 장소	신부의 집 마당	결혼식장
결혼식 때 입는 옷	한복	신랑은 양복, 신부는 웨딩드레스
결혼식 때 주고받는 것	나무 (❶　　　)	결혼반지
결혼식 후에 하는 일	신부의 집에서 며칠 동안 머무르다가 신랑 집으로 감.	신혼여행을 감.
공통점	• 많은 사람에게 결혼을 알림. • 가족과 친척, 친구들이 모여 신랑과 신부의 미래를 축복해 줌.	

❷ 옛날과 오늘날의 가족 구성 변화
(1) 옛날에는 주로 (❷　　　　)을/를 지어 일손이 많이 필요했기 때문에 확대 가족이 많았습니다.
(2) 오늘날에는 새로운 일자리를 찾고, 자녀들의 교육을 위해 이사하거나, 개인 생활을 위해 독립하는 경우가 늘면서 핵가족이 많아졌습니다.

❸ 옛날과 오늘날 가족 구성원의 역할
(1) 옛날에는 가족 구성원의 역할이 정해져 있어 바깥일은 주로 남자가 하고, 집안일은 주로 여자가 했습니다.
(2) 오늘날에는 남성의 일과 여성의 일을 따로 구분하지 않습니다.
(3) 오늘날에는 맞벌이 가정이 많아지고 남녀가 평등하다는 의식이 높아지면서 가족 구성원의 역할도 변화했습니다.

❹ 가족 구성원의 바람직한 역할
(1) 가족 구성원 간에 (❸　　　)이/가 발생하는 까닭은 같은 일을 두고 서로 생각이 다를 수 있기 때문입니다.
(2) 가족 구성원 사이에 나타나는 갈등을 해결하고 행복한 가족을 이루려면 서로 존중하고 이해하는 자세가 필요합니다.

(2) 다양한 가족이 살아가는 모습

❶ 오늘날의 다양한 가족 형태
(1) 오늘날 가족의 형태는 매우 (❹　　　)합니다.
　① 부모의 재혼으로 이루어진 가족
　② 할머니나 할아버지와 손자, 손녀로만 이루어진 가족
　③ 입양으로 이루어진 가족
　④ 아빠 또는 엄마와 자녀로만 이루어진 가족
　⑤ 외국인 엄마나 외국인 아빠가 있는 가족
(2) 가족의 생활 모습이 다양한 까닭: 가족마다 형태와 구성원이 다르기 때문입니다.
(3) 다양한 가족의 생활 모습은 드라마, 영화, 신문, 뉴스 등의 자료에서 찾아볼 수 있습니다.

❷ 다양한 가족의 생활 모습 표현하기
(1) 다양한 가족의 생활 모습을 그림, 역할극, 노래, 만화 등 여러 가지 형태로 표현할 수 있습니다.
(2) 다른 가족을 대할 때 각 가족의 차이를 알고 이해하면서 다양한 형태의 가족을 존중해야 합니다.

❸ 가족의 의미
(1) 가족의 의미를 충전기, 달걀말이, 바다, 장갑 등으로 표현할 수 있습니다.
　⑩ 우리 가족은 충전기입니다. 힘이 하나도 없을 때 우리 가족이 꼭 안아 주면 충전되는 것처럼 힘이 납니다.
(2) 가족의 의미를 글과 그림으로 표현해 보는 활동을 통해 가족의 모습은 다르지만, 가족끼리 서로 돕고 (❺　　　)하는 마음은 중요함을 알 수 있습니다.

❹ 다양한 가족 형태를 존중하는 태도
(1) 공익 광고: 사회 전체의 이익을 목적으로 하는 광고를 말합니다.
(2) 다양한 가족을 존중하는 내용을 담은 공익 광고 만들기를 통해 다양한 가족 형태를 존중하는 태도를 기를 수 있습니다.
(3) 가족의 다양한 삶의 모습을 (❻　　　)하면서 이를 실천하는 태도가 중요합니다.

🧩 가로 문제와 세로 문제를 읽고, 퍼즐을 풀어 보세요.

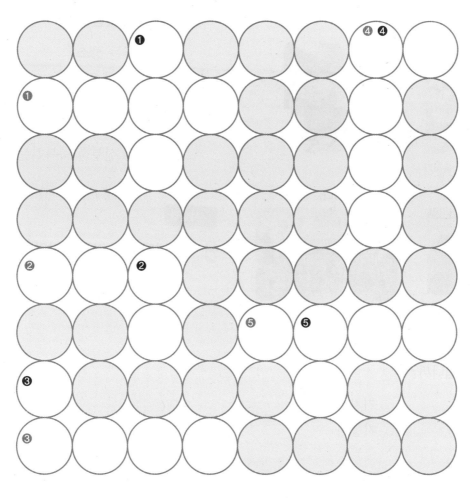

가로 문제

❶ 부모가 결혼한 자녀와 함께 사는 가족을 □□ □□ (이)라고 합니다.

❷ 옛날에는 주로 여자가 □□□을/를 했습니다.

❸ 자녀를 키우기 위해 일정 기간 직장을 쉴 수 있는 제 도를 □□ □□(이)라고 합니다.

❹ 옛날에는 혼례가 끝난 뒤 부부가 신부의 집에서 며 칠 동안 머무르다가 신랑은 말을, 신부는 □□을/를 타고 신랑의 집으로 갔습니다.

❺ 오늘날에는 결혼식 후에 신랑과 신부가 □□□□ 을/를 떠납니다.

세로 문제

❶ 부모가 결혼하지 않은 자녀와 함께 사는 가족을 □ □□(이)라고 합니다.

❷ 옛날에는 주로 농사를 지어 □□이/가 많이 필요했 습니다.

❸ 오늘날에는 남녀 구분 없이 □□받을 기회가 늘어 나면서 사회 활동을 하는 여성이 많아졌습니다.

❹ 오늘날에는 가족의 중요한 일을 □□□□을/를 통 해 결정하는 경우가 많습니다.

❺ 남자와 여자가 부부가 되어 가정을 이루는 것으로, 결혼과 같은 말은 □□입니다.

[1-2] 다음 옛날의 혼례 모습을 보고 물음에 답하시오.

(가)

▲ 신랑의 집으로 이동하기

(나)   (다)

▲ 폐백드리기   ▲ 혼례 치르기

1 위 (가)에서 신랑의 집으로 갈 때 신부가 타고 간 것은 무엇입니까? (   )

① 말   ② 기차
③ 가마   ④ 자동차
⑤ 비행기

2 위에서 옛날에 혼인을 할 때 가장 먼저 하는 것을 찾아 기호를 쓰시오.

_____

3 옛날과 오늘날 혼인할 때 주고받는 것과 주로 입는 옷을 바르게 선으로 연결하시오.

(1) 옛날 •

• ㉠ 한복

• ㉡ 결혼반지

• ㉢ 나무 기러기

(2) 오늘날 •

• ㉣ 양복, 웨딩드레스

4 옛날과 오늘날의 혼인 풍습에서 변하지 <u>않은</u> 것은 어느 것입니까? (   )

① 혼인하는 장소
② 혼인할 때 입는 옷
③ 혼인할 때 주고받는 것
④ 혼인이 끝난 후 하는 일
⑤ 신랑과 신부를 축복하는 마음

◈ 서술형

5 옛날에 확대 가족이 많았던 이유를 서술하시오.

_____

_____

6 확대 가족에 해당하는 가족 구성으로 알맞은 것은 어느 것입니까? (   )

① 부부
② 1인 가구
③ 부모, 자녀
④ 할아버지, 할머니, 손자
⑤ 할아버지, 할머니, 아버지, 어머니, 자녀

7 오늘날 핵가족이 주로 나타나는 까닭으로 알맞은 것을 보기 에서 <u>두 가지</u> 골라 기호를 쓰시오.

보기

㉠ 농사를 지어 일손이 많이 필요했기 때문이다.
㉡ 자녀 교육을 위해 도시로 이사하기 때문이다.
㉢ 개인 생활을 위해 독립하는 경우가 늘어났기 때문이다.

_____

8 다음 내용에서 알맞은 말에 ○표 하시오.

> 옛날에는 가족 구성원의 역할이 정해져 있었습니다. 집안일은 주로 (남자 / 여자)가 하고, 바깥일은 주로 (남자 / 여자)가 했습니다.

9 오늘날 가족 구성원의 모습으로 알맞지 <u>않은</u> 것은 어느 것입니까? (   )

① 부부가 함께 자녀를 돌본다.
② 남녀의 역할이 나뉘어 있지 않다.
③ 가족 구성원이 집안일을 나누어서 한다.
④ 부모가 모두 직장에 다니는 경우가 많다.
⑤ 할아버지가 집안의 중요한 일을 결정하신다.

🔷 서술형

10 오늘날 가족 구성원의 역할이 달라진 까닭을 서술하시오.

_____

_____

중요⭐

11 오늘날에 여성의 사회 진출이 활발해진 까닭으로 알맞은 것은 어느 것입니까? (   )

① 누구나 교육받을 수 있다.
② 남녀평등 의식이 감소했다.
③ 남녀의 역할이 고정되어 있다.
④ 남자들만 교육을 받을 수 있다.
⑤ 성별에 따라 일하는 분야가 정해져 있다.

12 역할극으로 가족 구성원의 바람직한 역할을 알아보는 과정을 순서대로 기호를 쓰시오.

> ㉠ 가족 구성원의 바람직한 역할을 토의한다.
> ㉡ 역할극을 통해 각 가족 구성원의 마음을 알아본다.
> ㉢ 각 가족 구성원의 관점에서 문제가 무엇인지 생각한다.

13 다음과 같은 가족 문제를 해결하기 위한 방법으로 알맞은 것은 어느 것입니까? (   )

> 엄마는 처리해야 하는 회사 일도 있고 밀린 집안일까지 하느라 바쁘십니다.

① 동생과 다툰다.
② 공부를 열심히 한다.
③ 엄마의 회사 일을 도와드린다.
④ 엄마의 힘든 점을 신경 쓰지 않는다.
⑤ 역할을 나누어 집안일을 구성원이 함께한다.

14 다음 그림에 나타난 가족 형태에 대한 설명으로 알맞은 것은 어느 것입니까? (   )

저는 할머니, 동생과 함께 살아요.

① 입양으로 한 가족이 되었다.
② 부부만으로 구성된 가족이다.
③ 두 가족이 새롭게 한 가족이 되었다.
④ 아빠, 엄마, 아이로 구성된 가족이다.
⑤ 할머니, 손자, 손녀로 이루어진 가족이다.

🖋 서술형

15 다음 그림을 보고 알 수 있는 오늘날 가족 형태의 특징을 서술하시오.

저는 할머니, 동생과 함께 살아요.

엄마의 고향은 중국이에요.

저는 아빠와 둘이 살아요.

우리는 입양으로 한 가족이 되었어요.

_____

_____

16 자료를 이용하여 다양한 가족의 생활 모습을 찾아보려고 할 때 살펴보아야 할 점으로 알맞지 <u>않은</u> 것은 어느 것입니까? (   )

① 우리 가족과 같은 부분만 살펴본다.
② 가족에게 생긴 이야기를 정리해 본다.
③ 가족이 어떻게 구성되어 있는지 살펴본다.
④ 가족 구성원이 서로 어떻게 생각하는지 살펴본다.
⑤ 가족의 생활 모습이 나타나 있는 장면을 찾아본다.

17 다양한 가족의 생활 모습을 표현하는 방법으로 알맞지 <u>않은</u> 것은 어느 것입니까? (   )

① 시 쓰기
② 만화 그리기
③ 그림 그리기
④ 노래 만들기
⑤ 악성 댓글 달기

18 다음은 가족의 의미를 표현한 글입니다. 빈칸에 공통으로 들어갈 알맞은 말은 어느 것입니까?
(   )

우리 가족은 (   ) 같습니다. 우리 가족에게 일어나는 크고 작은 일이 음표 하나하나가 되어 (   )을/를 만들어 갑니다. 우리 가족이 함께 행복한 (   )을/를 더 많이 만들면 좋겠습니다.

① 라면
② 음악
③ 바다
④ 장갑
⑤ 충전기

💬 중요

19 다양한 가족의 모습을 살펴보고 가져야 할 태도로 알맞은 것은 어느 것입니까? (   )

① 다양한 형태의 가족을 존중해야 한다.
② 우리와 다른 가족은 이해하지 않는다.
③ 다른 가족의 모습을 존중하지 않는다.
④ 우리 가족과 비슷한 가족만 이해한다.
⑤ 우리 가족 외에 다른 가족은 무시한다.

20 다양한 가족을 존중하는 내용을 담은 공익 광고를 만들 때 생각해야 할 점으로 알맞지 <u>않은</u> 것은 어느 것입니까? (   )

① 어떤 내용으로 구성할지 생각해 본다.
② 꼭 들어가야 할 중요한 단어를 찾아본다.
③ 마지막에 함께 외칠 수 있는 구호를 생각해 본다.
④ 우리 가족의 형태만 돋보이게 할 방법을 생각해 본다.
⑤ 주제를 잘 전달하기 위해 어떤 장면을 보여 줄지 생각해 본다.

1 다음 일기에 나타난 오늘날 결혼식의 모습으로 알맞지 <u>않은</u> 것을 골라 기호를 쓰시오.

> 20○○년 ○월 ○일 ○요일 날씨: 햇님이 반짝
>
> ### 이모의 결혼식
>
> 오늘 이모가 결혼을 했다. 이모는 예쁜 ㉠ 웨딩드레스를 입고 이모부는 멋진 ㉡ 양복을 입었다. 이모랑 이모부는 혼인 서약을 하고 ㉢ 결혼반지를 주고받았다. 결혼식이 끝난 후 이모는 폐백을 드렸다. 그리고 이모는 ㉣ 가마를 타고 ㉤ 신혼여행을 갔다.

2 오늘날 결혼식의 모습에 대한 설명으로 알맞지 <u>않은</u> 것은 어느 것입니까? (   )

① 결혼식 대신 여행을 가기도 한다.
② 가족만 모여 진행하는 결혼식도 있다.
③ 결혼식장에서만 결혼식이 이루어진다.
④ 공원이나 정원에서 야외 결혼식을 한다.
⑤ 춤과 음악이 있는 공연 형식의 결혼식을 한다.

중요

3 폐백을 드릴 때 다음과 같이 신부의 치마에 밤과 대추를 던져 주는 까닭으로 알맞은 것은 어느 것입니까? (   )

① 밤과 대추를 맛있게 먹으라는 뜻이다.
② 신랑과 신부가 싸우지 말라는 뜻이다.
③ 자식을 많이 낳고 부자가 되라는 뜻이다.
④ 혼인이 시작된 것을 알리기 위해서이다.
⑤ 새롭게 가족이 된 두 사람을 환영하기 위해서이다.

4 옛날에 신랑이 신부에게 나무 기러기를 준 의미로 알맞은 것에 ○표 하시오.

(1) 부자가 되자는 뜻   (   )
(2) 혼인을 축하한다는 뜻   (   )
(3) 평생 행복하게 함께 살자는 뜻   (   )

5 다음 가족 형태에 맞는 구성원을 바르게 선으로 연결하시오.

(1) 확대 가족 •   • ㉠   아빠, 엄마, 오빠, 나, 동생

(2) 핵가족   •   • ㉡   할아버지, 할머니, 아빠, 엄마, 나

[6-7] 다음 글을 읽고 물음에 답하시오.

> 옛날에는 ㉠ 가족 구성원의 역할이 정해져 있었습니다. ㉡ 집안일은 주로 여자가 하고, 바깥일은 주로 남자가 했습니다.
> 오늘날에는 ㉢ 남성과 여성의 일을 따로 구분하지 않고, ㉣ 여자들끼리 집안일을 나누어서 합니다.

6 위에서 옛날과 오늘날 가족 구성원의 역할을 설명한 내용으로 알맞지 <u>않은</u> 것을 골라 기호를 쓰시오.

_____

서술형

7 위 6번에서 고른 알맞지 <u>않은</u> 내용을 바르게 고쳐 서술하시오.

_____

_____

◈ 서술형

8 다음 그림에 나타난 옛날 가족 구성원의 역할이 오늘날에는 어떤 모습으로 변화했는지 서술하시오.

할아버지께서 집안의 중요한 일을 결정하시고 가족들에게 말씀하셨습니다.

_____

_____

중요★

9 가족 구성원 사이에 갈등이 생기는 까닭으로 알맞은 것은 어느 것입니까? (   )

① 가족 구성원의 생각이 같기 때문이다.
② 가족 구성원의 생각이 다르기 때문이다.
③ 가족 구성원이 서로 이해하기 때문이다.
④ 가족 구성원의 입장이 비슷하기 때문이다.
⑤ 가족 구성원이 서로 배려해 주기 때문이다.

10 가족 구성원으로서 '나'의 역할로 알맞지 않은 것은 어느 것입니까? (   )

① 식사 준비를 돕는다.
② 동생과 사이좋게 지낸다.
③ 책상 정리는 스스로 한다.
④ 가족과 대화를 많이 나눈다.
⑤ 집안일은 내 일이 아니므로 하지 않는다.

11 가족 구성원 간의 갈등을 해결하기 위해 필요하지 않은 것은 어느 것입니까? (   )

① 배려   ② 회피
③ 존중   ④ 대화
⑤ 이해

12 가족회의가 필요한 이유로 알맞지 않은 것은 어느 것입니까? (   )

① 가족 문제를 숨길 수 있다.
② 가족 갈등을 해결할 수 있다.
③ 가족이 서로 바라는 점을 알 수 있다.
④ 우리 집의 중요한 일을 결정할 수 있다.
⑤ 가족이 가지고 있는 문제를 알 수 있다.

[13-14] 다음 그림을 보고 물음에 답하시오.

(가)   (나)

(다)   (라)

13 위에서 두 가족이 새롭게 한 가족이 된 가족을 찾아 기호를 쓰시오.

_____

14 위 그림을 통해 알 수 있는 사실로 알맞은 것은 어느 것입니까? (   )

① 가족은 혈연관계로만 이루어진다.
② 가족의 형태는 절대 바뀌지 않는다.
③ 한국인과 외국인이 결혼할 수 없다.
④ 오늘날 가족의 형태는 매우 다양하다.
⑤ 우리 가족과 똑같은 형태의 가족만 있다.

15 오늘날 가족의 생활 모습이 다양하게 나타나는 까닭을 보기 에서 **두 가지** 골라 기호를 쓰시오.

> 보기
> ㉠ 가족마다 형태가 다르기 때문이다.
> ㉡ 가족마다 구성원이 다르기 때문이다.
> ㉢ 가족 구성원의 역할이 모두 같기 때문이다.

16 다음은 가족의 형태를 어떤 자료에서 찾아본 모습입니까? ( )

○○일보   ○○○○년 ○월 ○○일

○○○ 씨 부부의 자녀는 모두 3명이다. 아이들이 한 가족이 된 시간은 제각기 다르지만 서로 보살피고 도와주면서 서로에게 든든한 버팀목이 되고 있다.

① 영화   ② 신문
③ 만화   ④ 드라마
⑤ 뉴스 프로그램

17 다음 자료에 대한 설명으로 알맞은 것은 어느 것입니까? ( )

동생: 우아! 맛있겠다.
아빠: 이건 아빠가 너희만큼 어렸을 때 자주 먹었던 간식 만다지야. 학교에 다녀오면 할머니께서 만들어 주셨지. 맛이 어때?
나: 고소하고 맛있어요. 할머니를 뵙고 싶어요.
엄마: 겨울 방학에 할머니를 뵈러 케냐에 가자.

① 엄마의 고향은 케냐이다.
② 가족의 모습을 역할극으로 표현했다.
③ 아빠와 자녀로 구성된 가족의 모습이다.
④ 가족의 모습을 노래 만들기로 표현했다.
⑤ 할머니와 같이 사는 확대 가족의 모습이다.

18 다양한 가족의 생활 모습을 역할극으로 표현하면 좋은 점을 바르게 말한 어린이를 쓰시오.

은영: 노래로 불러 볼 수 있어서 좋았어.
기혁: 다양한 색깔로 꾸며 볼 수 있어서 좋았어.
진희: 직접 그 인물이 되어서 가족의 생활 모습을 잘 이해할 수 있었어.

19 다음 빈칸에 들어갈 말로 적절하지 <u>않은</u> 것은 어느 것입니까? ( )

우리 가족은 ( )입니다. 왜냐하면 내가 힘들 때 우리 가족이 안아 주면 따뜻하고 포근한 마음이 들기 때문입니다.

① 장갑   ② 이불
③ 손난로   ④ 목도리
⑤ 영양제

중요

20 다양한 가족의 생활 모습을 표현해 보고 우리가 가져야 할 바른 태도로 알맞지 <u>않은</u> 것은 어느 것입니까? ( )

① 다양한 형태의 가족을 존중한다.
② 가족마다 구성원이 다를 수 있다는 것을 이해한다.
③ 가족의 생활 모습이 다를 수도 있다는 것을 이해한다.
④ 우리 가족과 다른 생활 모습을 찾아보고 같아지도록 노력한다.
⑤ 우리 가족과 다른 형태의 가족이 잘못되었다고 생각하지 않는다.

1 다음 옛날과 오늘날 혼인 풍습의 차이점을 서술하시오.

▲ 옛날

▲ 오늘날

평가 실마리
- **관련 내용** 교과서 104~105쪽, 개념 톡톡 108쪽
- **출제 의도** 옛날과 오늘날의 혼인 풍습 비교하기
- **선생님의 한마디**
"옛날과 오늘날 혼인 풍습을 비교해 봐!"

2 옛날에 다음과 같은 형태의 가족이 많았던 이유는 무엇인지 서술하시오.

평가 실마리
- **관련 내용** 교과서 106쪽, 개념 톡톡 110쪽
- **출제 의도** 옛날의 확대 가족
- **선생님의 한마디**
"옛날에는 무엇이 중심이 되는 사회였는지 떠올려 봐!"

3 다음 그림을 보고, 옛날과 달라진 오늘날 가족 구성원의 역할 변화를 서술하시오.

어머니, 밥이 되었어요.

▲ 옛날

역할을 나누어서 집안일을 해요.

▲ 오늘날

평가 실마리
- **관련 내용** 교과서 110~111쪽, 개념 톡톡 112쪽
- **출제 의도** 옛날과 오늘날 가족 구성원의 역할
- **선생님의 한마디**
"옛날과 오늘날 가족 구성원의 역할 중 다른 점은 무엇인지 살펴봐!"

4 다음은 가족 구성원으로서 나의 역할을 잘했는지 확인해 볼 수 있는 평가표입니다. ㉠에 들어갈 알맞은 내용을 서술하시오.

평가 내용	평가
• 내가 맡은 집안일을 잘했나요?	○○○
• 형제자매와 사이좋게 지냈나요?	○○○
• 우리 가족 구성원을 존중하고 배려하고 있나요?	○○○
㉠	○○○

평가 실마리
- **관련 내용** 교과서 116쪽, 개념 톡톡 114쪽
- **출제 의도** 가족 구성원으로서 바람직한 역할
- **선생님의 한마디**
"가족 구성원으로서 내가 할 수 있는 일은 무엇이 있을지 생각해 봐!"

5 다음 자료에 나타난 가족의 형태를 서술하시오.

> 아빠와 살던 저에게 엄마와 형이 생겼어요. 오늘은 우리 가족이 함께 공원으로 산책 나와서 사진도 찍었어요.

_____

_____

<table>
<tr><td rowspan="3">평가 실마리</td><td>• 관련 내용 교과서 118쪽, 개념 톡톡 122쪽</td></tr>
<tr><td>• 출제 의도 다양한 가족 형태</td></tr>
<tr><td>• 선생님의 한마디
"자료에 나타난 가족의 구성원을 확인해 봐!"</td></tr>
</table>

6 다음 그림에 나타난 다양한 가족의 생활 모습을 보고 우리가 지녀야 할 태도는 무엇인지 서술하시오.

저는 할아버지와 둘이 살아요.

저는 아빠와 둘이 살아요.

_____

<table>
<tr><td rowspan="3">평가 실마리</td><td>• 관련 내용 교과서 124쪽, 개념 톡톡 126쪽</td></tr>
<tr><td>• 출제 의도 다양한 형태의 가족</td></tr>
<tr><td>• 선생님의 한마디
"다른 가족을 대할 때 어떻게 해야 할지 생각해 봐!"</td></tr>
</table>

7 다음은 어떤 가족의 형태를 역할극 대본으로 표현한 것인지 서술하시오.

> **누나:** 오늘 날씨가 참 좋다.
> **형:** 우리 가족이 이렇게 함께 나오니까 더 좋네.
> **엄마:** 우리가 가족이 되어서 행복해.
> **나:** 저의 엄마, 아빠가 되어 주셔서 감사해요.
> **아빠:** 우리 아들들이 되어 주어 고마워. 앞으로도 행복하게 잘 살자. 자, 카메라 보고 하나, 둘, 셋!

_____

_____

<table>
<tr><td rowspan="3">평가 실마리</td><td>• 관련 내용 교과서 125쪽, 개념 톡톡 126쪽</td></tr>
<tr><td>• 출제 의도 다양한 가족의 생활 모습 표현하기</td></tr>
<tr><td>• 선생님의 한마디
"역할극 대본을 통해 어떤 가족의 생활 모습인지 생각해 봐!"</td></tr>
</table>

8 다음은 가족의 의미를 표현한 글입니다. 밑줄 친 부분에 들어갈 알맞은 내용을 서술하시오.

> 우리 가족은 흰자와 노른자를 잘 섞고 조심스럽게 말아 주는 달걀말이 같습니다.

왜냐하면 _____

_____

_____

<table>
<tr><td rowspan="3">평가 실마리</td><td>• 관련 내용 교과서 126쪽, 개념 톡톡 128쪽</td></tr>
<tr><td>• 출제 의도 가족의 의미</td></tr>
<tr><td>• 선생님의 한마디
"가족을 달걀말이로 표현한 이유를 생각해 봐!"</td></tr>
</table>

MEMO

초등 사회
자습서&평가문제집 3-2

정답

톡톡

금성출판사

푸르넷

학교 성적에 날개를 달아 주는
완전 학습 프로그램

초등 푸르넷 학습 시스템

푸르넷 본교재
교과 내용을 철저히 분석하여 핵심 내용을 체계적으로 학습할 수 있는, 학교 내신 대비에 최적화된 교재

푸르넷 공부방 맞춤형 지도
'두 번째 담임 선생님'으로 불리는 풍부한 경험과 노하우를 갖춘 선생님의 전문적인 지도. 개별 밀착 지도로 체계적인 맞춤 지도가 가능!

푸르넷 아이스쿨
동영상 강의와 다양한 멀티미디어 학습 자료, 문제 은행을 지원하는 학습 평가 인증 시스템

온라인 보충 학습 콘텐츠
과목별 멀티미디어, 독서·논술, 영어 문법 및 내신 대비 등 다양한 보충 학습 자료로 학습과 재미를 동시에!

푸르넷 주간학습
본교재와 함께하는 주간별 자기 주도 학습. 온라인 강의와 수학 수준별 문제 제공!

우리학교 시험대비
기출문제를 분석하여 출제율 높은 문제로 엄선하여 구성한 학교 시험 대비 교재

전 과목 학습지 초등 푸르넷

본교재
개념 - 유형 - 서술형 - 단원 마무리까지 체계적인 학습
• 1~6학년 국어, 수학, 사회, 과학(월 1권)

주간 평가 교재
주간별 실력 점검으로 만점 대비
• 1~6학년 국어, 수학, 사회, 과학(월 1권)

보충 학습 교재
과목별 배경지식과 사고력 향상
• 1~6학년 푸르넷 프렌즈(월 1권)

온라인 강의
쉽고 재밌는 동영상 강의와 멀티미디어 학습
• 푸르넷 아이스쿨, 영어 보충 학습실

부록
• 1~6학년 우리학교 시험대비(학기별 1권)
• 3~6학년 사회 · 과학 알짜 핵심 노트(학기별 1권)

초등 사회
자습서&평가문제집 **3-2**

정답

개념 **톡톡** 정답과 해설

문제 **톡톡** 정답과 해설

차례

사 회를
이 해하고
다 함께
탐구하자!

개념 톡톡 답지

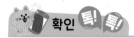

① 환경에 따라 다른 삶의 모습

1 우리 고장의 환경과 생활 모습

확인

13쪽 1 자연환경 2 ㉠, ㉣, ㉤ 3 높은
15쪽 1 (1) × (2) ○ 2 (1) ㉠ (2) ㉣ (3) ㉡ (4) ㉢
17쪽 1 (1) ○ (2) ○ 2 (1) ㉠ (2) ㉣ (3) ㉡ (4) ㉢
19쪽 1 ㉢
21쪽 1 여가 생활 2 ㉠, ㉡, ㉢ 3 (1) × (2) ×
23쪽 1 ㉡-㉠-㉢

주제 톡톡 문제 25~27쪽

1 자연환경 2 ⑤ 3 ④ 4 예 (가)는 등산을 하는 모습이고, (나)는 전망대나 케이블카를 설치하여 산을 이용하는 모습입니다. 5 ㉠ 기온 ㉡ 강수량 6 ③ 7 ② 8 ⑤ 9 ②, ④ 10 예 논과 밭에서 곡식과 채소를 재배하거나 가축을 기릅니다. 11 도시 12 자연환경 13 ①, ③ 14 예 공원에서 산책을 합니다. 15 ㉠ 16 예 겨울은 기온이 낮아 춥고 눈이 내립니다. 겨울에 눈이 내리면 사람들은 눈싸움을 하고 눈꽃 축제에 갑니다. 17 예 사람들은 무더운 여름에 자연환경인 하천을 이용하여 래프팅을 하며 여가 생활을 합니다.

1 땅의 모양과 날씨에 영향을 주는 것은 자연환경입니다. 자연환경은 우리 주변을 둘러싸고 있는 자연계의 모든 요소로, 지형과 기후 요소를 포함합니다.

2 사람들이 자연환경을 이용하여 만든 도로, 건물, 항구, 공원은 모두 인문환경에 해당합니다. 눈은 날씨에 영향을 주는 것으로 자연환경에 해당합니다.

한눈에 쏙쏙 자연환경과 인문환경

자연환경	산, 하천, 바다, 들, 비, 눈, 바람 등
인문환경	도로, 다리, 항구, 논, 밭, 과수원, 공원, 건물, 공장, 아파트 등

3 사람들은 하천 주변에 공원을 만들어 이용하거나 하천의 물을 생활용수와 공업용수로 이용합니다. ①은

산, ②는 들, ③, ⑤는 바다를 이용하는 모습입니다.

4 사람들은 산이라는 자연환경을 이용하여 등산을 하거나 전망대나 케이블카를 설치합니다.

[채점 기준] '(가)는 등산을 하는 모습이고, (나)는 전망대나 케이블카를 설치하여 산을 이용하는 모습이다'의 내용을 포함하여 바르게 썼다.

5 고장의 기온과 강수량은 계절에 따라 다릅니다. 같은 계절이라도 고장에 따라 기온과 강수량에 차이가 있습니다.

6 가을에는 단풍을 보러 가는 사람들이 많습니다. ① 눈싸움을 하는 것은 겨울에 볼 수 있는 모습입니다. ② 꽃구경하러 가는 것은 봄에 볼 수 있는 모습입니다. ④, ⑤ 바다나 계곡 등을 찾아가거나 에어컨을 많이 틀고, 시원한 음식인 수박과 빙수를 먹는 것은 여름에 볼 수 있는 모습입니다.

7 평균 기온 그래프의 가로는 월을 나타내고, 세로는 기온을 나타냅니다.

8 농업 기술을 연구하고 알려 주는 일은 넓은 들이 있는 고장에 사는 사람들이 하는 일입니다. 바다가 있는 고장에 사는 사람들은 주로 물고기를 잡거나 물고기를 잡는 기구를 팔거나 수리하는 등 바다와 관련된 일을 많이 합니다.

9 농기계를 팔거나 수리하는 것은 넓은 들이 있는 고장, 김, 미역, 전복 등을 기르는 것은 바다가 있는 고장에 사는 사람들이 하는 일입니다.

산이 많은 고장에 사는 사람들은 산을 이용하여 여러 가지 일을 합니다. 또한 ① 산에 매장되어 있는 지하자원을 캐기도 하고 ③ 목장에서 소나 양을 키웁니다. 그리고 ⑤ 버섯을 재배하거나 산나물과 약초를 캐기도 합니다.

10 제시된 사진과 같은 넓은 들이 있는 고장에 사는 사람들은 논과 밭에서 농사를 짓거나 이를 돕는 일을 많이 합니다.

[채점 기준] '논과 밭에서 곡식과 채소를 재배하며 농사를 짓는다', '가축을 기르거나 농업 기술을 연구하고 알려 주는 일을 한다', '농기계를 팔거나 수리한다', '과수원에서 과일을 재배한다' 등의 내용을 포함하여 바르게 썼다.

11 들이 펼쳐진 곳에는 많은 사람들이 모여 사는 도시가 발달하기도 합니다. 도시에는 높은 건물이 많고 교통 시설이 발달했습니다.

12 숲속 캠핑은 자연환경을 이용한 여가 생활입니다.

 자연환경과 인문환경을 이용한 여가 생활

자연환경을 이용한 여가 생활	갯벌 체험, 연날리기, 얼음낚시, 숲속 캠핑, 하천 래프팅, 바닷가 물놀이, 등산 등
인문환경을 이용한 여가 생활	공원 산책, 박물관 관람, 영화 감상, 스마트폰으로 영상보기, 수영장 물놀이, 볼링, 컴퓨터 게임하기 등

13 여가 생활은 스스로 즐거움을 얻고자 남는 시간에 하는 자유로운 활동을 말합니다. 사람들은 고장의 자연환경과 인문환경을 모두 이용하여 다양한 여가 생활을 합니다.

14 박물관 관람은 박물관이라는 인문환경을 이용한 여가 생활입니다. 수영장, 공원, 영화관 등은 고장의 인문환경입니다.

> [채점 기준] '공원에서 산책을 한다', '영화관에서 영화를 본다', '수영장에서 물놀이를 한다' 등의 내용을 포함하여 바르게 썼다.

15 고장의 환경과 생활 모습을 담은 소개 자료를 만들 때는 먼저 소개 자료의 모양을 어떻게 만들면 좋을지 정해야 합니다. 그리고 쪽별로 어떻게 내용을 나누어서 담을지 생각해 봅니다. 소개 자료 용지에 고장의 환경과 생활 모습을 표현하고, 완성한 소개 자료를 전시하거나 발표합니다.

16 겨울은 기온이 낮아 춥고 눈이 내립니다. 그래서 눈이 많이 오는 고장에서는 눈꽃 축제를 열어 사람들이 겨울을 즐길 수 있도록 합니다. 사람들은 추운 겨울에도 축제에 참여하여 즐거운 시간을 보냅니다.

> [채점 기준] '겨울', '낮다', '눈' 등의 단어를 활용하여 기온이 낮고 눈이 내린다는 겨울 날씨의 특징을 포함하여 바르게 썼다.
> 사람들의 생활 모습은 '눈꽃 축제', '눈싸움', '썰매' 등의 단어를 활용하여 '눈꽃 축제에 참여한다', '썰매를 탄다' 등의 내용을 포함하여 바르게 썼다.

17 래프팅은 하천에서 즐기는 여가 생활로 주로 여름에 할 수 있고, 하천이라는 자연환경을 이용한 여가 생활입니다.

> [채점 기준] '래프팅을 주로 하는 계절은 여름이고, 계절적 특징은 날씨가 덥다. 그래서 하천의 물을 이용하여 시원하게 래프팅을 하며 사람들은 여가 생활을 즐긴다', '래프팅을 하는 계절은 여름인데 계절적으로 비가 많이 내린다. 그래서 물이 많은 하천의 환경을 이용하여 고무보트를 타고 래프팅을 하며 여가 생활을 즐긴다' 등의 내용을 포함하여 바르게 썼다.

2 환경에 따른 의식주 생활 모습

 확인 톡! 톡!

31쪽 1 의식주 **2** (1) ㉡ (2) ㉠ (3) ㉢
33쪽 1 서늘한 **2** (1) ㉠ (2) ㉡
35쪽 1 (1) × (2) × **2** (1) ㉡ (2) ㉠
37쪽 1 바람 **2** (1) ㉡ (2) ㉠
39쪽 1 ㉠-㉢-㉡

주제 톡톡 문제 41~43쪽

1 ㉣, ㉤, ㉥ **2** 의식주 **3** ㉠ 의 ㉡ 식 ㉢ 주 **4** ⑤ **5** ㉒ 제주도는 우리나라의 남쪽 끝에 있어서 다른 고장보다 겨울에 날씨가 포근하기 때문입니다. **6** ④ **7** ㉡ **8** ㉒ 낮의 뜨거운 햇볕을 막고 밤의 추위를 견딜 수 있게 하기 위해서입니다. **9** 비빔밥 **10** ⑤ **11** ㉒ 열대 과일을 이용한 음식과 기름에 튀기거나 볶아서 만든 요리가 발달했습니다. **12** ③ **13** 너와집 **14** ⑤ **15** ⑤ **16** ㉒ 통영은 맑고 깨끗한 바다를 접하고 있어 굴을 키우기에 좋아 굴 요리가 발달했습니다. **17** ㉒ (가) 고장은 거센 바람이 불고, (나) 고장은 나무를 쉽게 구할 수 있습니다.

---

1 의식주에 해당하는 ㉣ 침낭과 텐트(집), ㉤ 외투와 긴바지(옷), ㉥ 삶은 고구마와 생수(음식) 세 가지를 꼭 챙겨야 합니다. ㉠ 지도, ㉡ 돗자리, ㉢ 필기도구는 의식주에 해당하는 물건으로 보기 어렵습니다.

2 사람들이 살아가는 데 필요한 옷, 음식, 집을 한꺼번에 가리켜 의식주라고 합니다.

3 한복은 우리나라 전통 의복으로 '의(옷)'에 해당합니다. 김치는 추운 겨울에도 채소를 먹을 수 있도록 가을에 미리 배추로 담가 놓는 음식으로 '식(음식)'에 해당합니다. 우리나라 고유의 형식으로 지은 한옥은 '주(집)'에 해당합니다.

4 주생활에 해당하는 것은 아파트입니다. ① 포도, ② 라면은 식생활, ③ 양말, ④ 코트는 의생활에 해당합니다.

5 제주도는 우리나라의 남쪽 끝에 있습니다. 그래서 내륙에 있는 고장보다 겨울에 날씨가 포근한 날이 많습니다. 이렇게 서울특별시와 제주도의 날씨가 다르기 때문에 같은 시기라도 고장마다 옷차림이 다를 수 있습니다.

6 대구광역시는 주위가 산으로 둘러싸여 있어 여름에 무덥기로 유명한 고장입니다. 그래서 9월에도 한낮에는 더워서 여름 옷을 입어야 합니다. 그런데 강원도 대관령은 높은 산 위에 있는 고장으로, 산 아래에 있는 고장보다 날씨가 서늘합니다. 그래서 여름에도 시원하고 9월이면 쌀쌀하여 긴소매를 입습니다.

7 제시된 사진은 뜨겁고 비가 적게 내리는 고장의 날씨와 관련 있습니다. ㉠ 겨울이 길고 추운 고장에서는 털이나 가죽으로 만든 두꺼운 옷을, ㉢ 항상 덥고 비가 많이 오는 고장에서는 가벼운 옷을 입습니다.

8 제시된 사진은 낮과 밤의 기온 차가 큰 고장의 의생활 모습입니다. 이 고장 사람들은 망토를 걸치고 모자를 쓰는데 이는 낮의 뜨거운 햇볕을 막고 밤의 추위를 견딜 수 있도록 하는 것입니다.

9 제시된 내용은 전주의 비빔밥에 대한 설명입니다.

10 산이 많은 고장은 산에서 구하기 쉬운 재료로 만든 음식이 발달했습니다. 삶은 문어와 미역은 바다가 있는 고장의 상차림과 어울립니다.

 산과 바다가 있는 고장의 상차림 음식 비교

산이 많은 고장의 상차림	산에서 구하기 쉬운 재료로 만든 산나물무침, 감자전, 버섯 된장찌개, 한우구이, 도토리묵무침 등
바다가 있는 고장의 상차림	바다에서 구하기 쉬운 재료로 만든 해물탕, 생선구이, 생선회, 삶은 문어와 미역, 대게찜 등

11 덥고 비가 많이 내리는 고장에는 열대 과일을 이용한 음식이 많습니다. 그리고 더운 날씨에 음식이 상하지 않도록 기름에 튀기거나 볶아서 만든 요리가 발달했습니다.

12 땅의 모양이나 날씨와 같은 자연환경이 고장 사람들의 식생활에 영향을 주기 때문에 고장마다 발달한 음식이 다릅니다.

13 나무를 쉽게 구할 수 있는 고장에서 볼 수 있는 너와집입니다. 나뭇조각을 지붕에 얹어 집을 지었습니다.

14 제시된 사진은 뜨겁고 비가 거의 내리지 않는 고장의 주생활 모습입니다. 나무가 잘 자라지 않아 주변에서 흔히 구할 수 있는 흙으로 집을 짓습니다.

15 제시된 내용은 환경에 따른 의식주 생활 모습을 소개하는 방법 중 애니메이션을 만드는 방법입니다.

16 통영은 맑고 깨끗한 바다를 접하고 있습니다. 해산물이 풍부하고 굴 양식을 하기에도 적합합니다.

17 (가)는 제주도 전통 가옥으로, 거세게 부는 바람의 피해를 막기 위해 지붕을 새끼줄로 고정하고, 주변에 돌담을 쌓은 집입니다. (나)는 너와집으로, 나무를 쉽게 구할 수 있는 고장에서 나뭇조각을 지붕에 얹어 지은 집입니다.

쪽지 시험 48쪽

1 자연환경 2 인문환경 3 하천 4 × 5 계단 6 × 7 의식주 8 서늘한 9 인삼 10 ×

단원 톡톡 문제 49~51쪽

1 ⑤ 2 ② 3 ㉠, ㉣ 4 ② 5 예 여름은 기온이 높아 덥고, 겨울은 기온이 낮아 춥고 강수량이 적습니다. 6 ④ 7 바다 8 ㉡, ㉣, ㉤ 9 ③ 10 ㉠, ㉣ 11 ① 12 (1) 반소매 (2) 두껍고 13 예 강원도 대관령은 높은 산 위에 있기 때문입니다. 14 ㉢ 15 감자 16 ㉠ 17 ⑤ 18 ④ 19 예 일 년 내내 덥고 비가 많이 내리는 고장이기 때문에 땅의 뜨거운 열기와 벌레를 막기 위해서입니다. 20 ④

1 산, 바다, 하천, 바람, 비는 자연환경입니다. 항구, 아파트, 공장, 과수원은 인문환경입니다.

2 땅의 모양에 따라 사람들의 생활 모습은 다양하게 나타납니다. 사람들은 들에 농사를 짓거나 도로와 건물을 만들어 이용합니다.

3 등산을 하는 것과 바다에서 물고기나 조개를 잡는 것은 각각 산과 바다라는 자연환경을 그대로 이용하

는 모습입니다. ㉡ 공원은 하천, ㉢ 항구는 바다에 시설을 만들어 이용하는 모습입니다.

4 평균 강수량 그래프를 통해 1월의 평균 강수량이 50mm인 것을 알 수 있습니다. ① 4월의 평균 기온은 13℃입니다. ③ 여름은 평균 기온이 가장 높고, 비가 가장 많이 내리는 계절입니다. ④ 가을은 비나 눈이 두 번째로 많이 오는 계절입니다. ⑤ 평균 기온이 두 번째로 높은 계절을 가을입니다.

5 그래프를 보면 7월의 평균 기온은 25℃로 가장 높고, 강수량도 243mm로 가장 많습니다. 즉 여름이 가장 덥고, 비가 많이 내리는 계절입니다. 또한 1월의 평균 기온은 1℃로 가장 낮고, 강수량도 50mm로 가장 적습니다. 즉 겨울이 가장 춥고 비나 눈이 적게 내리는 계절입니다.

> [채점 기준] '여름은 평균 기온이 가장 높아서 덥고 강수량도 가장 많은 계절인데, 겨울은 평균 기온이 가장 낮아서 춥고 강수량은 가장 적은 계절이다'의 내용을 포함하여 바르게 썼다.

6 스키장에 스키를 타러 가는 것은 겨울에 볼 수 있는 생활 모습입니다. 가을에는 단풍을 보러 갑니다.

7 바다가 있는 고장에 사는 사람들은 주로 물고기를 잡거나 물고기를 잡는 기구를 팔거나 수리하는 등 바다와 관련된 일을 많이 합니다.

8 넓은 들이 있는 고장에 사는 사람들은 논과 밭에서 곡식과 채소를 재배하거나 이를 돕는 일을 많이 합니다. 소, 돼지, 닭 등 가축을 기르거나 농업 기술을 연구하고 알려 주는 일을 하기도 합니다. 농기계를 팔거나 수리하는 일, 과수원에서 과일을 재배하는 일도 합니다. ㉠ 지하자원을 캐는 것은 산이 많은 고장에 사는 사람들이 하는 일입니다. ㉢ 김, 미역, 전복 등을 기르는 것은 바다가 있는 고장에 사는 사람들이 하는 일입니다.

한눈에 쏙쏙 고장의 환경에 따른 생활 모습

바다가 있는 고장	• 배나 도구를 이용하여 물고기를 잡음. • 바다에서 김, 미역, 전복 등을 기름. • 바다에서 잡거나 기른 수산물을 팖.
산이 많은 고장	• 목장에서 소나 양을 키움. • 산비탈에 밭이나 논을 만들어 농사를 지음. • 스키장을 만들어 운영함.
넓은 들이 있는 고장	• 논, 밭, 비닐하우스에서 농사를 지음. • 농업 기술을 연구하고 알려 주는 일을 함. • 도시가 발달한 고장에서는 회사나 공장에서 일을 함.

9 논, 밭, 비닐하우스에서 농사를 짓는 것은 넓은 들이 있는 고장에 사는 사람들이 주로 하는 일입니다. 도시에 사는 사람들은 주로 회사나 공장에서 일하고, 물건이나 음식을 파는 일 등 다양한 일을 합니다.

10 여가 생활은 스스로 즐거움을 얻고자 남는 시간에 하는 자유로운 활동입니다. ㉡ 얼음낚시는 자연환경을 이용한 여가 생활입니다. ㉢ 사람들은 자연환경과 인문환경을 모두 이용하여 여가 생활을 합니다.

11 옷과 관련한 신발, 티셔츠, 모자, 바지, 목도리는 의생활에 해당합니다. 음식과 관련한 바나나, 우유, 물, 아이스크림, 떡볶이는 식생활에 해당합니다. 집과 관련한 텐트, 초가집, 단독 주택, 아파트, 한옥은 주생활에 해당합니다.

한눈에 쏙쏙 의식주의 예시

의	티셔츠, 바지, 속옷, 모자, 양말, 후드티, 장갑, 운동화, 부츠, 코트, 패딩 점퍼, 신발 등
식	밥, 식빵, 바나나, 딸기, 사과, 물, 떡볶이, 라면, 아이스크림, 콜라, 국수, 불고기 등
주	아파트, 단독 주택, 연립 주택, 텐트, 초가집, 너와집, 이글루, 게르 등

12 사람들은 날씨가 더울 때는 반소매 옷을 즐겨 입고, 가벼운 옷감으로 만든 옷을 입습니다. 반면에 날씨가 추울 때는 바람을 막고 몸을 따뜻하게 하기 위해 두껍고 긴 옷을 입습니다.

13 강원도 대관령은 높은 산 위에 있는 고장이기 때문에 같은 시기라도 다른 고장보다 날씨가 서늘합니다. 반면 대구광역시는 여름에 다른 고장보다 무더운 편입니다.

> [채점 기준] '대관령은 높은 산 위에 있기 때문이다'의 내용을 포함하여 바르게 썼다.

14 일 년 내내 덥고 비가 많이 내리는 고장에서는 더위를 식힐 수 있도록 소매가 짧고 바람이 잘 통하는 가벼운 옷을 입습니다. ㉠ 낮과 밤의 기온 차가 큰 고장에서는 낮에는 뜨거운 햇볕을 막고 밤에는 추위를 견딜 수 있도록 망토를 걸치고 모자를 씁니다. ㉡ 뜨겁고 비가 적게 내리는 고장에서는 뜨거운 햇볕과 모래바람을 막아 주는 긴 옷을 입고 머리와 얼굴을 천으로 감쌉니다.

15 정선은 산이 많고 서늘하여 여름에도 감자를 재배하기에 좋아 감자를 이용한 음식이 많습니다. 강원도의 여러 고장에는 산이 많아 밭농사를 짓기에 적합

한 환경이 나타납니다.

16 겨울이 길고 추운 고장에서는 채소와 과일을 구하기 어려워서 고기를 주로 먹습니다. 또한 음식을 저장하기 위해 얼리거나 말리는 방법을 많이 활용합니다.

17 제시된 사진은 제주도 전통 가옥으로, 거세게 부는 바람의 피해를 막기 위해 지붕을 새끼줄로 고정하고, 주변에 돌담을 쌓은 집입니다.

18 오늘날의 주생활은 과거와 달리 자연환경을 이용하거나 극복하는 경우가 많으며, 과거보다 자연환경의 영향을 덜 받습니다.

19 제시된 사진과 같은 주생활 모습이 나타나는 고장은 일 년 내내 덥고 비가 많이 내리기 때문에 집 아래에 기둥을 높이 세워서 땅의 뜨거운 열기와 벌레를 막습니다.

[채점 기준] '일 년 내내 덥고 비가 내리는 날씨이기 때문에 땅의 뜨거운 열기와 벌레를 막기 위해서이다'의 내용을 포함하여 바르게 썼다.

20 강화도의 자연환경과 관련이 있는 '순무 김치'라는 식생활 모습을 소개한 포스터입니다.

서술형 톡톡 문제

52쪽

1 예 ㉠을 이용하여 등산을 하고, ㉣을 이용하여 물고기나 조개를 잡습니다. 2 예 곡식과 채소를 재배하고 소, 돼지, 닭 등 가축을 기릅니다. 3 예 하천 주변의 공원에서 산책하거나 자전거를 탑니다. 4 예 기름에 튀기거나 볶아서 만든 요리가 발달했습니다. 더운 날씨에 음식이 상하지 않도록 하기 위해서입니다. 5 예 ㉡ 고장은 뜨겁고 비가 거의 내리지 않는 고장으로, 나무가 잘 자라지 않습니다. 그래서 주변에서 흔히 구할 수 있는 흙을 이용하여 집을 짓습니다. 6 예 ㉢ 고장에서는 동물의 털이나 가죽으로 만든 두꺼운 옷을 입습니다. 반면 ㉣ 고장에서는 낮의 뜨거운 햇볕을 막고 밤의 추위를 견딜 수 있도록 망토를 걸치고 모자를 씁니다.

1 고장 사람들은 산, 들, 하천, 바다와 같은 땅의 모양을 자연환경 그대로 이용하기도 하고, 생활에 편리한 시설을 만들기도 합니다. 고장 사람들은 산을 자연환경 그대로 이용하여 등산을 하고, 바다를 자연환경 그대로 이용하여 물고기나 조개를 잡습니다.

[채점 기준] '㉠을 이용하여 등산을 하고, ㉣을 이용하여 물고기나 조개를 잡는다'의 내용을 포함하여 바르게 썼다.

2 넓은 들이 있는 고장에 사는 사람들은 주로 논과 밭에서 곡식과 채소를 재배하거나 이를 돕는 일을 많이 합니다. 또 과수원에서 과일을 재배하기도 하고, 소, 돼지, 닭과 같은 가축을 기르기도 합니다.

[채점 기준] '곡식과 채소를 재배하고 수확한다', '소, 돼지, 닭 등 가축을 기른다', '농업 기술을 연구한다', '과수원에서 과일을 재배한다', '농기계를 팔거나 수리한다' 등의 내용을 포함하여 바르게 썼다.

3 고장 사람들은 하천 주변에 공원을 만들어 산책을 하거나 자전거를 탈 수 있고, 공원에서 할 수 있는 다양한 여가 생활을 즐길 수 있습니다. 또 겨울에 하천이 얼면 그 위에서 썰매를 탈 수도 있습니다.

[채점 기준] '하천 주변의 공원에서 산책한다', '하천 주변의 공원에서 자전거를 탄다', '겨울철 날씨가 추워져 하천이 얼면 얼음 썰매를 탄다', '하천 주변의 공원에서 연날리기를 한다' 등의 내용을 포함하여 바르게 썼다.

4 일 년 내내 덥고 비가 많이 내리는 고장은 더운 날씨에 음식이 상하지 않도록 기름에 튀기거나 볶아서 만든 요리가 발달했습니다. 또한 열대 과일이 풍부하기 때문에 망고, 파인애플, 코코넛과 같은 열대 과일을 이용한 음식이 많습니다.

[채점 기준] '더운 날씨에 음식이 상하지 않도록 기름에 튀기거나 볶아서 만든 요리가 발달했다', '열대 과일이 풍부하여 이를 이용한 음식들이 많다' 등의 내용을 포함하여 바르게 썼다.

5 뜨겁고 비가 거의 내리지 않는 고장은 나무가 잘 자라지 않습니다. 그래서 주변에서 흔히 구할 수 있는 흙을 이용하여 집을 짓습니다.

[채점 기준] '비가 거의 내리지 않아 나무가 잘 자라지 않기 때문에 주변에서 흔히 구할 수 있는 흙을 이용하여 집을 짓는다'의 내용을 포함하여 바르게 썼다.

6 겨울이 길고 추운 고장에서는 추위를 막고 몸을 따뜻하게 하기 위해 동물의 털이나 가죽으로 만든 두꺼운 옷을 입습니다. 낮과 밤의 기온 차가 큰 고장에서는 낮에는 뜨거운 햇볕을 막고, 밤에는 추위를 견딜 수 있도록 망토를 걸치고 모자를 씁니다.

[채점 기준] '㉢ 고장에서는 동물의 털이나 가죽으로 만든 두꺼운 옷을 입고, ㉣ 고장에서는 망토를 걸치고 모자를 쓴다'의 내용을 포함하여 바르게 썼다.

2 시대마다 다른 삶의 모습

1 옛날과 오늘날의 생활 모습

확인

59쪽 **1** 생활 도구 **2** (1) 가마솥 (2) 초가집 **3** (1) ○ (2) ×
61쪽 **1** 농사 **2** (1) ○ (2) ×
63쪽 **1** (1) × (2) ○
65쪽 **1** ㉠, ㉢, ㉺ **2** 가락바퀴
67쪽 **1** 움집 **2** ㉡-㉢-㉠
69쪽 **1** (1) ㉢ (2) ㉠ (3) ㉡ **2** 박물관

주제 톡톡 문제   71~73쪽

1 지영 **2** ④ **3** ㉠ **4** 철 **5** 예 수확량이 크게 늘었고 마을
도 더 커졌습니다. **6** ② **7** 예 오늘날에는 기계를 이용해
농사를 짓기 때문에 힘이 훨씬 적게 들고 수확량도 늘어났
습니다. **8** 반달 돌칼 **9** ⑤ **10** ② **11** ④ **12** 예 오늘날에
는 주로 공장에서 만든 다양한 옷을 사서 입을 수 있습니다.
13 움집 **14** ⑤ **15** ④ **16** 예 입구를 좁고 길게 만들어서
바람이 덜 들어오도록 만들었습니다. **17** (1) ㉠-㉢-㉡ (2)
예 오늘날에는 좁은 땅에 많은 사람들이 살기 위해 한 건물
에 여러 집이 사는 경우가 많습니다.

---

1 흥부와 놀부가 살던 시대에는 전기밥솥이 없었기 때
문에 가마솥으로 바꿔야 합니다. 또 동굴은 흥부와
놀부가 살던 때보다 더 과거의 사람들이 살았던 곳이
므로 배경에 있는 동굴을 초가집으로 바꿔야 합니다.

2 돌이나 뼈를 갈고 다듬어 날카로운 도구를 만들기 시
작한 시대의 사람들은 물을 쉽게 구할 수 있는 강이
나 해안 근처에 모여서 살았습니다. 당시 사람들은
① 가축을 기르고 ② 농사를 짓기 시작했으며, ③ 흙
으로 그릇을 만들었습니다. ⑤ 그들은 강에서 그물을
이용하여 조개와 물고기 등을 잡기도 했습니다.

3 먼 옛날에는 청동이 귀했기 때문에 주로 무기나 장
신구를 만드는 데 사용했습니다. 당시 일상생활에서
는 여전히 나무나 돌로 만든 도구를 사용했습니다.
먼 옛날 사람들이 청동으로 주로 무기나 장신구 등
을 만들었던 것은 ㉡ 청동이 다루기 쉽거나 ㉢ 재료
의 값이 쌌기 때문은 아닙니다.

4 먼 옛날 사람들은 점차 청동보다 훨씬 단단하고 구
하기 쉬운 철로 도구를 만들기 시작했고, 철은 생활

도구와 무기로 널리 사용되었습니다.

5 철은 청동보다 단단하고 구하기 쉬워서 생활 도구로
많이 이용되었습니다. 철로 만든 농사 도구로 수확
량이 크게 늘었고 마을도 더 커졌습니다.

> **[채점 기준]** '수확량이 늘었다', '마을이 커졌다' 등의 내용을 포함
> 하여 바르게 썼다.

6 논밭을 갈 때 사용한 도구는 돌보습 → 쇠 쟁기 →
트랙터의 순으로 발달했습니다. ① 가락바퀴는 옛날
에 실을 뽑을 때 사용한 도구이고, ③ 주먹 도끼는
고기를 자를 때 사용한 도구입니다. ④ 빗살무늬 토
기는 음식을 담을 때 사용한 도구이고, ⑤ 비파형 동
검은 무기 등으로 사용했을 것입니다.

한눈에 쏙쏙 농사 도구의 변화

논밭을 갈 때	돌보습 → 쇠 쟁기 → 트랙터
곡식을 수확할 때	반달 돌칼 → 쇠 낫 → 콤바인

7 오늘날에는 트랙터나 콤바인 같은 기계를 이용해 농
사를 짓기 때문에 힘이 훨씬 적게 듭니다. 또한 여러
가지 기능이 있는 농기계를 사용해 편리하게 농사를
지을 수 있습니다.

> **[채점 기준]** '기계를 이용해 농사를 짓기 때문에 힘이 훨씬 적게 든
> 다', '여러 가지 기능이 있는 농기계를 사용해 편리하게 농사를 지
> 을 수 있다' 등의 내용을 포함하여 바르게 썼다.

8 제시된 사진은 먼 옛날의 농사 도구 중 곡식을 수확
할 때 사용한 반달 돌칼입니다.

9 음식을 만드는 도구 중 음식을 갈 때 사용하는 도구
는 갈판과 갈돌 → 맷돌 → 믹서의 순으로 발달했습
니다. ② 토기와 ④ 항아리는 음식을 저장할 때, ③
가마솥은 음식을 익힐 때 사용한 도구입니다.

한눈에 쏙쏙 음식 만드는 도구의 변화

음식을 익힐 때	모닥불, 토기 → 가마솥, 아궁이 → 가스레인지, 전기밥솥
음식을 갈 때	갈판과 갈돌 → 맷돌 → 믹서
음식을 저장할 때	토기 → 항아리 → 냉장고

10 옛날에는 주로 여자들이 요리를 했지만, 오늘날은
가족이 함께 요리를 하는 경우가 많습니다. 옛날에
는 직접 불을 피워 요리했지만, 오늘날에는 전기를
이용한 도구를 사용합니다.

11 옷감을 만드는 도구는 가락바퀴 → 베틀 → 방직기

순으로 발달했으며, 방직기는 빠르고 편리하게 많은 옷감을 만들 수 있는 오늘날의 기계입니다.

12 옷을 만드는 도구의 발달로 옛날 사람들은 직접 옷을 만들어 입었지만, 오늘날에는 주로 공장에서 만든 다양한 옷을 사서 입게 되었습니다. 또한 옛날에는 주로 몸을 보호하거나 예의를 갖추기 위해 옷을 입었다면, 오늘날에는 각자의 개성에 따라 옷을 골라 입는 경우가 많습니다.

> **[채점 기준]** '오늘날에는 공장에서 만든 다양한 옷을 사서 입을 수 있다', '오늘날에는 각자의 개성에 따라 옷을 골라 입을 수 있다' 등의 내용을 포함하여 바르게 썼다.

13 움집은 땅을 파서 기둥을 세우고, 그 위에 풀을 얹어 지은 집으로 방과 부엌, 창고가 한 공간 안에 모여 있었습니다.

14 기와집은 돌과 나무로 만들고, 흙을 구워 만든 기와로 지붕을 덮은 집입니다. 안채에서는 주로 여자들이, 사랑채에서는 남자들이 생활했습니다. 기와집은 아파트와 다르게 화장실이 마당에 있었으며, 움집과는 다르게 방, 부엌, 마루 등 생활 공간이 나뉘어 있습니다.

15 ① 박물관, ② 민속촌, ③ 유적지, ⑤ 전통 민속 마을 등에서는 옛날 고장 사람들의 생활 모습을 확인하고, 체험할 수 있습니다.

16 움집은 땅을 파서 기둥을 세우고 그 위에 풀을 얹어 지은 집으로 방과 부엌, 창고가 한 공간 안에 모여 있었습니다. 불을 피워서 집 안을 따뜻하게 하고, 연기는 빠지고 빗물은 들어가지 않게 지붕에 구멍을 만들었습니다. 입구를 좁고 길게 만들어서 바람이 덜 들어오도록 만들었습니다.

> **[채점 기준]** '방과 부엌, 창고가 한 공간 안에 모여 있었다', '불을 피워 집 안을 따뜻하게 했다', '연기는 빠지고 빗물은 들어가지 않게 지붕에 구멍을 만들었다', '입구를 좁고 길게 만들어서 바람이 덜 들어오도록 만들었다' 등의 내용을 포함하여 바르게 썼다.

17 집의 모습은 움집 → 초가집과 기와집 → 아파트 순으로 변화했습니다. 오늘날 아파트에는 좁은 땅에 많은 사람들이 살기 위해 한 건물에 여러 집이 살고 있습니다.

> **[채점 기준]** '오늘날에는 좁은 땅에 많은 사람들이 살기 위해 한 건물에 여러 집이 사는 경우가 많다', '시멘트와 철근을 이용해 높고 튼튼한 집을 만들었다', '개인 공간인 방과 가족 공동 공간인 거실, 주방 등으로 이루어져 있다' 등의 내용을 포함하여 바르게 썼다.

2 옛날과 오늘날의 세시 풍속

 확인

77쪽 **1** 세시 풍속 **2** 명절 **3** (1) ○ (2) × **4** 송편
79쪽 **1** 설날 **2** 창포물
81쪽 **1** (1) ㉣ (2) ㉢ (3) ㉡ (4) ㉠ **2** (1) ○ (2) ×
83쪽 **1** (1) × (2) ○ **2** 생떡국 **3** 정월 대보름
85쪽 **1** (1) ○ (2) ○ **2** ㉣-㉡-㉠-㉢

주제 톡톡 문제
87~89쪽

1 명절 **2** ④ **3** 예 쥐불놀이, 달집태우기 **4** ③ **5** 단오 **6** ⑤ **7** ③ **8** 농사 **9** ㉢ **10** ① **11** ③ **12** 예 오늘날에는 농촌보다 도시에서 생활하는 사람이 많기 때문입니다. **13** ⑤ **14** 예 마을 사람들의 안전과 가족의 행복을 기원합니다. **15** ㉣ **16** 예 줄다리기, 강강술래를 했습니다. **17** 예 행운이 들어오기를 기원했습니다.

---

1 해마다 일정한 시기를 지켜 즐기는 날을 명절이라고 합니다.

한눈에 쏙쏙 명절 때 특별히 하는 것

명절	음식	하는 일
설날	떡국	세배, 윷놀이 등
단오	수리취떡	그네뛰기, 씨름 등
추석	송편	강강술래, 줄다리기 등

2 핼러윈 데이는 외래 세시 풍속입니다. 우리나라의 명절에는 설날, 정월 대보름, 한식, 단오, 백중, 추석, 동지 등이 있습니다.

3 정월 대보름은 음력으로 새해 첫 보름달이 뜨는 날로, 오곡밥을 먹고 부럼을 깨물며 건강을 기원했습니다. 또한 쥐불놀이, 달집태우기 등을 하며 한 해 농사가 잘되기를 기원했습니다.

> **[채점 기준]** '쥐불놀이', '달집태우기', '오곡밥 먹기', '부럼 깨물기' 등의 내용을 두 가지 포함하여 바르게 썼다.

4 한식은 씨뿌리기를 마친 무렵으로, 불을 사용하지 않고 찬 음식을 먹었습니다. 또한 조상의 무덤을 찾아 인사하며 한 해 농사가 잘되기를 빌었습니다.

5 단오는 여름 무더위가 시작되는 시기로, 모내기를 끝낸 후 즐겁게 몸과 마음을 푸는 날입니다. 단오 때

여자들은 주로 그네를 뛰고, 남자들은 씨름을 했습니다. 또한 나쁜 기운을 쫓기 위해 창포물에 머리를 감기도 했습니다.

6 백중은 음력 7월 15일로, 호미를 씻어 헛간에 넣어 두는 날이라고도 합니다. 이때는 조상들께 제사를 지내고 마을 사람들과 잔치를 벌였습니다.

7 동지는 일 년 중 밤이 가장 길고 낮이 가장 짧은 날로, '작은설'이라고도 했습니다. 나쁜 기운을 쫓는다고 믿어 팥죽을 만들어 먹고 대문과 문 근처 벽에 팥죽을 뿌렸습니다.

8 옛날 사람들은 주로 농사를 짓고 살았기 때문에 농사와 관련된 세시 풍속이 많았습니다. 또한 마을 사람들이 모두 함께 놀이를 즐기거나 음식을 나누어 먹었습니다.

9 옛날에는 농사와 관련된 세시 풍속이 많았는데, 한 해 농사를 마무리하고 수확하는 가을에는 송편을 만들어 먹고, 추수한 곡식과 과일로 차례를 지냈습니다. ㉠ 봄에는 씨뿌리기, 밭갈기를 하고, 한 해 농사가 잘되기를 바라는 마음으로 달점을 보았습니다. ㉡ 여름에는 모내기 후에 씨름을 하며 지친 몸과 마음을 풀었습니다. ㉣ 겨울에는 다음 해 농사를 위해 땅에 거름을 주며 나쁜 기운을 쫓는다는 의미로 팥죽을 만들어 먹고 집안 곳곳에 뿌렸습니다.

10 오늘날에는 농사와 관련된 세시 풍속이 많이 사라졌기 때문에 옛날보다 세시 풍속이 줄어들었습니다.

11 옛날에는 가족을 넘어 마을 사람들과 함께 놀이를 하고 음식을 나누어 먹으며 세시 풍속을 즐겼습니다. 오늘날에는 농사짓는 사람이 줄어들어 이와 관련된 세시 풍속이 많이 사라졌지만, 여전히 설날과 추석의 여러 세시 풍속이 남아 있습니다. 오늘날에 즐기는 세시 풍속에도 옛날과 같이 가족의 건강과 행복을 바라는 마음이 담겨 있습니다.

12 옛날에는 농사와 관련된 세시 풍속이 많았지만, 오늘날에는 농촌보다 도시에서 생활하는 사람이 많고 직업이 다양해져 이와 관련된 세시 풍속이 많이 사라졌습니다. 오늘날에는 설날과 추석과 같이 큰 명절을 중심으로 한 세시 풍속만 이어져 내려오고 있습니다. 옛날에는 마을 사람들이 함께 세시 풍속을 즐겼지만, 오늘날에는 이웃을 모르는 경우가 많아 가족 중심으로 세시 풍속을 즐깁니다.

[채점 기준] '오늘날에는 농촌보다 도시에서 생활하는 사람이 많기 때문이다' 등의 내용을 포함하여 바르게 썼다.

 한눈에 쏙쏙 옛날과 오늘날의 세시 풍속 비교

공통점	가족의 건강과 행복을 바라는 마음은 똑같음.
차이점	• 오늘날에는 농사와 관련된 세시 풍속이 많이 사라짐. • 옛날에는 마을 사람이 함께 세시 풍속을 즐겼지만, 오늘날에는 가족 중심으로 세시 풍속을 즐김. • 옛날에는 특별한 날에만 즐겼던 음식과 놀이를 오늘날에는 평소에도 즐길 수 있음.

13 가장 더운 삼복 때는 더위를 이기기 위해 삼계탕을 먹습니다. 오곡밥은 정월 대보름에 먹는 음식입니다.

14 경기도 용인시에서는 정월 대보름이 되면 정월 대보름 맞이 민속 축제를 엽니다. 축제에서 지신밟기, 달집태우기의 세시 풍속을 체험할 수 있는데, 옛날과 같이 마을 사람들의 안전과 가족의 행복을 바라는 마음이 담겨 있습니다.

[채점 기준] '마을 사람들의 안전과 가족의 행복을 기원한다' 등의 내용을 포함하여 바르게 썼다.

15 소망을 담은 글쓰기를 할 때는 먼저 옛날 사람들이 봄이 되면 대문에 붙인 글씨에 어떤 소망을 담았을지 생각해 봅니다. 그리고 자신의 소망을 종이에 적어 친구들에게 의미를 설명하고, 붙이고 싶은 적절한 장소에 종이를 붙입니다.

16 추석은 한 해 농사를 마무리하고 수확하는 시기로, 송편을 먹고 곡식과 과일로 음식을 만들어 이웃과 나누어 먹었습니다. 줄다리기, 강강술래 등의 세시 풍속을 즐기고, 조상께 감사하는 마음을 담아 차례를 지냈습니다.

[채점 기준] '줄다리기', '강강술래', '송편 먹기' 등의 내용을 포함하여 바르게 썼다.

17 옛날 사람들은 행운이 들어오기를 바라는 마음으로 봄에 입춘문을 써서 대문에 붙이거나, 가족의 건강과 풍년을 기원하며 집안 곳곳에 동물 그림(세화)을 붙였습니다.

[채점 기준] '행운이 들어오기를 기원했다', '풍년을 기원했다', '가족이 건강하기를 기원했다' 등의 내용을 포함하여 바르게 썼다.

 쪽지 시험   94쪽

1 다릅니다 2 철 3 가락바퀴 4 맷돌 5 움집 6 세시 풍속
7 떡국 8 동지 9 농사 10 정월 대보름

1 ⓔ 시대마다 생활 도구와 집의 모습이 다르기 때문입니다. 2 정민 3 ③ 4 청동 5 ⓔ 수확량이 크게 늘었고, 마을도 더 커졌습니다. 6 ㉡-㉠-㉢ 7 반달 돌칼 8 ② 9 ③ 10 ② 11 ㉢ 12 명절 13 정월 대보름 14 ⓔ 나쁜 기운을 쫓기 위한 마음이 담겨 있습니다. 15 ④ 16 ⑤ 17 ㉡ 18 ② 19 ⓔ 생떡국을 먹으면 한 해 농사가 잘된다고 믿었습니다. 20 입춘문

---

1 전래 동화를 소재로 연극을 할 때는 연극 배경으로 사용할 그림과 연극에 사용할 도구를 준비해야 합니다. 이때 시대마다 사람들이 사용한 생활 도구와 살았던 집의 모습이 다르기 때문에 이야기의 배경이 되는 시대의 생활 모습을 잘 알아야 합니다.

[채점 기준] '시대마다 생활 도구와 집의 모습이 다르다' 등의 내용을 포함하여 바르게 썼다.

2 요술 맷돌 연극에 사용된 믹서는 시대와 어울리지 않기 때문에 맷돌로 바꿔야 합니다.

3 제시된 도구는 돌을 깨서 날카롭게 만든 주먹 도끼입니다. 주먹 도끼는 사냥한 동물의 가죽을 벗기거나 고기를 자를 때 사용했습니다.

4 청동은 귀했기 때문에 주로 무기나 장신구를 만드는 데 사용했고, 일상생활에서는 여전히 나무나 돌로 만든 도구를 사용했습니다.

5 먼 옛날 사람들은 돌, 나무를 갈고 다듬어 농사 도구를 만들었습니다. 그러다 시간이 흘러 철을 사용하여 농사 도구를 만들기 시작했습니다. 철은 돌이나 뼈보다 훨씬 단단하기 때문에 철로 만든 농사 도구를 사용하면서, 수확량이 크게 늘었고 마을도 더 커졌습니다.

[채점 기준] '수확량이 크게 늘었고, 마을도 더 커졌다' 등의 내용을 포함하여 바르게 썼다.

6 농사 도구 중 논밭을 갈 때 사용한 도구는 돌보습 → 쇠 쟁기 → 트랙터 순으로 발달했습니다.

7 옛날에는 곡식을 수확할 때 반달 돌칼을 사용했습니다. 이후 쇠로 만든 도구가 사용되면서 쇠 낫을 사용했고, 오늘날에는 콤바인과 같은 기계를 사용합니다.

8 음식을 저장할 때 사용한 도구는 토기 → 항아리 → 냉장고의 순서로 발달했습니다.

9 먼 옛날에는 돌로 만든 갈판과 갈돌을 이용해서 음식을 갈았고, 이후 맷돌을 이용해서 음식을 갈게 되었습니다. 오늘날에는 주로 전기를 이용하는 믹서를 사용해서 음식을 갑니다.

10 제시된 도구는 옛날에 실을 엮어서 옷감을 만드는 베틀입니다.

11 기와집의 안채에서는 주로 여자들이, 사랑채에서는 남자들이 생활했습니다. ㉠ 기와집은 돌과 나무 등으로 만들고, 흙을 구워 만든 기와로 지붕을 덮은 집입니다. ㉡ 기와집에는 거실이 없었습니다.

12 명절은 해마다 일정한 시기를 지켜 즐기는 날로, 대표적으로 설날, 추석, 동지 등이 있습니다. 명절에는 다양한 계절 음식을 나누어 먹고, 조상들께 감사하는 마음을 담아 차례를 지내거나 멀리 떨어져 사는 친척들을 만나 서로 소식을 나눕니다.

13 정월 대보름은 음력으로 새해 첫 보름달이 뜨는 날로, 오곡밥과 부럼을 먹으며 한 해의 건강을 기원했습니다. 또한 쥐불놀이, 달집태우기 등을 하며 농사가 잘되기를 기원했습니다.

14 단오는 여름 무더위가 시작되는 시기로, 모내기를 끝낸 후 몸과 마음을 푸는 날입니다. 그네뛰기, 씨름, 나쁜 기운을 쫓는다는 의미로 창포물에 머리 감기 등을 했습니다.

[채점 기준] '나쁜 기운을 쫓는다'의 내용을 포함하여 바르게 썼다.

15 백중은 논밭에 잡초를 없애는 김매기를 끝낸 후 즐기는 날로, 호미를 씻어 헛간에 넣어 두는 날이라고도 합니다. 여러 과일과 채소로 조상들께 제사를 지내고, 마을 사람들과 잔치를 벌였습니다.

16 추석은 매년 음력 8월 15일에 지내는 명절입니다. 추석은 한 해 농사를 마무리하며 곡식을 수확하는 시기이기 때문에 햇곡식과 과일을 수확해 이웃과 나누어 먹고, 조상들께 감사하는 마음을 담아 차례를 지냈습니다. 또한 마을 사람들이 함께 모여 줄다리기를 하고, 보름달 아래에서 강강술래를 했습니다.

17 여름에는 모내기 후에 씨름을 하며 지친 몸과 마음을 풀었습니다.

18 동지는 일 년 중 밤이 가장 길고 낮이 가장 짧은 날로, 양력 12월 22일 무렵입니다. 이때는 나쁜 기운을 물리치기 위해 팥죽을 먹거나 대문과 문 근처 벽에 팥죽을 뿌렸습니다. 따라서 동지를 체험할 때 만들 수 있는 음식은 팥죽입니다. ① 송편은 추석에, ④ 삼계탕은 삼복에, ⑤ 수리취떡은 단오에 먹는 음식입니다.

19 경상북도 경주시에는 정월 대보름 전날 이른 저녁에

생떡국을 만들어 먹는 세시 풍속이 있습니다. 생떡국을 먹으면 한 해 농사가 잘된다고 믿었습니다.

[채점 기준] '생떡국을 먹으면 한 해 농사가 잘된다고 믿었다' 등의 내용을 포함하여 바르게 썼다.

20 옛날 사람들은 행운이 들어오기를 바라는 마음으로 봄에 입춘문을 써서 대문에 붙였습니다. 또한 가족이 일 년 동안 건강하기를 빌고 풍년을 기원하며 집 안 곳곳에 동물 그림(세화)을 붙였습니다.

서술형 톡톡 문제 98쪽

1 예 사냥한 동물의 가죽을 벗기거나 고기를 자를 때 사용했습니다. 2 예 동물을 사냥하고 물고기를 잡았습니다. 강 근처에서 농사를 짓고 가축을 길렀습니다. 3 예 철은 청동보다 구하기 쉽고 단단했습니다. 4 예 돌아가신 조상들께 차례를 지내고 마을의 웃어른을 찾아뵙고 세배를 드립니다. 떡국을 먹고 윷놀이, 널뛰기, 연날리기 등의 놀이를 합니다. 5 예 여자들은 그네를 뛰고 남자들은 씨름을 즐깁니다. 창포물에 머리를 감습니다. 6 예 나쁜 기운을 물리치기 위해서입니다.

1 먼 옛날에는 자연에서 얻을 수 있는 돌, 나무, 뼈 등으로 생활 도구를 만들었습니다. 주먹 도끼는 돌을 깨서 날카롭게 만든 도구로, 사냥한 동물의 가죽을 벗기거나 날카로운 부분을 이용해 고기를 자를 때도 사용했습니다.

[채점 기준] '사냥한 동물의 가죽을 벗길 때 사용했다', '고기를 자를 때 사용했다' 등의 내용을 포함하여 바르게 썼다.

2 돌괭이는 주먹 도끼를 사용할 때보다 시간이 흐른 뒤에 사용한 생활 도구입니다. 주먹 도끼는 돌을 깨뜨려서 만들었지만, 돌괭이는 돌을 갈아서 만들었기 때문에 더 정교합니다. 이때도 주먹 도끼를 사용할 때와 식량을 구하는 방법은 비슷하여 사냥을 하거나 물고기를 잡았습니다. 그러나 이때부터 사람들은 먹을거리가 많은 강이나 해안 근처에 모여 살았고, 강 근처에서 농사를 짓고 가축을 기르기 시작했습니다.

[채점 기준] '사냥을 하고 물고기를 잡았다', '농사를 짓고 가축을 길렀다' 등의 내용을 포함하여 바르게 썼다.

3 쇠 괭이는 철로 만든 도구입니다. 철을 사용하기 전에는 구리와 주석을 녹여 만든 청동을 사용했는데, 청동은 귀했기 때문에 일상생활에서는 사용하기 어려웠습니다. 철은 청동보다 구하기 쉽고 단단했기 때문에 철로 만든 농사 도구를 사용하면서 수확량이 크게 늘었습니다.

[채점 기준] '철은 청동보다 구하기 쉽고 단단했다' 등의 내용을 포함하여 바르게 썼다.

4 설날은 음력 1월 1일로, 새해 첫날에 보내는 명절입니다. 이때는 조상들께 차례를 지내고 웃어른께 세배를 드렸습니다. 또 떡국을 먹거나 윷놀이, 널뛰기, 연날리기 등의 여러 놀이를 즐겼습니다.

[채점 기준] '돌아가신 조상들께 차례를 지낸다', '마을의 웃어른을 찾아뵙고 세배를 드린다', '떡국을 먹는다', '윷놀이, 널뛰기, 연날리기 등의 놀이를 한다' 등의 내용을 포함하여 바르게 썼다.

한눈에 쏙쏙 옛날의 세시 풍속

설날	• 음력 새해 첫날 • 조상들께 차례를 지내고, 세배를 드림. • 떡국을 먹으면 나이를 한 살 더 먹는다고 여김.
단오	• 음력 5월 5일 • 그네뛰기, 씨름, 창포물에 머리 감기 등을 함.
동지	• 양력 12월 22일 무렵 • 팥죽을 먹거나, 집안 곳곳에 뿌림.

5 단오는 음력 5월 5일로 여름 무더위가 시작되는 시기입니다. 단오는 모내기를 끝내고 몸과 마음을 푸는 날로, 여자들은 그네를 뛰고, 남자들은 씨름을 했습니다. 또 창포물에 머리를 감기도 했습니다.

[채점 기준] '여자들은 그네를 뛴다', '남자들은 씨름을 즐긴다', '창포물에 머리를 감는다' 등의 내용을 포함하여 바르게 썼다.

6 동지는 일 년 중 밤이 가장 길고 낮이 가장 짧은 날로, '작은설'이라고도 불렀습니다. 동지에는 나쁜 기운을 물리치기 위해 팥죽을 먹거나 대문과 문 근처에 팥죽을 뿌렸습니다.

[채점 기준] '나쁜 기운을 쫓는다'의 내용을 포함하여 바르게 썼다.

③ 가족의 모습과 역할 변화

1 가족의 구성과 역할 변화

 확인

105쪽 **1** 혼인 **2** (1) ○ (2) ×
107쪽 **1** ㉢-㉡-㉠-㉣ **2** (1) × (2) ○
109쪽 **1** (1) ○ (2) × **2** 가마
111쪽 **1** (1) × (2) ○ **2** ㉠, ㉡, ㉣
113쪽 **1** (1) ○ (2) ×
115쪽 **1** ㉠, ㉡, ㉣

 주제 톡톡 문제
117~119쪽

1 ③ **2** (1) ㉡ (2) ㉠ **3** 나무 기러기 **4** 대추 **5** ⑤ **6** 농사
7 ㉤ 부모가 결혼하지 않은 자녀와 함께 사는 가족입니다.
8 ㉡ **9** ㉤ 자녀들이 일자리를 찾아 부모님과 떨어져 살게 되었습니다. 자녀 교육을 위해 도시로 이사했습니다. **10** ④
11 (1) ○ (2) ○ (3) × **12** ① **13** 늘어나면서 **14** ㉤ 가족 구성원이 집안일을 나누어서 합니다. **15** ④, ⑤ **16** ㉤ 가족과 친척, 친구들이 모여 가족이 된 두 사람을 축복해 줍니다. **17** ㉤ 누리네 가족은 핵가족이고, 준성이네 가족은 확대 가족입니다.

1 오늘날에는 주로 결혼식장에서 결혼식을 올리는 사람도 많지만 여러 종류의 장소에서 다양한 방법으로 이루어지기도 합니다. 옛날에는 신부의 집 마당에서 혼례를 치렀습니다.

2 오늘날에는 다양한 장소에서 다양한 방식으로 결혼식을 하기도 합니다. (1) 야외에서 결혼식을 하기도 하고, (2) 춤과 음악이 있는 공연 형식의 결혼식을 하기도 합니다.

3 옛날에는 신랑이 신부의 집에 가서 나무 기러기를 바치면 혼례가 시작되었습니다. 기러기는 한번 짝짓기를 하면 평생 그 짝과 함께 지냅니다. 우리 조상들은 혼례를 올릴 때 나무를 깎아 기러기를 만들어 신랑, 신부가 기러기처럼 평생 어우러져 살기를 기원했습니다.

4 옛날에는 신랑과 신부가 신랑의 집에 도착한 뒤 신부가 신랑의 부모님과 어른들께 인사를 하는 폐백을 드렸습니다. 신랑의 부모님과 어른들은 폐백 자리에

서 자식을 많이 낳고 부자가 되라는 뜻으로 대추와 밤을 신부의 치마에 던져 주었습니다.

5 옛날에는 혼인을 하고 난 뒤 신부의 집에서 며칠 동안 머무르다가 신랑의 집으로 갔는데 오늘날에는 결혼식 후 신혼여행을 갑니다.

6 옛날에는 결혼한 부부가 부모와 함께 사는 경우가 많았습니다. 왜냐하면 옛날에는 농사가 중심이 되는 사회였으므로 일손이 많이 필요했기 때문입니다. 이처럼 부모가 결혼한 자녀와 함께 사는 가족을 확대 가족이라고 합니다.

7 핵가족은 부모가 결혼하지 않은 자녀와 함께 삽니다. 확대 가족에 비해 가족 구성원 수가 적은 편입니다.

> **[채점 기준]** '부모가 결혼하지 않은 자녀와 함께 사는 가족이다'의 내용을 포함하여 바르게 썼다.

8 오늘날에는 ㉠ 확대 가족보다 ㉡ 핵가족을 더 많이 볼 수 있습니다.

9 오늘날에는 일자리를 찾아 자녀들이 부모님과 떨어져 살게 되었고 자녀 교육을 위해 편의 시설이 많은 도시로 이사했습니다. 또한 개인 생활을 위해 따로 살며 독립하는 경우가 많아졌기 때문에 핵가족이 주로 나타납니다.

> **[채점 기준]** '자녀들이 일자리를 찾아 부모님과 떨어져 살게 되었다', '자녀 교육을 위해 도시로 이사했다', '개인 생활을 위해 따로 살게 되었다' 등의 내용을 포함하여 바르게 썼다.

10 옛날에는 가족 구성원의 역할이 정해져 있었습니다. 식사 준비, 바느질, 아이 돌보는 일은 여자가 했고, 농사일, 글공부를 시키는 일은 남자가 했습니다.

11 옛날에는 가족 구성원의 역할이 정해져 있었습니다. 집안일은 주로 여자가 하고 바깥일은 주로 남자가 했습니다. 오늘날에는 남성의 일과 여성의 일을 따로 구분하지 않고 가족 구성원이 집안일을 나누어서 합니다. 또한 집안의 중요한 일도 함께 결정합니다.

12 ②, ③ 오늘날에는 남녀 누구나 교육받을 기회가 늘어나면서 사회 활동을 하는 여성이 많아졌습니다. ④ 남녀가 평등하다는 의식이 높아지면서 가족 구성원의 역할도 변했습니다. ⑤ 성별에 관계없이 사회의 다양한 분야에서 일하는 사람이 많아졌습니다.

13 오늘날에는 교육받을 기회가 늘어나면서 사회 활동을 하는 여성이 많아졌습니다. 이에 따라 남녀 모두 직업을 갖고 일하는 맞벌이 가정이 늘어나면서 육아 휴직을 하는 아빠들이 많아졌습니다.

14 엄마는 회사 일을 하면서 밀린 집안일도 해야 해서 힘듭니다. 이러한 가족 갈등을 해결하고 행복한 가족을 이루려면 가족 구성원 사이에 갈등이 생겼다는 것을 받아들이고 대화를 해야 합니다. 가족 구성원 사이에 서로 노력이 필요한 점을 이야기해 보고 서로 어떤 점이 서운하고 속상한지 솔직하게 이야기해 봅니다.

> [채점 기준] '가족 구성원이 집안일을 나누어서 한다', '엄마의 힘든 점을 알고 가족 구성원이 노력해야 한다' 등의 내용을 포함하여 바르게 썼다.

15 가족 구성원 사이에 나타나는 갈등을 해결하려면 가족 구성원 사이에 갈등이 생겼다는 것을 받아들이고 대화를 통해 서로 어떤 생각을 하는지, 어떻게 하면 갈등을 해결할 수 있을지 의견을 나누어 봅니다. ① 가족이 겪고 있는 갈등을 알려 해결할 수 있는 방법을 찾아봅니다. ② 서로 어떤 점이 서운하고 속상한지 솔직하게 이야기합니다. ③ 가족 구성원으로서 자신의 역할을 잘 실천하도록 노력합니다.

한눈에 쏙쏙 가족 구성원 간의 갈등 원인 및 해결 방법

원인	같은 일을 두고 생각이 달라 갈등을 겪게 됨.
해결 방법	• 대화를 통해 서로 어떤 생각을 하는지, 어떻게 하면 갈등을 해결할 수 있는지 의견 나누기 • 서로 어떤 점이 서운하고 속상한지 솔직하게 이야기 나누기 • 서로 노력이 필요한 점 말해 보기 • 서로 존중하고 다른 사람의 입장을 배려하는 태도 가지기

16 옛날과 오늘날의 결혼식 모습은 많이 달라졌지만 비슷한 점도 있습니다. 두 사람의 결혼으로 새로운 가족이 만들어지고, 가족이나 친척, 친구들에게 결혼을 알리며, 결혼식에 가족과 친척, 친구들이 모여 가족이 된 두 사람을 축복해 준다는 점입니다.

> [채점 기준] '두 사람의 결혼으로 새로운 가족이 만들어진다', '가족과 친척, 친구들이 모여 가족이 된 두 사람을 축복해 준다' 등의 내용을 포함하여 바르게 썼다.

17 누리네 가족은 아빠, 엄마, 누리 이렇게 셋이 삽니다. 누리네 가족은 부모가 결혼하지 않은 자녀와 함께 사는 핵가족입니다. 준성이네 가족은 할아버지, 할머니, 아빠, 엄마, 누나, 준성이로 이루어져 있습니다. 준성이네 가족은 부모가 결혼한 자녀와 함께 사는 확대 가족입니다.

> [채점 기준] '누리네 가족은 핵가족이고, 준성이네 가족은 확대 가족이다', '누리네 가족은 가족 구성원이 적고 준성이네 가족은 가족 구성원이 많다' 등의 내용을 포함하여 바르게 썼다.

2 다양한 가족이 살아가는 모습

 확인

123쪽 1 할머니 **2** 입양 **3** (1) × (2) ○
125쪽 1 (1) ○ (2) ×
127쪽 1 예 그림 그리기, 역할극 하기, 노래 만들기, 만화 그리기 **2** (1) × (2) ○
129쪽 1 라면 **2** (1) × (2) ○
131쪽 1 ㉢

 주제 통 문제

133~135쪽

1 ㉢ **2** ⑤ **3** 예 오늘날 가족 형태는 매우 다양합니다. **4** ② **5** ⑤ **6** ① **7** ⑤ **8** ③ **9** ① **10** ㉠, ㉡ **11** ② **12** 예 힘들 때 힘이 나게 해 줍니다. **13** ④, ⑤ **14** ㉣ **15** ① **16** 예 입양으로 가족이 되었습니다. **17** 예 다양한 형태의 가족을 존중해야 합니다.

1 ㉠~㉣에는 다양한 가족 형태가 나타나 있습니다. ㉠ 가족은 아빠, 엄마, 아이로 구성된 가족이고, ㉡ 가족은 두 가족이 새롭게 한 가족이 된 가족입니다. ㉢ 가족은 할머니, 손자, 손녀로 이루어진 가족이고 ㉣ 가족은 엄마의 고향이 중국인 가족입니다.

2 ㉣ 그림을 살펴보면 아빠, 엄마, 아이 두 명으로 구성되어 있고 대화를 통해 엄마의 고향은 중국이라는 것을 알 수 있습니다.

3 아빠, 엄마, 아이로 구성된 가족, 두 가족이 새롭게 한 가족이 된 가족, 할머니, 손자, 손녀로 구성된 가족, 엄마의 고향이 중국인 가족 그림이 있습니다. 이를 통해 가족의 형태는 매우 다양하다는 것을 알 수 있습니다.

> [채점 기준] '가족의 형태가 다양하다', '우리 주변에는 여러 형태의 가족이 있다' 등의 내용을 포함하여 바르게 썼다.

한눈에 쏙쏙 다양한 가족 형태

• 두 가족이 새롭게 한 가족이 된 가족
• 할아버지나 할머니와 손자, 손녀로만 이루어진 가족
• 입양으로 한 가족이 된 가족
• 아빠나 엄마만 있는 가족
• 외국인 아빠나 외국인 엄마가 있는 가족

4 가족 형태에 따라 각 가족이 살아가는 모습은 다양

합니다. 드라마나 영화, 책, 뉴스 등 우리 일상생활 속에서 다양한 가족의 모습을 찾아볼 수 있습니다. 이 중 밑줄 친 내용은 부모의 재혼으로 한 가족이 된 사례입니다.

5 뉴스 프로그램에는 이중 언어 말하기 대회에 참가한 친구의 이야기가 나타나 있습니다.

6 뉴스 프로그램에 나타난 가족은 엄마의 고향이 베트남입니다. ② 입양 관련 내용은 나타나 있지 않습니다. ③ 부부만 있는 가족이 아닙니다. ④ 아빠와 아이, 둘로 구성된 가족이 아닙니다. ⑤ 할머니와 손녀가 나타나 있지 않습니다.

7 입양으로 가족이 되고 난 뒤 부모님께는 자식이 늘어나고 아이들에게는 새로운 형제자매가 생길 수 있습니다.

8 다양한 가족의 생활 모습을 표현하는 방법에는 그림 그리기, 역할극 하기, 노래 만들기, 만화 그리기 등 다양한 방법이 있습니다. 그중 역할극을 통해 가족의 생활 모습을 표현한 내용이 제시되어 있습니다.

9 케냐가 고향인 아빠의 사진첩을 보고 있습니다. ② 부모님 두 분 다 계십니다. ③ 핵가족으로 구성되어 있습니다. ④ 재혼으로 이루어진 가족은 아닙니다. ⑤ 할머니는 현재 같이 살고 있지 않습니다.

10 ⓒ 가족들의 구성과 살아가는 모습은 모두 다릅니다. ⓔ 가족 형태는 달라도 모든 가족은 소중합니다. 따라서 다른 가족을 대할 때 각 가족의 차이를 알고 이해하면서 다양한 형태의 가족을 존중하는 태도가 필요합니다.

11 가족을 설명할 수 있는 글을 써 보면서 가족의 의미를 생각해 볼 수 있습니다. 가족의 의미를 표현한 글의 빈칸에 공통으로 들어갈 말은 장갑입니다. 가족이 마음을 따뜻하게 해 주어서 가족을 장갑으로 표현했습니다.

12 가족은 힘이 하나도 없을 때 꼭 안아 주면 충전이 되는 것처럼 힘이 나게 해 줍니다. 힘들 때 힘이 나게 해 주어서 충전기로 표현했습니다.

[채점 기준] '힘이 나게 해 준다'의 내용을 포함하여 바르게 썼다.

13 공익 광고는 사회 전체의 이익을 목적으로 하는 광고를 말합니다. 사람들에게 우리 사회의 중요한 가치를 알리는 데 목적이 있습니다.

14 다양한 가족을 존중하는 내용을 담은 공익 광고를

만들려면 어떤 내용으로 구성할지 생각해 보고 꼭 들어가야 할 중요한 단어를 찾아봅니다. 주제를 잘 전달하려면 어떤 장면을 보여 주어야 할지 생각하고 마지막에 함께 외칠 수 있는 간단한 구호도 생각해 봅니다.

15 다양한 가족의 모습을 살펴보고 공익 광고로 표현해 보면 일상생활에서 다른 가족에게 가져야 할 태도를 배울 수 있고 우리 가족의 소중함도 느낄 수 있습니다. 다양한 가족 형태를 더 잘 이해할 수 있고 다양한 가족의 삶의 모습을 다시 생각해 볼 수 있습니다.

16 그림 속 아이의 이야기를 통해 입양으로 구성된 가족이 가족사진을 찍으려고 준비하는 모습이라는 것을 알 수 있습니다.

[채점 기준] '입양으로 가족이 되었다'의 내용을 포함하여 바르게 썼다.

17 오늘날 우리 사회에는 다양한 형태의 가족이 있습니다. 다른 가족을 대할 때 그 가족을 이해하고 다양한 형태의 가족을 존중하는 태도가 필요합니다.

[채점 기준] '다양한 형태의 가족을 존중한다'의 내용을 포함하여 바르게 썼다.

쪽지 시험 140쪽

1 혼인 2 나무 기러기 3 핵가족 4 × 5 이해 6 ○ 7 ×
8 다르기 9 존중 10 공익

단원 톡톡 문제 141~143쪽

1 ① 2 ⓛ-ⓒ-ⓗ 3 가마 4 ⑤ 5 ⓗ, ⓒ 6 ⓔ 7 ⑤
8 핵가족 9 지수 10 ③ 11 예 가족 구성원 사이에 서로 존중하고 다른 사람의 입장을 배려하는 태도를 가져야 합니다. 12 가족회의 13 ③ 14 ② 15 ⑤ 16 입양 17 ④
18 예 깊이를 알 수 없는 바다만큼 우리를 사랑하시기 때문입니다. 19 ① 20 ③

1 옛날에는 신랑의 집에서 폐백을 드렸으나, 오늘날 신랑과 신부는 결혼식 이후 한복으로 갈아입고 결혼식장의 폐백실에서 집안 어른들께 폐백을 드립니다. 오늘날에는 ③ 결혼식 대신 여행을 가기도 하며, ④

공연 형식의 결혼식, 야외 결혼식 등 다양한 방법으로 결혼식이 이루어집니다. 또한 ⑤ 가족만 모여 진행하는 작은 결혼식을 하기도 합니다.

2 옛날에는 ⓒ 혼례 치르기 → ⓒ 신랑의 집으로 이동하기 → ⓐ 폐백드리기 순서로 혼인이 이루어졌습니다.

3 옛날에는 혼례가 끝나면 신부의 집에서 며칠 동안 머무르다가 신랑은 말을, 신부는 가마를 타고 신랑의 집으로 갔습니다. 가마는 한 사람이 안에 타고 둘이나 넷이 들거나 메던 조그만 집 모양의 탈것을 말합니다.

4 옛날에는 신랑이 신부의 집에 가서 나무 기러기를 바치면 혼례가 시작되었습니다. 오늘날에는 신부는 웨딩드레스, 신랑은 양복을 입고 결혼식장에서 결혼식을 합니다. 신랑과 신부는 결혼반지를 주고받으며 결혼식 후에 신혼여행을 갑니다.

5 ⓒ 오늘날 결혼식에서 신랑은 양복을 입습니다. ⓐ 옛날에는 신부의 집에서 혼례를 치렀습니다.

옛날과 오늘날의 혼인 풍습 비교

구분	옛날	오늘날
혼인 결정	집안끼리 결정함.	신랑, 신부의 의견이 중요함.
혼인 장소	신부의 집	결혼식장
입는 옷	한복	웨딩드레스, 양복
주고받는 것	나무 기러기	결혼반지
혼인 후에 하는 일	신부의 집에서 며칠 동안 머무르다가 신랑의 집으로 감.	신혼여행을 감.

6 확대 가족은 부모가 결혼한 자녀와 함께 사는 가족을 말합니다.

확대 가족과 핵가족 비교

구분	확대 가족	핵가족
가족 구성	부모가 결혼한 자녀와 함께 사는 가족	부모가 결혼하지 않은 자녀와 함께 사는 가족
구성원 수	가족 구성원 수가 많음.	가족 구성원 수가 적음.
많이 나타나는 까닭	농사를 짓는 데 일손이 많이 필요해서	취업, 교육, 개인 생활을 위해 따로 사는 경우가 많아서

7 옛날에는 주로 농사를 지어 일손이 많이 필요했기

때문에 확대 가족이 많았습니다. 개인 생활을 위해 독립하는 경우가 많고 자녀 교육을 위해 도시로 이사한 것은 오늘날 핵가족이 주로 나타나는 까닭에 해당합니다.

8 오늘날에는 확대 가족과 핵가족을 모두 찾아볼 수 있지만 핵가족을 더 많이 찾아볼 수 있습니다.

9 옛날에는 가족 구성원의 역할이 구분되어 있어 남자는 주로 바깥일을 하고 여자는 주로 집안일을 했습니다. 집안의 중요한 일은 할아버지가 결정한 뒤 결정한 내용을 가족들에게 말씀해 주셨습니다.

10 오늘날에는 누구나 교육을 받을 수 있어 여성의 사회 진출이 활발해졌습니다.

가족 구성원의 역할이 변화한 까닭

교육 기회 확대	남녀 구분 없이 교육받을 기회가 늘어나면서 사회 활동을 하는 여성이 많아졌음.
맞벌이 가정 증가	남녀 모두 직업을 갖고 일하는 맞벌이 가정이 늘어나면서 육아 휴직을 하는 아빠도 늘어남.
남녀평등 의식 확산	남녀평등 의식이 높아지면서 성별과 관계없이 일하는 사람들이 늘어남.

11 가족 구성원 사이에 서로 존중하고 다른 사람의 입장을 배려하는 태도를 가져야 합니다.

[채점 기준] '가족 구성원 사이에 서로 존중하고 다른 사람의 입장을 배려하는 태도를 가져야 한다', '가족 구성원으로서 자신의 역할을 잘 실천하도록 노력한다' 등의 내용을 포함하여 바르게 썼다.

12 가족회의를 통해 가족끼리 마음을 열고 대화하는 시간을 가질 수 있습니다.

13 산책하는 두 사람은 아빠와 딸로 구성된 가족입니다.

14 우리 주변에는 여러 형태의 가족이 있습니다. 우리 가족과 같거나 비슷한 형태의 가족도 있고, 다른 형태의 가족도 있습니다. 가족의 형태는 달라도 모든 가족은 저마다의 모습으로 함께 살아가고 있습니다.

15 드라마에 나타난 가족의 모습을 살펴보면 엄마와 둘이 살던 가영이, 아빠와 둘이 살던 남자아이가 엄마, 아빠의 재혼으로 한 가족이 되었다는 것을 알 수 있습니다. 언어가 잘 통하지 않아 어려움을 겪는 것은 다문화 가족에 대한 설명입니다.

16 공개 입양을 통해 4명의 아이를 둔 부부의 이야기가 나와 있습니다. 입양은 혈연관계가 아닌 사람들이 법적으로 부모와 자식의 관계가 되는 것을 뜻하는

것으로, 빈칸에는 입양이 들어갑니다.

17 드라마, 영화, 애니메이션, 신문 기사 등의 다양한 매체를 통해 가족들의 생활 모습을 찾아볼 수 있습니다. 이를 통해 ① 가족들마다 구성원이 다양하다는 것과 ② 가족에게 생긴 이야기를 알 수 있습니다. 또한 ③ 가족들의 생활 모습이 다양하다는 것도 알 수 있습니다. 그리고 ⑤ 형태는 달라도 서로 힘이 되는 든든한 가족이라는 점을 알 수 있습니다.

18 가족을 글로 표현하는 활동을 통해 가족의 모습은 다르지만 가족을 사랑하는 마음은 중요하다는 것을 알 수 있습니다. 부모님이 매우 깊게 사랑해 주시기 때문에 우리 가족을 '바다'라고 표현했습니다.

[채점 기준] '깊이를 알 수 없는 바다만큼 우리를 사랑하시기 때문이다'의 내용을 포함하여 바르게 썼다.

19 다양한 가족의 생활 모습을 표현하는 방법에는 시 쓰기, 그림 그리기, 역할극 하기, 노랫말 쓰기, 만화로 표현하기 등 여러 가지가 있습니다. 제시된 작품은 아빠의 소중함을 시로 표현한 것입니다.

20 다양한 가족을 존중하는 내용의 광고를 만들면 다양한 형태의 가족을 존중해야 한다는 것을 느낄 수 있습니다. 또한 다양한 가족의 삶의 모습을 생각해 볼 수 있으며 우리 가족의 소중함도 느낄 수 있습니다.

 서술형 톡 톡 문제

144쪽

1 예 남자는 주로 바깥일을 하고, 여자는 주로 집안일을 했습니다. 2 예 아이들이 자라면서 할아버지, 할머니께 사랑받고 예의범절을 배울 수 있습니다. 3 예 교육받을 기회가 늘어나면서 사회 활동을 하는 여성이 많아지고 맞벌이 가정도 늘어났습니다. 4 예 역할극으로 가족의 생활 모습을 표현한 것입니다. 5 예 아빠의 어릴 적 추억이 담긴 간식을 먹으니 케냐에 계신 할머니를 뵙고 싶어요. 6 예 다양한 형태의 가족을 존중해야 합니다. 가족의 형태는 달라도 모든 가족을 소중하게 생각합니다.

1 옛날에는 가족 구성원의 역할이 정해져 있었습니다. 집안일은 주로 여자가 하고, 바깥일은 주로 남자가 했습니다.

[채점 기준] '남자는 주로 바깥일을 하고, 여자는 주로 집안일을 했다', '아버지와 아들은 농사일을 하고, 어머니와 딸은 집안일을 한다' 등의 내용을 포함하여 바르게 썼다.

2 옛날에는 다 함께 살아 할아버지, 할머니가 아이들을 돌보아 주셨습니다. 옛날에는 확대 가족이 많았으므로 아이들이 자라면서 할아버지, 할머니께 사랑받고 예의범절을 배울 수 있는 점도 좋은 점입니다. 또한 가족이 많아 외롭지 않고, 어려운 일을 함께 해결할 수 있는 점도 좋은 점입니다.

[채점 기준] '아이들이 자라면서 할아버지, 할머니께 사랑받고 예의범절을 배울 수 있다', '가족이 많아 외롭지 않다', '어려운 일을 함께 해결할 수 있다' 등의 내용을 포함하여 바르게 썼다.

3 오늘날에는 누구나 교육받을 수 있어 여성의 사회 진출이 활발해졌고 맞벌이 가정이 늘어났습니다. 남녀가 평등하다는 의식이 높아져 성별과 관계없이 다양한 사회 분야에서 일합니다.

[채점 기준] '교육 기회 확대', '맞벌이 가정 증가', '남녀평등 의식 향상' 등의 내용을 포함하여 바르게 썼다.

4 다양한 가족의 생활 모습을 표현해 보는 방법에는 그림 그리기, 만화 그리기, 역할극 하기, 노래 만들기 등이 있습니다. 이 중 제시된 내용은 역할극으로 가족의 모습을 표현한 것입니다.

[채점 기준] '역할극으로 가족의 생활 모습을 표현했다'의 내용을 포함하여 바르게 썼다.

5 케냐가 고향인 아빠께서 어릴 적에 드시던 음식을 가족이 함께 먹는 모습을 표현했습니다. '나'가 말하고 난 뒤 엄마가 할머니를 뵈러 케냐에 가자고 하셨으니 '나'는 할머니를 뵙고 싶다고 이야기했다는 것을 알 수 있습니다.

[채점 기준] '아빠의 어릴 적 추억이 담긴 간식을 먹으니 케냐에 계신 할머니가 보고 싶어요', '할머니께서 직접 만들어 주시는 만다지를 먹고 싶어요' 등의 내용을 포함하여 바르게 썼다.

6 사회가 변화하면서 가족의 모습도 더욱 다양해졌습니다. 모습은 달라도 가족끼리 서로 사랑하는 마음은 똑같기 때문에 모든 가족은 소중합니다. 우리는 다양한 형태의 가족을 인정하고 존중해야 합니다.

[채점 기준] '다양한 형태의 가족을 존중해야 한다', '가족 형태는 달라도 모든 가족을 소중하게 생각한다', '다른 가족을 대할 때 각 가족의 차이를 알고 이해한다' 등의 내용을 포함하여 바르게 썼다.

1 환경에 따라 다른 삶의 모습

핵심만 쏙쏙　　　　　　　　　　　　2쪽

❶ 인문환경　❷ 산　❸ 여가 생활　❹ 의식주　❺ 동물

가로 톡! 세로 톡! 퍼즐　　　　　　3쪽

①여	가	①생	활			
		활		④선	풍	③기
		용				온
		②강	수	량		
				④땅		
②감				⑤의	식	⑤주
③자	연	환	경	모		생
				양		활

단원 팡팡 문제 1회　　　　　　4~6쪽

1 (1) ㉠, ㉡, ㉣ (2) ㉢, ㉥, ㉦　2 예 높은 곳에서 찍은 사진이나 디지털 영상 지도에서 확인해 봅니다. 텔레비전에 나온 고장의 영상을 찾아봅니다. 3 ① 4 ④ 5 ⑤ 6 ㉡ 7 ④ 8 도시 9 예 영화관에서 영화를 봅니다. 공원에서 산책을 합니다. 10 ①, ② 11 ㉠ 옷 ㉡ 음식 ㉢ 집 12 ② 13 ㉡, ㉣ 14 ㉠ 15 ④ 16 (1) ㉢ (2) ㉠ (3) ㉡ 17 예 채소와 과일을 구하기 어려워서 고기를 주로 먹으며, 음식을 저장하기 위해 얼리거나 말리는 방법을 많이 활용합니다. 18 바람 19 ㉡, ㉣ 20 ④

1　자연환경은 땅의 모양이나 날씨에 영향을 주는 것을 말합니다. ㉠ 산은 땅의 모양이고, ㉡ 비, ㉣ 바람은 날씨에 영향을 주는 것으로 자연환경에 해당합니다. 인문환경은 사람들이 자연환경을 이용하여 만든 것으로 ㉢ 항구, ㉥ 스키장, ㉦ 아파트가 이에 해당합니다.

2　고장의 자연환경과 인문환경을 조사하기 위해 먼저 우리 고장에서 직접 가 본 곳이나 알고 있는 곳을 떠올려 볼 수 있습니다. 그리고 고장을 높은 곳에서 찍은 사진이나 디지털 영상 지도에서 우리 고장의 환경을 확인해 봅니다. 또 우리 고장 누리집에서 고장의 다양한 장소를 찾아보거나 고장 안내 지도에서 명칭을 살펴보고 텔레비전에 나온 고장의 영상을 찾아볼 수도 있습니다.

> **[채점 기준]** '높은 곳에서 찍은 사진이나 디지털 영상 지도에서 고장의 모습 확인하기', '고장 누리집 검색하기', '고장 안내 지도 살펴보기', '텔레비전에 나온 우리 고장의 영상 찾아보기' 등의 내용을 포함하여 바르게 썼다.

3　사람들은 들에 농사를 짓거나 도로와 건물을 만들어 이용하기도 합니다. ②, ③는 바다, ④는 하천, ⑤는 산을 이용하는 모습입니다.

4　제시된 사진은 바닷가에 항구를 만들어 이용하는 모습입니다. 항구는 배가 안전하게 드나들 수 있도록 강이나 바닷가에 부두 등을 설비하는 곳입니다.

5　제시된 그래프를 통해 기온이 가장 낮고 추위에 대비해야 하는 계절은 겨울이라는 것을 알 수 있습니다. ① 가을은 비가 두 번째로 많이 내리는 계절입니다. ② 1월의 평균 강수량은 50mm입니다. ③ 평균 기온이 두 번째로 높은 달은 10월입니다. ④ 기온이 가장 높고 비가 많이 내리는 계절은 여름입니다.

한눈에 쏙쏙　평균 기온, 평균 강수량 그래프를 보고 알 수 있는 것

평균 기온 그래프	• 세로는 기온을 나타내고, 막대의 길이가 길수록 기온이 높고 덥다는 뜻임. • 평균 기온이 가장 높은 달은 7월이고 25℃임. • 평균 기온이 가장 낮은 달은 1월이고 1℃임.
평균 강수량 그래프	• 세로는 강수량을 나타내고, 막대의 길이가 길수록 강수량이 많고 비나 눈이 많이 내린다는 뜻임. • 평균 강수량이 가장 많은 달은 7월이고 243mm임. • 평균 강수량이 가장 적은 달은 1월이고 50mm임.

6　바다가 있는 고장에 사는 사람들은 배나 도구를 이용하여 물고기를 잡는 등 바다와 관련된 일을 합니다. ㉠ 과수원에서 과일을 재배하는 것은 넓은 들이 있는 고장에 사는 사람들이 하는 일입니다. ㉢ 눈이 많이 내리는 곳에서 스키장을 운영하는 것은 산이 많은 고장에 사는 사람들이 하는 일입니다.

7　돈이 필요한 사람에게 돈을 빌려주는 것은 도시가 발달한 고장에 사는 사람들이 하는 일입니다. 산이

많은 고장에 사는 사람들은 지하자원을 캐거나 목장에서 소나 양을 키웁니다. 그리고 산비탈에 밭이나 계단 모양의 논을 만들어 농사를 짓습니다. 나무를 심고 기르거나 버섯을 재배하고 산나물과 약초를 캐기도 합니다.

8 도시에 사는 사람들은 회사나 공장에서 일하거나 물건과 음식을 파는 등 다양한 일을 하고, 사람들의 생활을 편리하게 하거나 즐겁게 하는 일 등을 합니다.

9 고장 사람들은 자연환경과 인문환경을 이용하여 여가 생활을 즐깁니다. 고장의 인문환경을 이용한 여가 생활에는 영화 관람, 공원 산책, 박물관 관람, 수영장 물놀이 등이 있습니다.

> [채점 기준] '영화관에서 영화를 본다', '공원에서 산책을 한다', '박물관을 관람한다', '수영장에서 물놀이를 한다' 등의 내용 중 두 가지를 포함하여 바르게 썼다.

10 고장의 자연환경을 이용한 여가 생활은 연날리기와 숲속 캠핑하기입니다. ③ 박물관 관람하기, ④ 공원에서 자전거 타기, ⑤ 수영장에서 물놀이하기는 인문환경을 이용한 여가 생활입니다.

11 사람들이 안전하고 편안하게 살아가는 데 필요한 옷, 음식, 집을 한꺼번에 가리켜 의식주라고 합니다. 몸을 보호할 수 있는 옷, 영양분을 얻기 위한 음식, 쉬거나 잠을 잘 수 있는 집은 우리 생활에 꼭 필요합니다.

12 식생활에 해당하는 것은 우유입니다. ① 온돌, ⑤ 이글루는 주생활에 해당하고, ③ 모자, ④ 반바지는 의생활에 해당합니다.

13 여름에는 더위를 이겨 내기 위해 가볍고 시원한 옷감으로 만든 반소매, 민소매, 반바지 등을 입습니다. 겨울에는 추위를 막기 위해 두껍고 긴 옷을 입습니다. ㉠ 목도리를 두르는 것은 겨울, ㉢ 모자나 양산을 쓰는 것은 여름에 볼 수 있는 의생활 모습입니다.

14 제시된 사진은 겨울이 길고 추운 고장의 자연환경과 관련 있습니다. ㉡ 뜨겁고 비가 적게 내리는 고장에서는 긴 옷을 입고 머리와 얼굴을 천으로 감싸고, ㉢ 낮과 밤의 기온 차가 큰 고장에서는 망토를 걸치고 모자를 씁니다.

15 금산의 자연환경은 인삼을 재배하기에 좋습니다. 적당한 햇볕(날씨)과 흙의 영양분과 물 빠짐(땅의 모양)을 모두 포함하는 단어는 '자연환경'입니다.

16 바다와 접해 있는 통영은 굴을 이용한 굴밥, 굴구이 같은 굴을 이용한 음식이 많습니다. 주변에 넓은 들과 산이 있는 전주는 쌀과 채소를 구하기 쉽고, 장맛도 좋아 비빔밥이 유명합니다. 산이 많고 서늘한 정선은 감자를 재배하기에 좋아 감자전, 감자송편과 같이 감자를 이용한 음식이 많습니다.

17 겨울이 길고 추운 고장에서는 채소와 과일을 구하기 어려워서 고기를 주로 먹고, 음식을 말리거나 얼리는 방법을 활용하여 음식을 저장합니다.

> [채점 기준] '채소와 과일을 구하기 어려워서 고기를 주로 먹는다', '음식을 저장하기 위해 얼리거나 말리는 방법을 활용한다' 등의 내용을 포함하여 바르게 썼다.

18 제주도 전통 가옥은 거세게 부는 바람의 피해를 막기 위해 지붕을 새끼줄로 고정하고, 주변에 돌담을 쌓은 집입니다.

19 도시에 사는 사람들은 주로 아파트, 단독 주택, 연립 주택 등에서 생활합니다. ㉠ 너와집은 나무를 쉽게 구할 수 있는 고장에서 볼 수 있는 집입니다. ㉢ 우데기는 울릉도에서 볼 수 있는 집의 형태로 겨울에 눈이 많이 내려도 집 안을 자유롭게 돌아다닐 수 있도록 두른 외벽입니다.

20 일 년 내내 덥고 비가 많이 내리는 고장에서는 창을 크게 만들고, 집 아래에 기둥을 높이 세워 집을 짓습니다.

7~9쪽

1 ② 2 인문환경 3 ① 4 ⓓ 하천의 물을 생활용수와 공업용수로 쓰고 주변에 공원을 만들어 이용합니다. 5 여름 6 ② 7 ⑤ 8 ㉡ 9 ⓓ 도시에 사는 사람들은 회사나 공장에서 일합니다. 물건과 음식을 파는 일을 합니다. 10 ⑤ 11 (1), (3) ㉠ (2) ㉡ 12 (1) ㉠, ㉢ (2) ㉡, ㉣ (3) ㉤, ㉥ 13 주생활 14 ② 15 ② 16 ㉢ 17 ㉠, ㉡, ㉣ 18 ⑤ 19 자연환경 20 ⓓ 통나무 집을 짓습니다. 찜질을 할 수 있는 사우나 시설을 만듭니다.

1 ㉠은 땅의 모양, ㉡은 날씨와 관련된 것이 들어가야 합니다. 땅의 모양과 관련된 것은 하천, 바다, 들, 산 등이 있고 날씨와 관련된 것은 바람, 눈, 비 등이 있습니다.

2 사람들이 자연환경을 이용하여 만든 밭, 도로, 건물 등을 인문환경이라고 합니다.

3 사람들은 산길을 따라 등산을 하거나 산에 전망대나 케이블카를 설치하여 이용합니다.

4 고장 사람들은 하천의 물을 생활용수와 공업용수로 사용하거나 하천 주변에 공원을 만들어 이용합니다.

[채점 기준] '하천의 물을 생활용수와 공업용수로 이용한다', '주변에 공원을 만들어 이용한다' 등의 내용을 포함하여 바르게 썼다.

5 제시된 내용은 여름에 볼 수 있는 고장 사람들의 생활 모습입니다.

6 평균 강수량 그래프의 가로는 월을 나타내고, 세로는 강수량을 나타냅니다. ① 평균 기온 그래프의 세로는 기온을 나타냅니다. ③ 평균 기온이 두 번째로 높은 달은 10월입니다. ④ 겨울은 비나 눈이 가장 적게 내리는 계절입니다. ⑤ 평균 기온 그래프에서 막대의 길이가 길수록 기온이 높고 날씨가 덥다는 뜻입니다.

7 넓은 들이 있는 고장에 사는 사람들은 과수원에서 과일을 재배하고, 곡식과 채소를 재배하고 수확합니다. 또한 농업 기술을 연구하고 알려 주는 일을 하기도 합니다.

8 수산물을 파는 것은 바다가 있는 고장에 사는 사람들이 하는 일입니다. 산이 많은 고장에 사는 사람들은 스키장을 만들어 운영하거나 산비탈에 밭이나 계단식 논을 만들어 농사를 짓습니다. 또한 산나물과

약초를 캐기도 합니다.

9 도시에 사는 사람들은 회사나 공장에서 일하거나 물건과 음식을 파는 일을 합니다. 또한 돈을 맡아 주거나 돈이 필요한 사람에게 빌려주는 등 생활을 편리하게 하거나 즐겁게 하는 일을 합니다.

[채점 기준] '회사나 공장에서 일한다', '물건과 음식을 파는 일을 한다', '생활을 편리하게 하거나 즐겁게 하는 일을 한다' 등의 내용 중 두 가지를 포함하여 바르게 썼다.

10 학교에서 공부하기는 여가 생활로 볼 수 없습니다.

11 래프팅은 하천, 갯벌 체험은 갯벌이라는 자연환경을 이용한 여가 생활입니다. 영화 관람은 영화관이라는 인문환경을 이용한 여가 생활입니다.

12 의생활은 몸을 보호할 수 있는 옷과 관련된 것이고, 식생활은 영양분을 얻기 위한 음식과 관련된 것입니다. 주생활은 쉬거나 잠을 잘 수 있는 집과 관련된 것입니다.

13 제시된 내용은 몽골의 이동식 주택인 게르에 대한 설명입니다. 게르는 몽골인들이 짓고 살았던 집이므로 주생활에 해당합니다.

14 2월 제주도의 날씨는 서울특별시보다 포근하지만 2월은 계절적으로 겨울입니다. 따라서 긴소매 옷과 얇은 외투가 가장 적절한 옷차림입니다.

15 제시된 사진은 낮과 밤의 기온 차가 큰 고장의 의생활 모습입니다. 이 고장에 사는 사람들은 낮의 뜨거운 햇볕을 막고 밤의 추위를 견딜 수 있도록 망토를 걸치고 모자를 씁니다.

일 년 내내 덥고 비가 많이 내리는 고장	더위를 식힐 수 있도록 소매가 짧고 바람이 잘 통하는 가벼운 옷을 입음.
뜨겁고 비가 적게 내리는 고장	사막의 뜨거운 햇볕과 모래바람을 막아 주는 긴 옷을 입고 머리와 얼굴을 천으로 감쌈.
낮과 밤의 기온 차가 큰 고장	낮의 뜨거운 햇볕을 막고 밤의 추위를 견딜 수 있도록 망토를 걸치고 모자를 씀.
겨울이 길고 추운 고장	몸을 따뜻하게 하기 위해 동물의 털이나 가죽으로 만든 두꺼운 옷을 입음.

16 덥고 비가 많이 내리는 고장에는 열대 과일을 이용한 음식이 많습니다. ㉠ 겨울이 길고 추운 고장에서는 채소와 과일을 구하기 어렵기 때문에 고기를 주로 먹고, 음식을 저장하기 위해 얼리거나 말리는 방법을 많이 활용합니다. ㉡ 넓은 들과 산이 있는 고장에서는 쌀과 채소를 구하기 쉬워 이를 이용한 음식이 많습니다.

17 바다가 있는 고장의 상차림과 어울리는 것은 ㉠ 대게찜, ㉤ 해물탕, ㉣ 생선구이입니다. ㉢ 한우구이, ㉥ 버섯볶음, ㉦ 산나물무침은 산이 많은 고장의 상차림과 어울리는 음식입니다.

18 거센 바람이 부는 고장은 지붕을 새끼줄로 고정하고, 집 주변에 돌담을 쌓아 집을 짓습니다. 나무를 쉽게 구할 수 있는 고장은 나뭇조각으로 지붕을 얹은 너와집을 짓습니다. 뜨겁고 비가 거의 내리지 않는 고장은 나무가 잘 자라지 않아서 주변에서 흔히 구할 수 있는 흙으로 집을 짓습니다.

19 고장 사람들이 자연환경을 이용하거나 극복하는 모습에 따라 주생활 모습이 다양하게 나타납니다. 옛날에는 집 모양이 자연환경의 영향을 많이 받았지만, 오늘날에는 자연환경을 이용하거나 극복한 집 모양이 다양하게 나타납니다.

20 겨울이 길고 추운 고장에서는 주변에서 쉽게 구할 수 있는 통나무로 집을 짓고, 창을 작게 냅니다. 그리고 따뜻하게 찜질을 할 수 있는 사우나 시설을 만들기도 합니다. 사우나는 뜨겁게 달군 돌에 물을 뿌려 나오는 증기로 찜질을 하는 시설입니다.

[채점 기준] '통나무로 집을 짓는다', '창을 작게 낸다', '찜질을 할 수 있는 사우나 시설을 만든다' 등의 내용 중 두 가지를 포함하여 바르게 썼다.

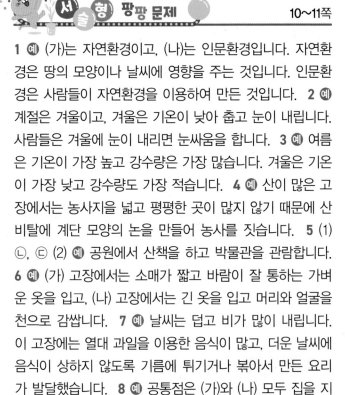

서술형 팡팡 문제 10~11쪽

1 ㉠ (가)는 자연환경이고, (나)는 인문환경입니다. 자연환경은 땅의 모양이나 날씨에 영향을 주는 것입니다. 인문환경은 사람들이 자연환경을 이용하여 만든 것입니다. 2 ㉠ 계절은 겨울이고, 겨울은 기온이 낮아 춥고 눈이 내립니다. 사람들은 겨울에 눈이 내리면 눈싸움을 합니다. 3 ㉠ 여름은 기온이 가장 높고 강수량은 가장 많습니다. 겨울은 기온이 가장 낮고 강수량도 가장 적습니다. 4 ㉠ 산이 많은 고장에서는 농사지을 넓고 평평한 곳이 많지 않기 때문에 산비탈에 계단 모양의 논을 만들어 농사를 짓습니다. 5 (1) ㉤, ㉢ (2) ㉠ 공원에서 산책을 하고 박물관을 관람합니다. 6 ㉠ (가) 고장에서는 소매가 짧고 바람이 잘 통하는 가벼운 옷을 입고, (나) 고장에서는 긴 옷을 입고 머리와 얼굴을 천으로 감쌉니다. 7 ㉠ 날씨는 덥고 비가 많이 내립니다. 이 고장에는 열대 과일을 이용한 음식이 많고, 더운 날씨에 음식이 상하지 않도록 기름에 튀기거나 볶아서 만든 요리가 발달했습니다. 8 ㉠ 공통점은 (가)와 (나) 모두 집을 지을 때 나무를 사용한다는 것입니다. 차이점은 (가)는 지붕에 나뭇조각을 얹은 집이고, (나)는 통나무로 지은 집이라는 것입니다.

1 고장의 환경에는 자연 그대로의 것과 사람이 만든 것이 있습니다. 산, 들, 바다와 같은 땅의 모양이나 눈, 비, 기온과 같이 날씨에 영향을 주는 것을 자연환경이라고 합니다. 사람들이 자연환경을 이용하여 만든 밭, 도로, 건물 등은 인문환경이라고 합니다.

[채점 기준] '(가)는 자연환경, (나)는 인문환경'이라고 바르게 쓰고, '자연환경은 땅의 모양이나 날씨에 영향을 주는 것이다. 인문환경은 사람들이 자연환경을 이용하여 만든 것이다.'의 내용을 포함하여 바르게 썼다.

한눈에 쏙쏙 자연환경과 인문환경

자연환경	산, 하천, 바다, 들, 눈, 바람 등
인문환경	도로, 다리, 건물, 항구, 논, 밭, 과수원, 공원, 아파트 등

2 제시된 사진은 겨울의 모습입니다. 겨울은 기온이 낮아 춥고 눈이 내리기도 하는 계절입니다. 겨울의 생활 모습은 날씨가 춥기 때문에 사람들이 두꺼운 점퍼, 털모자, 장갑, 부츠 등을 신습니다. 또한 눈이 많이 내리면 사람들은 길에 쌓인 눈을 치우기도 하고, 어린이들은 눈싸움을 하거나 가족들과 함께 눈꽃 축제에 참여하기도 합니다. 하천의 물이 얼면 얼

음낚시를 하기도 합니다.

3 평균 기온 그래프를 보면 여름인 7월의 평균 기온이 가장 높고, 그 다음으로는 10월인 가을, 4월인 봄, 1월인 겨울 순입니다. 그러므로 여름이 가장 더운 계절이고, 겨울은 평균 기온이 가장 낮은 추운 계절입니다. 평균 강수량 그래프를 보면 7월인 여름이 평균 강수량이 가장 많습니다. 그 다음으로는 10월인 가을이 많고, 그 다음은 4월인 봄, 1월인 겨울의 평균 강수량이 가장 적습니다. 따라서 여름에는 비가 가장 많이 내리고, 겨울에는 비나 눈이 가장 적게 내립니다.

4 제시된 사진은 산이 많은 고장의 모습입니다. 산이 많은 고장에서는 농사지을 넓고 평평한 곳이 많지 않기 때문에 산비탈에 밭이나 계단식 논을 만들어 채소와 곡식을 재배합니다.

한눈에 쏙쏙 산이 많은 고장에서 볼 수 있는 자연환경과 인문환경

자연환경	연속된 산, 빽빽한 나무, 울창한 숲 등
인문환경	좁고 구불구불한 길, 지하자원을 캐는 곳, 버섯 재배지, 가파른 산비탈에 만든 계단 모양의 논과 밭, 소와 양을 기르는 목장, 스키장, 고랭지 배추밭, 식당과 숙박 시설 등

5 사람들은 고장의 자연환경과 인문환경을 모두 이용하여 여가 생활을 즐깁니다.

6 일 년 내내 덥고 비가 많이 내리는 고장의 사람들은 더위를 식힐 수 있도록 바람이 잘 통하는 가벼운 옷을 입습니다. 그리고 뜨겁고 비가 적게 내리는 고장의 사람들은 뜨거운 햇볕과 모래바람으로부터 몸을 보호하기 위해 긴 옷을 입고 머리와 얼굴을 천으로 감쌉니다.

7 제시된 사진은 열대 과일을 이용한 음식입니다. 이와 같은 식생활이 나타나는 고장은 덥고 비가 많이 내리는 고장입니다. 이 고장에는 망고, 파인애플, 코코넛과 같은 열대 과일을 이용한 음식이 많고, 더운 날씨에 음식이 상하지 않도록 기름에 튀기거나 볶아서 만든 요리가 발달했습니다.

8 (가)는 나무를 쉽게 구할 수 있는 고장에서 볼 수 있는 너와집이고, (나)는 겨울이 길고 추운 고장에서 볼 수 있는 통나무집입니다. 너와집은 나무를 쉽게 구할 수 있는 고장에서 나뭇조각으로 지붕을 얹어 만든 집입니다. 통나무집은 주변에서 쉽게 구할 수 있는 통나무로 지었으며, 창을 작게 내고 찜질을 할 수 있는 시설을 만든 집입니다.

② 시대마다 다른 삶의 모습

핵심만 쏙쏙
12쪽

❶ 금속 ❷ 가마솥 ❸ 공장 ❹ 세시 풍속 ❺ 세배 ❻ 농사

가로 퀵! 세로 퀵! 퍼즐
13쪽

단원 팡팡 문제 1회
14~16쪽

1 ② 2 돌 3 예 땅을 갈고, 농사를 지을 때 사용했을 것입니다. 4 ㉠, ㉡ 5 철 6 쇠 낫 7 예 곡식을 수확할 때 사용한 도구입니다. 8 ④ 9 ③ 10 ㉢ 11 박물관 12 세시 풍속 13 ⑤ 14 ① 15 (1) ㉠ (2) ㉢ (3) ㉡ 16 추석 17 ⑤ 18 ㉡, ㉣ 19 예 농촌보다 도시에 사는 사람이 많아졌기 때문입니다. 20 ⑤

1 먼 옛날의 사람들은 돌을 깨뜨려서 날카롭게 만든 도구를 사용했습니다. 그리고 시간이 흘러 돌이나 뼈를 갈아 더 정교하게 도구를 만들 수 있게 되었습니다. 이때부터 먹을거리가 풍부한 강이나 해안 근처에 모여 살며, 강 근처에서 농사를 짓고 가축을 길렀습니다.

2 제시된 사진은 돌괭이의 모습입니다. 돌괭이는 돌을 갈고 다듬어 만들었기 때문에 돌을 깨뜨려 만든 주먹 도끼보다 더 정교하고 쓸모가 있었습니다.

3 돌괭이는 땅을 갈고, 농사를 지을 때 사용했습니다. 돌괭이를 사용하던 사람들은 강 근처에 모여 살면서

농사를 짓고 가축을 길렀기 때문에 더이상 먹을거리를 찾아 떠돌아다니지 않았습니다.

[채점 기준] '땅을 갈 때 사용했을 것이다', '농사를 지을 때 사용했을 것이다' 등의 내용을 포함하여 바르게 썼다.

4 먼 옛날에 청동은 귀했기 때문에 주로 무기나 장신구 등을 만드는 데 쓰였습니다. 일상생활에 쓰이는 토기, 농사 도구 등은 여전히 흙이나 돌, 나무로 만들어 사용했습니다.

5 사람들은 청동보다 훨씬 단단한 철로 도구를 만들기 시작했고, 철은 단단하고 구하기 쉬워 생활 도구와 무기로 널리 사용되었습니다.

6 농사 도구의 변화는 논밭을 갈 때 사용한 도구와 곡식을 수확할 때 사용한 도구로 나누어 살펴볼 수 있습니다. 먼저 논밭을 갈 때 사용한 도구는 돌보습 → 쇠 쟁기 → 트랙터 순으로 발달했습니다. 다음으로 곡식을 수확할 때 사용한 도구는 반달 돌칼 → 쇠 낫 → 콤바인 순으로 발달했습니다.

7 반달 돌칼, 쇠 낫, 콤바인은 모두 곡식을 수확할 때 사용한 도구입니다.

[채점 기준] '곡식을 수확할 때 사용한 도구이다'의 내용을 포함하여 바르게 썼다.

8 농사 도구가 발달하면서 옛날에는 농사를 지을 때 많은 사람이 필요했지만 오늘날에는 기계를 사용해서 적은 사람으로도 더 많은 농사일을 할 수 있습니다. 옛날에는 수확한 작물을 대부분 가족이 나누어 먹었지만, 오늘날에는 다양한 작물을 길러 주로 시장에 내다 팝니다.

9 음식을 만드는 도구의 변화는 음식을 익힐 때, 갈 때, 저장할 때로 나누어 살펴볼 수 있습니다. 먼저 음식을 익힐 때 사용하는 도구는 모닥불, 토기 → 아궁이, 가마솥 → 가스레인지, 전기밥솥 순으로 발달했습니다. 다음으로 음식을 갈 때 사용하는 도구는 갈판과 갈돌 → 맷돌 → 믹서 순으로 발달했습니다. 마지막으로 음식을 저장할 때 사용하는 도구는 토기 → 항아리 → 냉장고 순으로 발달했습니다.

10 초가집은 담장으로 둘러싸여 있고 그 안에 방, 부엌, 창고, 화장실 등이 나누어져 있습니다. ㉠ 움집은 방과 부엌, 창고가 한 공간 안에 모여 있으며, ㉡ 기와집은 기와로 지붕을 덮은 집, ㉢ 아파트는 시멘트와 철근 등으로 지은 집입니다.

한눈에 쏙쏙 시대별 집의 변화

움집	• 재료: 나무와 풀 등 • 방, 부엌, 창고가 한 공간 안에 모여 있음.
초가집과 기와집	• 재료: 나무, 흙, 돌, 짚, 기와 등 • 초가집의 마당에서는 주로 농사와 관련된 일을 함. • 기와집에는 여자들이 생활하는 안채와 남자들이 사용하는 사랑채가 있음.
아파트 등	• 재료: 콘크리트, 철근, 벽돌 등 • 가족 공동 공간과 개인 공간이 나뉘어 있음.

11 고장의 생활 모습을 볼 수 있는 곳으로는 박물관, 민속촌, 유적지, 전통 민속 마을 등이 있습니다. 박물관에는 옛날 사람들이 사용하던 도구가 전시되어 있습니다.

한눈에 쏙쏙 옛날 생활 모습을 볼 수 있는 곳

박물관	옛날 사람들이 사용하던 도구가 전시되어 있음.
민속촌	옛날에 있었던 마을을 다시 만들어 옛날 사람들의 생활 모습을 직접 체험할 수 있음.
유적지	옛날 사람들이 살던 집터나 마을 흔적을 볼 수 있음.
전통 민속 마을	옛날 사람들이 살던 집에 지금도 사람들이 살고 있음.

12 세시 풍속이란 해마다 일정한 시기에 반복되어 전해 내려오는 풍속을 말합니다.

13 정월 대보름은 음력으로 첫 보름달이 뜨는 날입니다. ①, ② 이때는 오곡밥을 지어 마을 사람들과 나누어 먹고 부럼을 깨물며 한 해의 건강을 기원했습니다. ③, ④ 또한 쥐불놀이, 달집태우기 등을 하며 한 해 농사가 잘되기를 소망했습니다.

14 한식은 양력으로 4월 5일 즈음인데, 씨뿌리기를 마친 무렵으로 불을 사용하지 않고 찬 음식을 먹었습니다. 조상의 무덤을 찾아 인사하며 한 해 농사가 잘되기를 빌었습니다.

15 설날은 음력 새해 첫날로, 돌아가신 조상들께 차례를 지내고 웃어른께 세배를 드립니다. 또 떡국을 먹고, 윷놀이, 널뛰기, 연날리기 등 여러 놀이를 즐깁니다. 백중은 논밭에 잡초를 없애는 김매기를 끝낸 후 즐기는 날로, 호미를 씻어 헛간에 넣어 두는 날이라고도 합니다. 이 시기에 나오는 여러 과일과 채소로 조상들께 제사를 지내고, 마을 사람들과 함께 잔치를 벌였습니다. 동지는 일 년 중 밤이 가장 길고 낮이 가장 짧은 날로, 나쁜 기운을 물리치기 위해 팥죽을 먹었습니다. 또 팥죽을 대문과 문 근처의 벽에 뿌리기도 했습니다.

16 추석은 한 해 농사를 마무리하고 수확하는 시기의 명절로, 송편을 먹고 햇곡식으로 음식을 만들어 이웃과 나누어 먹었습니다. 줄다리기, 강강술래 등의 세시 풍속을 즐기고, 조상들께 차례를 지냈습니다.

17 단오는 모내기를 끝낸 후 즐겁게 노는 날로, 여자들은 그네를 뛰고 남자들은 씨름을 했습니다. 또한 나쁜 기운을 쫓는 의미로 창포물에 머리를 감았습니다. ① 한식은 불을 사용하지 않고 찬 음식을 먹는 날로, 조상의 무덤을 찾아가 인사했습니다. ② 동지는 일 년 중 밤이 가장 길고 낮이 가장 짧은 날로, 팥죽을 먹었습니다. ③ 추석은 곡식을 수확하는 시기로, 햇곡식과 과일로 음식을 만들어 먹고 조상들께 차례를 지냈습니다. ④ 정월 대보름은 음력으로 새해 첫 보름달이 뜨는 날로, 오곡밥을 지어 먹고 달집태우기, 쥐불놀이 등을 즐겼습니다.

18 오늘날에는 명절에 멀리 떨어져 살고 있는 가족과 친척들이 고향에 모이기도 하며, 연휴를 활용하여 가족끼리 여행을 가기도 합니다. ㉠ 설날과 추석 외에 다른 명절은 잘 지내지 않고, 옛날에 비해 세시 풍속이 간략해지거나 사라졌습니다. ㉢ 명절에 바쁜 일이 있으면 따로 모이지 않고 영상 통화로 안부를 전하기도 합니다.

19 오늘날에는 농사와 관련된 세시 풍속이 많이 사라지고, 설날, 추석과 같이 큰 명절을 중심으로 한 세시 풍속만 이어져 내려오고 있습니다.

[채점 기준] '농촌보다 도시에서 생활하는 사람이 많아졌기 때문이다', '옛날보다 농사짓는 사람들이 줄어들고 직업이 다양해졌기 때문이다', '계절별로 하던 세시 풍속을 오늘날에는 언제나 할 수 있기 때문이다', '요즘에는 이웃을 모르는 경우가 많아 마을 사람들이 함께 세시 풍속을 지내지 않기 때문이다' 등의 내용을 포함하여 바르게 썼다.

20 삼복은 7월에서 8월 사이에 있는 절기인 초복, 중복, 말복을 가리키는 말로, 일 년 중 가장 더운 때입니다. 우리 조상들은 삼복 때 더위를 이기기 위해 삼계탕을 먹었는데, 오늘날에도 삼복이 되면 삼계탕을 먹습니다. ① 송편은 추석, ② 김치는 늦가을이 되면 김장을 담가 먹습니다. ③ 팥죽은 동지, ④ 오곡밥은 정월 대보름에 먹는 음식입니다.

한눈에 쏙쏙 각 명절에 즐기는 세시 음식

설날	떡국	추석	햇곡식, 과일
정월 대보름	오곡밥, 부럼	삼복	삼계탕
한식	찬 음식	동지	팥죽

1 ㉠ 자연, ㉡ 철   2 ㉠   3 갈판과 갈돌   4 ⑳ 옛날에는 직접 불을 피워 요리했는데, 오늘날에는 가스나 전기를 이용해 요리합니다.   5 가락바퀴   6 ⑤   7 움집   8 ⑳ 방과 부엌, 창고가 한 공간 안에 모여 있는 구조에서 생활했습니다.   9 ⑤   10 ⑤   11 ⑤   12 설날   13 ⑳ 설날에 마을의 웃어른께 세배를 드립니다.   14 정월 대보름   15 ④   16 ③   17 ⑳ 여러 과일과 채소로 조상들께 제사를 지냈습니다.   18 (1) ㉢ (2) ㉠ (3) ㉡ (4) ㉣   19 ㉡   20 ⑤

---

1   먼 옛날 사람들은 주로 자연에서 얻은 돌, 나무, 뼈 등을 도구로 사용하다가 점차 금속으로 도구를 만들기 시작했습니다. 사람들은 구리와 주석을 녹여 만든 청동으로 여러 도구를 만들기 시작했습니다. 하지만 청동은 귀했기 때문에 주로 무기나 장신구를 만드는 데 사용했고, 일상생활에서는 여전히 나무나 돌로 만든 도구를 사용했습니다. 그러다가 철로 생활 도구를 만들기 시작하면서 철로 농사 도구를 만들었고, 이로 인해 수확량이 크게 늘고 마을도 더 커졌습니다.

2   먼 옛날에는 청동이 귀했기 때문에 주로 무기나 장신구 등을 만드는 일에 사용했습니다. 이것은 ㉡ 청동이 다루기 쉽거나 ㉢ 재료의 값이 쌌기 때문은 아닙니다.

3   음식을 갈 때 사용하는 도구는 갈판과 갈돌 → 맷돌 → 믹서 순으로 발달했습니다.

 한눈에 쏙쏙   음식 만드는 도구의 변화

음식을 익힐 때	모닥불, 토기 → 가마솥, 아궁이 → 가스레인지, 전기밥솥
음식을 갈 때	갈판과 갈돌 → 맷돌 → 믹서
음식을 저장할 때	토기 → 항아리 → 냉장고

4   음식을 만드는 도구의 발달로 사람들의 생활이 편리해졌습니다. 음식을 익혀 그릇에 담아 먹는 것은 똑같지만 옛날에는 직접 불을 피워 요리했는데, 요즘에는 가스나 전기를 이용해 요리를 합니다. 또 먼 옛날에는 요리를 하는 공간이 집 밖이었는데, 오늘날은 요리하는 공간이 집 안에 있습니다. 그리고 옛날에는 주로 여자들이 요리를 했다면, 오늘날에는 가족이 함께 요리를 만듭니다.

[채점 기준] '옛날에는 직접 불을 피워 요리했는데, 오늘날에는 가스나 전기를 이용해 요리한다', '먼 옛날에는 요리를 하는 공간이 집 밖에 있었는데, 오늘날에는 집 안에 있다', '옛날에는 주로 여자들이 요리를 했는데, 오늘날에는 가족이 함께 요리를 한다' 등의 내용을 포함하여 바르게 썼다.

5   제시문은 먼 옛날 사람들이 실을 뽑을 때 사용했던 가락바퀴에 대한 설명입니다. 실, 옷감을 만드는 도구는 가락바퀴 → 베틀 → 방직기의 순으로 발달했습니다. 가락바퀴는 먼 옛날 사람들이 실을 뽑을 때 사용하던 도구입니다. 베틀은 실을 엮어서 옷감을 만드는 도구입니다. 오늘날에는 방직기를 사용해 빠르고 편리하게 많은 옷감을 만들 수 있습니다. 이 외에도 뼈바늘은 동물의 뼈로 만든 바늘로 가죽을 꿰매 옷을 만드는 도구입니다. 쇠바늘은 쇠로 만든 바늘로 옷감을 바느질하여 옷을 만드는 도구입니다. 오늘날에는 재봉틀을 사용하여 옷감을 빠르게 바느질할 수 있게 되었습니다.

 한눈에 쏙쏙   옷 만드는 도구의 변화

실, 옷감을 만드는 도구	가락바퀴 → 베틀 → 방직기
옷감을 바느질하는 도구	뼈바늘 → 쇠바늘 → 재봉틀

6   옷을 만드는 도구의 발달로 옛날 사람들은 대부분 직접 옷을 만들어 입었지만, 오늘날에는 공장에서 빠르고 편리하게 만든 다양한 옷을 사서 입습니다. 또한 옛날에는 주로 몸을 보호하거나 예의를 갖추기 위해 옷을 입었다면, 오늘날에는 각자의 개성에 따라 옷을 골라 입는 경우가 많습니다.

7   사진에 나타난 집은 먼 옛날 사람들이 땅을 파서 기둥을 세우고, 그 위에 풀을 얹어 지은 움집입니다.

8   움집은 방과 부엌, 창고가 한 공간 안에 모여 있었습니다. 또 불을 피워서 집 안을 따뜻하게 하고, 연기는 빠지고 빗물은 들어가지 않게 지붕에 구멍을 만들었습니다.

[채점 기준] '방과 부엌, 창고가 한 공간 안에 모여 있는 구조에서 생활했다', '불을 피워서 집 안을 따뜻하게 했다', '연기는 빠지고 빗물은 들어가지 않게 지붕에 구멍을 만들었다' 등의 내용을 포함하여 바르게 썼다.

9   초가집은 나무와 흙으로 만들어 짚으로 지붕을 덮은 집으로, 방, 부엌, 마루 등 생활 공간이 있고 마당에서는 주로 농사와 관련된 일을 했습니다.

10   고장의 옛날 생활 모습을 볼 수 있는 곳으로는 박물관, 민속촌, 유적지, 전통 민속 마을 등이 있습니다.

전통 민속 마을에서는 옛날 사람들이 살던 집에 지금도 사람들이 살고 있습니다. ① 박물관에는 옛날 사람들이 사용하던 도구가 전시되어 있습니다. ② 유적지에서는 옛날 사람들이 살던 집터나 마을 흔적을 볼 수 있습니다. ③ 민속촌은 옛날에 있었던 마을을 다시 만들어 옛날 사람들의 생활 모습을 직접 체험할 수 있습니다.

11 세시 풍속은 해마다 일정한 시기에 반복되는 풍속으로, 하는 일과 먹는 음식, 놀이 등 해마다 일정한 시기에 되풀이되는 다양한 생활 습관을 말합니다.

12 설날은 음력 새해 첫날로, 돌아가신 조상들께 차례를 지냈습니다. 설날에는 마을의 웃어른께 세배를 드리고 새해의 건강과 복을 기원했습니다. 설날에 떡국을 먹으면 나이를 한 살 더 먹는다고 생각했습니다. 이때는 윷놀이, 널뛰기, 연날리기 등의 놀이를 즐겼습니다.

한눈에 쏙쏙 각 명절에 즐기는 세시 풍속

설날	조상들께 차례 지내기, 세배 드리기, 떡국 먹기, 윷놀이, 널뛰기, 연날리기
정월 대보름	오곡밥 먹기, 부럼 깨물기, 달집태우기, 쥐불놀이
한식	찬 음식 먹기, 조상의 무덤을 찾아 인사하기
단오	그네뛰기, 씨름하기, 창포물에 머리 감기
백중	조상들께 제사 지내기, 마을 사람들과 잔치 벌이기
추석	햇곡식과 과일로 음식을 만들어 나누어 먹기, 차례 지내기, 줄다리기, 강강술래
동지	팥죽 먹기, 집 안 곳곳에 팥죽 뿌리기

13 제시된 그림은 설날에 마을의 웃어른을 찾아뵙고 세배를 드리는 모습입니다. 옛날 사람들은 설날에 웃어른을 찾아가 세배를 드렸고, 서로 인사와 덕담을 주고받으며 새해의 건강과 복을 기원했습니다. 오늘날에도 설날이 되면 웃어른께 세배를 드립니다.

[채점 기준] '설날에 마을의 웃어른께 세배를 드린다' 등의 내용을 포함하여 바르게 썼다.

14 정월 대보름은 음력으로 첫 보름달이 뜨는 날로, 오곡밥과 부럼을 먹으며 한 해 동안 건강하길 기원했습니다. 또한 쥐불놀이, 달집태우기 등을 하며 한 해 농사가 잘되기를 소망했습니다.

15 동지는 양력 12월 22일 무렵입니다. 이때는 계절상 겨울에 해당합니다.

16 단오(음력 5월 5일)는 여름 무더위가 시작되는 시기로, 모내기를 끝낸 후 즐겁게 놀면서 몸과 마음을 푸는 날입니다. 여자들은 그네를 뛰고, 남자들은 씨름을 즐겼습니다. 나쁜 기운을 쫓는다는 의미로 창포물에 머리 감기 등을 했습니다.

17 백중은 논밭에 잡초를 없애는 김매기를 끝낸 후 즐기는 날로, 호미를 씻어 헛간에 넣어 두는 날이라고도 합니다. 이 시기에 나오는 여러 과일과 채소로 조상들께 제사를 지내고, 마을 사람들과 함께 잔치를 벌였습니다.

[채점 기준] '여러 가지 과일과 채소로 조상들께 제사를 지냈다', '마을 사람들과 함께 잔치를 벌였다' 등의 내용을 포함하여 바르게 썼다.

18 봄에 씨뿌리기를 끝낸 시기인 한식에는 불을 사용하지 않고 찬 음식을 먹었습니다. 단오에는 모내기를 끝내고, 여자들은 그네를 뛰고 남자들은 씨름을 하며 즐겁게 놀았습니다. 추석에는 농사를 마무리하고, 수확한 곡식을 마을 사람들과 나누어 먹고 조상들께 차례를 지냈습니다. 일 년 중 가장 밤이 긴 날인 동지에는 나쁜 기운을 물리치기 위해 팥죽을 먹으면서 한 해를 마무리했습니다.

19 옛날에는 농사와 관련된 세시 풍속이 많았는데, 봄에는 씨를 뿌리고 땅을 갈았으며, 한 해 농사가 잘되기를 바라는 마음으로 달점을 보았습니다. 여름에 모내기 후에는 씨름을 하며 지친 몸과 마음을 풀었습니다. 한 해 농사를 마무리하고 수확하는 가을에는 송편을 만들어 먹고, 추수한 곡식과 과일로 차례를 지냈습니다. 겨울에는 다음 해 농사를 위해 땅에 거름을 주며, 귀신과 나쁜 기운을 쫓는다는 의미로 팥죽을 만들어 먹고 집 안 곳곳에 뿌렸습니다.

20 옛날에는 농사와 관련된 세시 풍속이 많았지만, 오늘날에는 농촌보다 도시에서 생활하는 사람이 많고, 옛날보다 농사짓는 사람들이 줄어들고 직업이 다양해져서 이와 관련된 세시 풍속이 많이 사라졌습니다. 또한 설날, 추석과 같이 큰 명절을 중심으로 한 세시 풍속만 이어져 내려오고 있습니다. ① 옛날에는 특별한 날에 즐겼던 음식과 놀이를 오늘날에는 평소에도 즐깁니다. ②, ④ 옛날에는 마을 사람들이 함께 세시 풍속을 즐겼지만, 오늘날에는 이웃을 모르는 경우가 많아 가족 중심으로 세시 풍속을 즐깁니다. ③ 또한 계절별로 하던 세시 풍속을 오늘날에는 언제나 할 수 있습니다.

1 (1) 청동 (2) 예 수확량이 늘고, 마을이 더 커졌습니다. 2 예 한 사람이 농사지을 수 있는 땅이 넓어졌으며, 수확하는 곡식의 양이 늘어났습니다. 3 예 옷을 쉽고 빠르게 만들 수 있으며, 한꺼번에 많은 옷을 만들 수 있습니다. 4 예 여자들은 안채에서, 남자들은 사랑채에서 생활했습니다. 5 정월 대보름, 예 농사가 잘되기를 소망했습니다. 6 예 나쁜 기운을 물리치기 위해서였습니다. 7 예 옛날에는 대부분 농사를 짓고 살았기 때문에 계절에 따라 농사일과 관련된 세시 풍속이 있었습니다. 8 예 가족의 건강과 행복을 바라는 마음은 똑같습니다. 가족이나 친구들과 함께 즐거운 시간을 보내고 싶은 마음은 변하지 않았습니다.

───────────────

1 ㉠ 비파형 동검은 청동으로, ㉡ 쇠 괭이는 철로 만든 도구입니다. 철로 만든 농사 도구를 사용하면서 수확량이 크게 늘고 마을도 더 커졌습니다.

[채점 기준] '수확량이 늘었다', '마을이 더 커졌다' 등의 내용을 포함하여 바르게 썼다.

2 곡식을 수확할 때 사용하는 도구는 반달 돌칼 → 쇠낫 → 콤바인 순으로 발달했습니다. 이렇게 농사 도구가 발달하면서 한 사람이 농사지을 수 있는 땅이 넓어지고, 수확하는 곡식의 양도 늘어났습니다. 또 여러 가지 기능을 한꺼번에 할 수 있는 농기계를 사용해 더 편리하게 농사를 지을 수 있습니다. 옛날에는 수확한 작물을 대부분 가족이 먹었지만, 오늘날에는 다양한 작물을 길러 주로 시장에 내다 팝니다.

[채점 기준] '한 사람이 농사지을 수 있는 땅이 넓어졌다', '수확하는 곡식의 양이 늘어났다', '옛날보다 적은 사람으로 훨씬 많은 농사일을 할 수 있다', '옛날에는 수확한 작물을 대부분 가족이 먹었지만, 오늘날에는 다양한 작물을 길러 주로 시장에 내다 판다', '옛날에는 농사일마다 다른 농사 도구를 사용해야 했는데, 오늘날에는 하나의 농기계로 여러 가지 기능을 한꺼번에 사용할 수 있다' 등의 내용을 포함하여 바르게 썼다.

3 옷을 만드는 도구의 발달로 옛날 사람들은 대부분 직접 옷을 만들어 입었지만, 오늘날에는 공장에서 기계로 만든 옷을 사서 입습니다. 기계로 옷을 만들게 되면서 옷을 쉽고 빠르게 만들 수 있게 되었고, 한꺼번에 많은 옷을 만들 수 있게 되었습니다.

[채점 기준] '옷을 쉽고 빠르게 만들 수 있다', '한꺼번에 많은 옷을 만들 수 있다' 등의 내용을 포함하여 바르게 썼다.

4 제시된 사진은 옛날 사람들이 흙을 구워 만든 기와로 지붕을 얹은 기와집입니다. 기와집은 안채, 사랑채, 마루, 부엌, 화장실 등으로 생활 공간이 나뉘어 있었고, 안채에는 여자들이, 사랑채에는 남자들이 생활했습니다. 또 마당이 있어 뛰어놀거나 가축을 기를 수 있었습니다. 화장실은 마당에 따로 있어 밤에 이용하기에는 불편했습니다.

[채점 기준] '여자들은 안채에서, 남자들은 사랑채에서 생활했다' 등의 내용을 포함하여 바르게 썼다.

5 정월 대보름(음력 1월 15일)은 음력으로 새해 첫 보름달이 뜨는 날로, 오곡밥을 먹고 부럼을 깨물며 한 해 동안 건강하길 기원했습니다. 또한 쥐불놀이, 달집태우기 등을 하며 한 해 농사가 잘되기를 기원했습니다.

[채점 기준] '정월 대보름'이라고 바르게 쓰고, '농사가 잘되기를 소망했다' 등의 내용을 포함하여 바르게 썼다.

6 동지(양력 12월 22일 무렵)는 일 년 중 밤이 가장 길고 낮이 가장 짧은 날로 '작은설'이라고도 했습니다. 나쁜 기운을 쫓는다고 믿어 팥죽을 만들어 먹고 집안 곳곳에 뿌렸습니다.

[채점 기준] '나쁜 기운을 물리치기 위해서였다' 등의 내용을 포함하여 바르게 썼다.

7 옛날에는 대부분의 사람들이 농사를 짓고 살았기 때문에 계절에 따라 농사와 관련된 다양한 세시 풍속을 즐겼습니다. 봄에는 씨를 뿌리고 밭을 갈았고, 여름에는 모내기, 가을에는 수확하기, 겨울에는 거름 주기 등을 하면서 이와 관련된 세시 풍속을 즐겼습니다.

[채점 기준] '옛날에는 대부분 농사를 짓고 살았기 때문에 농사와 관련된 세시 풍속이 계절에 따라 다양했다' 등의 내용을 포함하여 바르게 썼다.

8 옛날과 오늘날의 세시 풍속은 달라졌지만 세시 풍속을 통해 가족과 정을 나누고, 건강과 행복을 바라는 마음은 변함없이 이어지고 있습니다.

[채점 기준] '가족이나 친구들과 함께 즐거운 시간을 보내고 싶은 마음은 변하지 않았다', '가족의 건강과 행복을 바라는 마음은 똑같다' 등의 내용을 포함하여 바르게 썼다.

③ 가족의 모습과 역할 변화

핵심만 쏙쏙
22쪽

❶ 기러기 ❷ 농사 ❸ 갈등 ❹ 다양 ❺ 사랑 ❻ 존중

가로 톡! 세로 톡! 퍼즐
23쪽

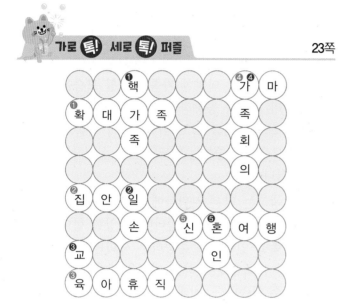

핵
가 마
확 대 가 족 족 회
족 의
집 안 일
손 신 혼 여 행
교 인
육 아 휴 직

단원 팡팡 문제 1회
24~26쪽

1 ③ 2 (다) 3 (1) ㉠, ㉢ (2) ㉡, ㉣ 4 ⑤ 5 예 옛날에는 농사를 지어 일손이 많이 필요했기 때문입니다. 6 ⑤ 7 ㉡, ㉢ 8 여자, 남자 9 ⑤ 10 예 교육받을 기회가 늘어나면서 사회 활동을 하는 여성이 많아졌기 때문입니다. 11 ① 12 ㉢-㉡-㉠ 13 ⑤ 14 ⑤ 15 예 오늘날 가족의 형태는 매우 다양합니다. 16 ① 17 ⑤ 18 ② 19 ① 20 ④

1 옛날에는 혼례가 끝난 뒤 신부의 집에서 며칠 동안 머무르다가 신랑은 말을, 신부는 가마를 타고 신랑의 집으로 이동했습니다.

2 옛날에는 혼례 치르기 → 신랑의 집으로 이동하기 → 폐백드리기의 순서로 혼인이 진행되었습니다.

한눈에 쏙쏙 옛날의 혼인 풍습

혼례 치르기	• 신부의 집 마당에서 혼례를 치름. • 신랑이 신부에게 나무 기러기를 바치면 혼례가 시작됨.
신랑의 집으로 이동하기	혼례가 끝난 뒤 신부의 집에서 머무르다가 신랑은 말을, 신부는 가마를 타고 신랑의 집으로 감.
폐백드리기	신랑의 집에서 신부가 신랑의 부모님과 어른들께 폐백을 드림.

3 옛날에는 신랑이 신부의 집에 가서 나무 기러기를 바치면 혼례가 시작되었고 주로 한복을 입고 혼례를 치렀습니다. 오늘날에는 주로 신부는 웨딩드레스, 신랑은 양복을 입고 결혼반지를 주고받습니다.

4 옛날의 혼인 풍습은 ① 장소, ② 입는 옷, ③ 주고받는 물건, ④ 혼인 후에 하는 일 등 오늘날과 매우 다르지만, 혼인으로 새롭게 가족이 된 두 사람을 축복하는 마음은 변함없습니다.

5 옛날에는 결혼한 부부가 부모와 함께 사는 경우가 많았습니다. 왜냐하면 옛날에는 주로 농사를 지어 일손이 많이 필요했기 때문입니다.

[채점 기준] '옛날에는 농사를 지어 일손이 많이 필요했기 때문이다'의 내용을 포함하여 바르게 썼다.

6 확대 가족은 결혼한 부부가 부모와 함께 사는 것을 말합니다. 할아버지, 할머니, 아버지, 어머니, 자녀로 구성된 가족이 확대 가족에 해당합니다.

7 ㉠ 오늘날에는 주로 농사를 지었던 옛날과는 달리 다양한 일자리가 생겼습니다. 이에 따라 자녀들이 직업을 얻고 교육을 위해 이사하거나 개인 생활을 위해 독립하는 경우가 늘어 핵가족이 많아졌습니다.

8 옛날에는 가족 구성원의 역할이 정해져 있었습니다. 집안일은 주로 여자가 하고, 바깥일은 주로 남자가 했습니다. 오늘날에는 남성의 일과 여성의 일을 따로 구분하지 않고, 가족 구성원이 함께 집안일을 합니다.

9 옛날에는 가족 구성원이 하는 일이 구분되어 있어 남자는 주로 바깥일을 하고 여자는 주로 집안일을 했지만, 오늘날에는 집안일을 함께합니다. 옛날에는 다 함께 살아 할아버지와 할머니가 아이들을 돌보아 주셨는데, 오늘날에는 아빠와 엄마가 출근하시면 아이들을 돌봄 시설 등에 맡겨야 합니다. 또한 오늘날에는 가족의 중요한 일을 가족회의를 통해 결정하는 경우가 많습니다.

10 오늘날 가족 구성원의 역할이 달라진 까닭은 교육받을 기회가 늘어나면서 사회 활동을 하는 여성이 많아졌고, 이에 따라 맞벌이 가정도 늘어났기 때문입니다. 또한 남녀가 평등하다는 의식이 높아지면서 가족 구성원의 역할도 변화했습니다.

[채점 기준] '교육받을 기회가 늘어나면서 사회 활동을 하는 여성이 많아졌다', '맞벌이 가정이 늘어났다', '남녀가 평등하다는 의식이 높아지면서 가족 구성원의 역할도 변화했다' 등의 내용을 포함하여 바르게 썼다.

교육 기회 확대	누구나 교육받을 기회가 늘어나면서 사회 활동을 하는 여성이 많아졌음.
맞벌이 가정 증가	맞벌이 가정이 늘어나면서 육아 휴직을 하는 아빠도 늘어남.
남녀평등 의식 확산	남녀평등 의식이 높아지면서 성별의 구분 없이 일하는 사람들이 늘어남.

11 오늘날 여성의 사회 진출이 활발해진 까닭은 옛날에 비해 오늘날에는 누구에게나 교육받을 기회가 있기 때문입니다. 그래서 여자들도 학교에 다니고 높은 수준의 교육을 받을 수 있게 되었습니다. 또한 남녀가 평등하다는 의식이 높아져 성별에 관계없이 다양한 사회 분야에서 일합니다.

12 가족 구성원들은 같은 일을 두고 생각이 다를 때 갈등이 발생합니다. 가족 구성원 간의 갈등을 역할극으로 표현하려면 가장 먼저 가족 구성원들 사이의 문제를 파악해야 합니다. 역할극 상황을 살펴보고 나타난 문제가 무엇인지 각 가족 구성원의 관점에서 생각합니다. 역할극을 통해 가족 구성원의 마음을 알아보고 가족 구성원으로서 바람직한 역할을 토의해 봅니다. 이 활동을 통해 알게 된 가족 구성원으로서의 바람직한 역할을 실천합니다.

13 회사 일과 집안일을 하느라 바쁘신 엄마를 위해 가족 구성원이 집안일을 나누어서 함께할 수 있습니다.

14 제시된 그림은 할머니, 손자, 손녀로 이루어진 가족입니다.

15 우리 주변에는 여러 형태의 가족이 있습니다. 우리 가족과 같거나 비슷한 형태의 가족도 있고, 다른 형태의 가족도 있습니다.

[채점 기준] '오늘날 가족 형태는 매우 다양하다'의 내용을 포함하여 바르게 썼다.

16 드라마, 영화, 신문 기사 등에서 찾아볼 수 있는 다양한 가족을 통해 가족들의 형태나 생활 모습을 생각해 볼 수 있습니다. 또한 가족 구성원이 서로 어떻게 생각하는지, 가족에게 생긴 이야기가 무엇인지도 살펴볼 수 있습니다.

17 다양한 가족의 생활 모습은 그림 그리기, 역할극 하기, 노래 만들기, 만화 그리기 등 다양한 방법으로 표현할 수 있습니다. 다양한 가족의 생활 모습을 표현하는 활동을 통해 가족마다 상황이 다르고 생활 모습도 다르지만 함께 힘이 된다는 점은 모두 같다는 것을 알 수 있고, 다양한 형태의 가족을 존중하는 태도를 가질 수 있습니다.

18 제시문은 가족의 소중함을 담은 대상을 찾아 글로 표현한 것입니다. 가족이 하나의 음악처럼 조화를 이루며 살아가기 때문에 가족을 음악으로 표현했습니다.

19 가족마다 형태와 구성원이 다르므로 살아가는 모습도 다양합니다. 다양한 가족의 생활 모습을 살펴보면 우리 가족과 공통점도 있고 차이점도 있습니다. 각 가족의 차이를 알고 이해하면서 가족의 다양한 삶의 모습을 존중하는 태도와 이를 실천하는 자세가 중요합니다.

20 공익 광고는 많은 사람들에게 우리 사회의 중요한 가치를 알리기 위해 만듭니다. 다양한 형태로 구성된 가족을 인정하고 존중하는 사회를 만들기 위해 다양한 가족을 존중하는 내용을 담은 공익 광고를 만들 수 있습니다. 이때 우리 가족의 형태만이 아닌 다양한 가족의 형태를 잘 보여 줄 수 있는 방법을 생각해 보아야 합니다.

단원 팡팡 문제 2회   27~29쪽

1 ㄹ 2 ③ 3 ③ 4 (3) 5 (1) ㄴ (2) ㄱ 6 ㄹ 7 ⑩ 가족 구성원 모두가 집안일을 나누어서 합니다. 8 ⑩ 집안의 중요한 일은 가족회의를 통해 결정합니다. 9 ② 10 ⑤ 11 ② 12 ① 13 (가) 14 ④ 15 ㄱ, ㄴ 16 ② 17 ② 18 진희 19 ⑤ 20 ④

---

1 가마는 옛날 혼인과 관련 있는 것이고, ㉠ 웨딩드레스, ㉡ 양복, ㉢ 결혼반지, ㉺ 신혼여행은 오늘날 결혼식과 관련 있는 것입니다. 옛날에는 혼례가 끝난 뒤 부부가 신부의 집에서 며칠 머무르다가 신랑은 말을, 신부는 가마를 타고 신랑의 집으로 갔습니다.

2 오늘날에는 결혼식장에서 결혼식을 올리는 사람도 많지만 다양한 장소에서 결혼식을 하고 색다른 형식으로 결혼식을 하기도 합니다.

한눈에 쏙쏙 오늘날의 다양한 결혼식 모습

▲ 취미 활동 결혼식	▲ 결혼식을 치르지 않는 경우
▲ 공연 형식 결혼식	▲ 작은 결혼식(스몰 웨딩)
▲ 야외 결혼식	▲ 전통 혼례

3 폐백 자리에서 자식을 많이 낳고 부자가 되라는 뜻으로 대추와 밤을 신부의 치마에 던져 주었습니다.

4 옛날에는 신랑이 신부의 집에 가서 나무 기러기를 바치면 혼례가 시작되었습니다. 기러기는 한번 짝짓기를 하면 평생 그 짝과 함께 지냅니다. 우리 조상들은 혼례를 올릴 때 나무를 깎아 기러기를 만들어 신랑, 신부가 기러기처럼 평생 어우러져 살기를 기원했습니다.

5 확대 가족은 부모가 결혼한 자녀와 함께 사는 가족이고, 핵가족은 부모가 결혼하지 않은 자녀와 함께 사는 가족을 말합니다. ㉠ 아빠, 엄마, 오빠, 나, 동생으로 이루어진 가족은 부모가 결혼하지 않은 자녀와 함께 사는 가족이기 때문에 핵가족이고, ㉡ 할아버지, 할머니, 아빠, 엄마, 나로 이루어진 가족은 부모가 결혼한 자녀와 함께 사는 가족이기 때문에 확대 가족입니다.

6 오늘날에는 집안일을 가족 구성원이 함께합니다. ㉠ 옛날에는 가족 구성원의 역할이 정해져 있었고, ㉡ 집안일은 주로 여자가, 바깥일은 주로 남자가 했습니다. ㉢ 오늘날 남녀의 일을 구분하지 않습니다.

7 옛날에 집안일은 주로 여자가 했지만, 오늘날에는 남녀 구분 없이 가족 구성원이 집안일을 나누어서 합니다.

[채점 기준] '가족 구성원 모두가 집안일을 나누어서 한다', '가족 모두 집안일을 한다' 등의 내용을 포함하여 바르게 썼다.

8 옛날에는 집안의 중요한 일은 할아버지가 결정한 뒤 결정한 내용을 가족들에게 말씀해 주셨지만 오늘날에는 집안의 중요한 일은 가족회의를 통해 가족 구성원이 함께 결정합니다.

[채점 기준] '가족 구성원이 함께 결정한다', '가족회의로 집안의 중요한 일을 결정한다' 등의 내용을 포함하여 바르게 썼다.

9 가족 구성원들은 같은 일을 두고 생각이 다를 때 갈등이 생깁니다. 갈등은 서로 생각이나 마음이 달라 다투는 상황을 뜻합니다.

10 가족 구성원으로서 자신의 역할을 잘하도록 노력해야 합니다. ① 식사 준비 돕기, ② 동생과 사이좋게 지내기, ③ 책상 정리하기, ④ 가족과 대화 나누기 등은 내가 할 수 있는 역할입니다. 집안일은 가족 모두의 일이므로 가족 구성원이 함께해야 합니다.

11 가족 구성원 사이에 나타난 갈등을 해결하기 위해 대화를 하며 서로를 이해해야 합니다. 또한 가족 구성원 사이에 서로 존중하고 다른 사람의 입장을 배려하는 태도를 가져야 합니다.

한눈에 쏙쏙 가족 구성원 간의 갈등 원인 및 해결 방법

원인	같은 일이어도 생각이 다르기 때문임.
해결 방법	• 서로 대화하면서 각자의 생각을 알아보고 갈등 해결 방법에 관해 의견을 나누어 봄. • 서운한 점과 속상한 점을 솔직하게 이야기해 봄. • 노력이 필요한 점을 말해 봄. • 존중하고 다른 사람을 배려하는 자세를 가짐.

12 가족 갈등이 발생했을 때 가족회의를 열어 대화를 할 수 있습니다. 이를 통해 가족 구성원 사이에 갈등이 생겼다는 것을 받아들이고 대화로 서로 어떤 생각을 하는지, 어떻게 하면 갈등을 해결할 수 있는지 의견을 나누어 봅니다.

13 (가)는 두 가족이 새롭게 한 가족이 된 가족이고, (나)는 외국인 엄마가 있는 가족입니다. (다)는 입양으로 이루어진 가족이고, (라)는 부모와 결혼하지 않은 자녀가 함께 사는 가족입니다.

한눈에 쏙쏙 다양한 가족 형태

• 재혼으로 한 가족이 된 가족
• 할아버지나 할머니만 있는 가족
• 입양으로 한 가족이 된 가족
• 아빠나 엄마만 있는 가족
• 외국인 아빠나 외국인 엄마가 있는 가족

14 우리 주변에는 여러 형태의 가족이 있습니다. ① 가족은 혈연관계로만 이루어지지 않습니다. ② 가족의 형태는 바뀔 수 있습니다. ③ 한국인과 외국인이 결혼한 가족도 흔히 찾아볼 수 있습니다. ⑤ 우리 가족과 같거나 비슷한 형태의 가족도 있고, 다른 형태의 가족도 있습니다.

15 가족의 형태와 구성원이 다르기 때문에 가족의 생활 모습도 다양하게 나타납니다. ⓒ 가족 구성원의 역할이 모두 같지는 않습니다.

16 제시된 내용은 입양으로 가족이 된 사례를 신문 기사에서 찾아본 것입니다. 사랑으로 함께 행복한 가족이 된 모습을 볼 수 있습니다. 입양은 혈연관계가 아닌 사람들이 법적으로 부모와 자식의 관계가 되는 일을 뜻합니다.

17 다양한 가족의 생활 모습을 표현하는 방법으로는 그림 그리기, 역할극 하기, 노래 만들기, 만화 그리기 등 다양한 방법이 있습니다. 제시된 내용은 케냐가 고향인 아빠께서 어릴 적 드시던 음식을 가족과 함께 먹는 모습을 역할극으로 표현했습니다. 역할극을 통해 다양한 가족을 존중하는 태도를 가질 수 있습니다.

18 다양한 가족의 생활 모습을 표현하는 방법에는 그림 그리기, 노래 부르기, 역할극 하기 등이 있습니다. 그림 그리기를 통해 다양한 가족의 생활 모습을 다양한 색깔로 꾸며 볼 수 있습니다. 역할극으로 가족의 생활 모습을 표현해 보면 역할극 대본을 읽으면서 그 가족의 생각을 알 수 있고, 역할극을 하며 그 가족이 되어 볼 수 있어서 다른 가족을 더 잘 이해할 수 있습니다.

19 가족의 의미를 표현한 글을 살펴보면 내가 힘들 때 우리 가족이 안아 주면 따뜻하고 포근한 마음이 든다고 설명하고 있습니다. 우리 가족이 따뜻하고 포근하다는 것을 표현하기에 적절한 말에는 장갑, 이불, 손난로, 목도리 등이 있습니다. 영양제는 우리 가족이 나에게 힘을 준다는 뜻으로 표현할 수 있는 말입니다.

20 다양한 가족의 생활 모습을 표현하는 활동을 통해 가족 형태와 가족의 구성원, 가족의 생활 모습은 달라도 모든 가족은 소중하다는 것을 알 수 있습니다. 따라서 다른 가족을 대할 때 각 가족의 차이를 알고 이해하면서 다양한 형태의 가족을 존중하는 태도가 필요합니다.

1 예 옛날에는 신부의 집에서 혼례를 치렀고, 오늘날에는 결혼식장에서 결혼식을 합니다. **2** 예 옛날에는 주로 농사를 지어 일손이 많이 필요했기 때문입니다. **3** 예 옛날에는 여자가 주로 집안일을 했지만, 오늘날에는 가족 구성원이 집안일을 나누어서 합니다. **4** 예 학교에서 돌아와 숙제를 스스로 했나요? **5** 예 두 가족이 새롭게 한 가족이 된 가족입니다. **6** 예 다양한 형태의 가족을 존중해야 합니다. **7** 예 입양으로 이루어진 가족입니다. **8** 예 달걀말이의 달걀이 돌돌 말려 있는 것처럼 서로 꼭 안아 주는 모습이 꼭 우리 가족 같기 때문입니다.

---

1 옛날에는 신랑이 신부의 집에 가서 나무 기러기를 바치면 혼례가 시작되었습니다. 혼례가 끝난 뒤 부부는 신부의 집에서 며칠 동안 머무르다가 신랑의 집으로 갔습니다. 오늘날에는 신부는 웨딩드레스, 신랑은 양복을 입고 결혼식장에서 결혼식을 합니다. 신랑과 신부는 결혼반지를 주고받고 결혼식 후에 신혼여행을 떠납니다.

[채점 기준] '옛날에는 신부의 집에서 혼례를 치렀고, 오늘날에는 결혼식장에서 결혼식을 한다', '옛날에는 한복을 입었고, 오늘날에는 신부는 웨딩드레스, 신랑은 양복을 입는다', '옛날에는 나무 기러기를, 오늘날에는 결혼반지를 주고받는다', '옛날에는 혼례를 치르고 나면 신부의 집에서 며칠 동안 머무르다가 신랑의 집으로 갔는데, 오늘날에는 결혼식이 끝나면 신혼여행을 간다' 등의 내용을 포함하여 바르게 썼다.

한눈에 쏙쏙 옛날과 오늘날의 혼인 풍습 비교

구분	옛날	오늘날
장소	신부의 집	결혼식장
입는 옷	한복	신부는 웨딩드레스, 신랑은 양복
주고받는 물건	나무 기러기	결혼반지
혼인 후에 하는 일	신부의 집에서 며칠 동안 있다가 신랑의 집으로 감.	신혼여행을 감.

2 옛날에는 농사가 중심이 되는 사회였으므로 일손이 많이 필요해 가족이 서로 떨어져 살지 않고 함께 사는 일이 많았습니다. 결혼한 부부가 부모와 함께 사는 확대 가족의 경우 가족 구성원 수가 많으므로 필요할 때 서로 도울 수 있기 때문에 옛날에는 확대 가

족이 많았습니다.

3 옛날에는 가족 구성원의 역할이 정해져 있어 집안일은 주로 여자가 하고, 바깥일은 주로 남자가 했습니다. 오늘날에는 남성의 일과 여성의 일을 따로 구분하지 않고 가족 구성원이 집안일을 나누어서 합니다.

4 가족 구성원으로서 바람직한 역할을 알고, 내가 할 수 있는 일을 생각해 봅니다. 그리고 가족 구성원으로서 자신의 역할을 잘 실천해야 합니다.

5 아빠와 살던 아이에게 엄마와 형이 생겼다는 것으로 보아 두 가족이 새롭게 한 가족이 되었음을 알 수 있습니다.

6 오늘날 우리 사회에는 다양한 형태의 가족이 함께 살아가고 있습니다. 가족들의 구성과 살아가는 모습은 모두 다릅니다. 우리 가족과 다른 가족을 대할 때 각 가족의 차이를 알고 이해하면서 다양한 형태의 가족을 존중하는 태도가 필요합니다.

7 다양한 가족의 생활 모습은 그림, 역할극, 노래, 만화 등 여러 가지의 형태로 표현할 수 있습니다. 제시된 역할극에서 '저의 엄마, 아빠가 되어 주셔서 감사해요.', '우리 아들들이 되어 주어 고마워.'라는 문장에서 아이를 입양했다는 것을 알 수 있습니다.

8 가족의 소중함을 다양한 것에 비유해 표현할 수 있습니다.

한눈에 쏙쏙 가족을 다른 대상에 비유하기

충전기	달걀말이	바다
힘들 때 힘이 나게 해 줌.	서로 꼭 안아 주고 다독여 줌.	부모님이 매우 깊게 사랑해 줌.

장갑	라면	음악
내 마음을 따뜻하게 해 줌.	우울할 때 위로가 되어 줌.	하나의 음악처럼 조화를 이루며 살아감.

MEMO

똑똑한
교과서 풀이로
언택트 시대
자기 주도 학습을
돕습니다.

초등 사회
자습서 & 평가문제집 **3·2**

정답

www.purunet-ischool.co.kr

"공부가 재밌넷! 푸르넷"

단과 학습 프로그램

푸르넷 수학

현직 초등학교 교사와 일타 강사들의 경험을 토대로 각종 문제들을 종합 분석하여 만든 초등 수학 전문 프로그램

• 본교재(월 1권), 플러스북(월 1권)
• 중간고사·기말고사 예상문제(연 4회 / 4·6·9·11월)
• 푸르넷 아이스쿨(동영상 강의, 유사·발전 문제, 학습만화 e-book)

오! 역사논술

초·중등 역사 교육 과정을 반영하여 한국사를 총 48주 탐구 주제로 풀어낸 역사 논술 프로그램

• 본교재(월 1권), 활동자료(월 1종)
• 동영상 강의(월 4강)
• 오! 역사논술 퀴즈(월 40문항)

푸르넷 독서논술

다양한 분야의 책을 읽고, 창의·융합적 지식과 공부의 원천 기술을 기르는 독서논술 프로그램

• 1~7단계: 리딩북(월 2~4권), 워크북(월 4권), 리딩다이어리(연 1권),
　　　　　　X-파일북(연 2권)
• 3~7단계: 동영상 강의(월 2~3강)

푸르넷 한자

실생활에서의 한자 활용 능력, 어휘력, 교과서 한자어 인지도 등을 종합적 으로 향상시켜 주는 한자 학습 프로그램

• 본교재(월 1권), 교과서 한자어(월 1권), 한자 쓰기 연습장(월 1권)
• 한자 만화 e-book

영어 학습 프로그램

English Buddy

공신력 있는 리딩 프로그램과 체계적인 커리큘럼, 영어 학습에 최적화된 다양한 디지털 콘텐츠, 정확한 개별 진단 및 지도 교사의 맞춤 지도가 융합된 영어 전문 프로그램

• [Beginner] Reading Book 4권, Reading Study Book 1권,
　　　　　　Phonics Study Book 1권, Pencil Book 1권,
　　　　　　MP3 CD 1장, Smart Learning 서비스
• [Prime] Reading Book 4권, Reading Study Book 1권(Writing Note
　　　　　포함), Study Book 1권, Smart Learning 서비스
• [Experience] Reading Book 4권, Study Book 1권, Webtoon for
　　　　　　　Daily Conversation 1권, Test Buddy 1권, MP3 CD 1장,
　　　　　　　Smart Learning 서비스

교과서랑 친해지는 지름길!

교과서를 200% 즐기는 방법, 금성 초등 자습서 & 평가문제집 시리즈

초등학교 수학   초등학교 사회   초등학교 과학(실험 관찰)

초등 사회 3-2
자습서 & 평가문제집

발행일 • 2022년 8월 15일 초판 발행
발행인 • 김무상
발행처 • (주)금성출판사
주소 • 서울특별시 마포구 만리재옛길 23 (우)04210
등록 • 1965년 10월 19일 제10-6호
구입문의 • TEL 02-2077-8144~6 / mall.kumsung.co.kr
내용문의 • TEL 02-2077-8252(8183)

mall.kumsung.co.kr
발간 이후에 발견되는 오류는 정오표를
다운로드하면 확인할 수 있습니다.